Guia de Conversação Langenscheidt

Inglês

**Com
Vocabulário de Viagens
Português-Inglês**

martins fontes
selo martins

Copyright © 1995, Martins Editora Livraria Ltda.,
Copyright © 1964, 1973, 1981, Langenscheidt KG, Berlim e Munique
para a edição original alemã.
Título original: LANGENSCHEIDTS SPRACHFÜHRER – ENGLISH

Publisher	*Evandro Mendonça Martins Fontes*
Coordenação editorial	*Vanessa Faleck*
Produção gráfica	*Carlos Alexandre Miranda*
Diagramação	*Antônio Neuton Alves Quintino*
Tradução	*Andrea Stahel M. da Silva*
Coordenação de tradução	*Monica Stahel*
Preparação	*Monica Stahel*
Revisão	*Dinarte Zorzanelli da Silva*
	Fábio Maximiliano Alberti

2ª edição   2015

Dados Internacionais de Catalogação na Publicação (CIP)
(Câmara Brasileira do Livro, SP, Brasil)

Guia de conversação Langenscheidt : inglês : com vocabulário de viagens : português-inglês / [tradução Andrea Stahel M. da Silva]. -- São Paulo : Martins Fontes - selo Martins, 2015.

Título original: Langenscheidt sprachführer : english.
ISBN 978-85-336-0379-7

1. Inglês - Vocabulários e manuais de conversação - Português 2. Português - Vocabulários e manuais de conversação - Inglês.

15-00357   CDD-428.2469
                                                                                            469.8242

Índices para catálogo sistemático:

1. Guia de conversação inglês-português : Linguística 428.2469
2. Guia de conversação português-inglês : Linguística 469.8242

Todos os direitos desta edição reservados à
Martins Editora Livraria Ltda.
Av. Dr. Arnaldo, 2076
01255-000 São Paulo SP Brasil
Tel.: (11) 3116 0000
info@emartinsfontes.com.br
www.martinsfontes-selomartins.com.br

INSTRUÇÕES PARA O USUÁRIO

Este guia de conversação será de grande ajuda quando você estiver num país estrangeiro. Ele lhe fornecerá as frases, expressões e palavras mais comuns e necessárias nas diversas situações de viagem ou da vida cotidiana, sempre seguidas das respectivas indicações de pronúncia. Sua disposição é clara e simples, tornando a consulta fácil e rápida. Em cada situação você encontrará imediatamente o que dizer para ver suas perguntas respondidas e seus desejos atendidos. Assim, as frases no português e no inglês nem sempre serão a tradução literal uma da outra, mas sim frases equivalentes empregadas em cada um dos idiomas numa determinada situação.

Estrutura do guia

Este guia está dividido em temas, classificados em vinte e dois capítulos. No início, são apresentadas as frases e palavras mais importantes, de uso mais comum. Seguem-se os capítulos referentes aos diferentes meios de transporte, alojamento e alimentação, e aos diversos itens ligados a qualquer viagem que se faça ao estrangeiro: compras, travessia de fronteiras e alfândegas, problemas de saúde, atividades culturais e lazer.
O apêndice contém informações que não se enquadram em temas específicos, mas que certamente serão de grande utilidade: anúncios e placas de advertência, abreviações, pesos e medidas, cores, algumas noções de gramática e um vocabulário básico de viagem.
Você notará que o texto em português aparece sempre em negrito e que seu correspondente em inglês aparece em vermelho. Embaixo ou ao lado, em letras pretas mais claras, aparece a transcrição da pronúncia do texto inglês.
Muitas vezes, duas frases foram reunidas. Para se distinguirem as pa-

lavras ou expressões que devem ser selecionadas, estas aparecem em itálico. Por exemplo, para **A que horas** *abre (fecha)*?, a tradução é "When does it *open (close)?*". Isso significa que **A que horas abre?** é "When does it open?" e **A que horas fecha?** é "When does it close?".
Enquadradas por fios vermelhos aparecem algumas informações gerais, que poderão ajudá-lo a resolver sobre a melhor forma de proceder ou se comportar em determinadas situações.
O asterisco (*) no início de uma frase indica que se trata de uma expressão que você poderá ouvir da pessoa com quem está falando.

Indicações sobre a pronúncia

Antes de utilizar o guia, será importante você ler, na página 8, algumas observações sobre a pronúncia do inglês. Além disso, todas as palavras e frases deste guia vêm acompanhadas da indicação de sua pronúncia. Para isso foram utilizadas as letras do alfabeto latino, cuja leitura deverá ser feita com o som que elas têm no português. Para indicar certos sons específicos do inglês, criamos alguns poucos sinais especiais, apresentados na página 10. Lendo a transcrição fonética, você estará em condições de se fazer entender.

Noções de gramática

Nas páginas 195-203 você encontrará algumas noções básicas da gramática inglesa, que, além de ajudá-lo a compreender melhor as frases deste guia, irão torná-lo capaz de formar algumas frases simples.

Vocabulário de viagem

O vocabulário básico do apêndice irá ajudá-lo a traduzir rapidamente palavras soltas e expressões da língua inglesa. Ele funciona como um índice remissivo. Ao lado de cada palavra estão indicadas as páginas do guia em que ela aparece.

ÍNDICE

Instruções para o usuário	3
A pronúncia do inglês	8

Fundamentos 12

Cumprimentos	12
Formas de tratamento	13
Cartas	13
Apresentações	14
Visita	15
Despedida	17
Perguntas fundamentais	18
Solicitação, pedido	20
Agradecimento	21
Confirmação e negação	21
Desculpas	22
Pesar	22
Votos e solidariedade	22
Reclamações	23
Comunicação	24
Tempo (clima)	25
Números	28
Horas	30
Períodos de tempo	31
Dias da semana	33
Meses	33
Estações do ano	33
Feriados	33
Datas	34
Idade	34
Família	35
Profissões	36
Áreas de conhecimento	38

De carro, motocicleta e bicicleta 40

Informações sobre o trajeto ..	40
Tipos de veículos	40
Aluguel de carro	41
Na direção	42
Estacionamento	44
Posto de gasolina	45
Óleo	46
Pneu	46
Lavagem de carro	47
Avaria, acidente	48
Consertos	50
Peças, tipos de serviços	51
Ferramentas	56
Indicações de trânsito	57

De ônibus 58

De trem 59

Estação	59
Horário	59
Informações	60
Compra de passagem	61
Bagagem	62
Carregador	63
Na plataforma	63
Dentro do trem	64

De avião 67

Informações e reserva	67
No aeroporto	68
Dentro do avião	69

De navio 71

Informações, compra de passagem	71
No porto	72
A bordo	73

Na fronteira 77

Controle de passaportes	77
Alfândega	79

Índice

Hospedagem 80
   Informações 80
   Na recepção 81
   Preços 82
   Registro, bagagem 83
   Recepcionista, porteiro 84
   Camareira.......................... 86
   Reclamações 87
   Partida 88
   Camping, albergue da juventude 92

Comer e beber 95
   Reserva e pedido............... 95
   Utensílios de mesa 96
   Café da manhã 97
   Almoço e jantar 98
   Modos de preparo 99
   Ingredientes 99

Cardápio 101
   Antepastos 101
   Sopas................................. 102
   Massas 102
   Peixes 103
   Frutos do mar 103
   Aves 104
   Carnes 104
   Legumes............................ 106
   Pratos com ovos 107
   Queijos.............................. 107
   Sobremesas 108
   Frutas 108
   Estados Unidos 109

Cardápio de bebidas 111
   Vinho 111
   Cerveja.............................. 111
   Outras bebidas alcoólicas 112
   Bebidas não-alcoólicas 112
   Café e doces 113
   Reclamações, a conta........ 115

Na cidade 116
   Na rua 116
   Ônibus, táxi....................... 117
   Excursões e visitas............ 118
   Igrejas, ofícios 123

Compras 126
   Generalidades 126
   Lojas 128
   Flores 130
   Livros 130
   Artigos de fotografia......... 131
   Joias 133
   Roupas 133
   Armarinho, acessórios 136
   Tecidos.............................. 136
   Lavanderia, consertos 137
   Ótica 138
   Papelaria 138
   Sapatos.............................. 139
   Tabacaria 140
   Artigos de toalete 140
   Relojoaria.......................... 142
   Armas................................ 143
   Diversos 143

Correio, telegrama, telefone 145
   Agência de correio............ 145
   Telegrama 147
   Telefone 147
   Tabela para soletrar 149
   Telefone público 149

Banco, câmbio 151

Índice

Polícia 153
Queixa 153

Cabeleireiro 155
Cabeleireiro feminino 155
Cabeleireiro masculino 157

Saúde 159
Farmácia 159
Remédios e curativos 160
No médico 162
Partes do corpo e funções 166
Doenças 168
No hospital 172
No dentista 173
Estação de águas 175

Concerto, teatro, cinema .. 176
Compra de ingressos 176
Concerto, teatro 177
Cinema 179

Passatempos 180
Passatempos 180
Dançar, namorar 182
Na praia 185
Esportes 186

Apêndice 191
Anúncios e advertências 191
Abreviações 192
Pesos e medidas 193
Cores 194

Noções de gramática 195

**Vocabulário português-
   inglês para turistas** 204

A PRONÚNCIA DO INGLÊS

A pronúncia do inglês apresenta algumas dificuldades para quem não tem contato com esse idioma. Além dos sons específicos, com frequência muito distantes dos sons do português, a grafia das palavras nem sempre oferece uma base precisa para a pronúncia. Uma mesma vogal ou um determinado grupo vocálico, por exemplo, pode adquirir sons diferentes de uma palavra para outra. Assim, na língua inglesa a acentuação e a pronúncia devem ser aprendidas, pois não há como defini-las por regras. Neste guia, todas as frases e palavras do inglês serão acompanhadas da indicação de sua pronúncia. No final deste capítulo, você encontrará algumas observações sobre essa transcrição fonética.
De todo modo, é importante que você conheça algumas particularidades da pronúncia do inglês.

As vogais

Em inglês, o som de cada uma das vogais nem sempre é o mesmo. Além disso, quando aparecem reunidas em grupos vocálicos, sua pronúncia se altera completamente.

Veja alguns exemplos:
a pode ter som de "a" aberto, "a" fechado, "ei", "ó", "é", "e": *car* [car]; *ago* [âgou]; *take* [teik]; *ball* [bó:l]; *have* [hév]; *stay* [stei].
e pode ter som de "é", "i", "â": *yes* [iés]; *she* [chi]; *prefer* [prifâr].
i pode ter som de "ai", "â", "i": *five* [faiv]; *sir* [sâr]; *sit* [sit].
o pode ter som de "ó", "ou", "â", "u": *not* [nót]; *no* [nou]; *son* [sân]; *do* [du].
u pode ter som de "u", "â", "iu": *put* [put]; *sun* [sân]; *cure* [kiur].
w em geral tem som de "u": *win* [uin]; *when* [uén].
y em geral tem som de "i": *you* [iu:].
ai pode ter som de "ei", "é": *rain* [rein]; *said* [séd].
aw em geral tem som de "ó": *saw* [só].
ee pode ter som de "iâ", "i": *beer* [biâr]; *sleep* [slip].
ea pode ter som de "i", "iâ", "a", "é": *read* [ri:d]; *clear* [kliâr]; *heart* [hart]; *head* [héd].
oo pode ter som de "u", "ó": *book* [buk]; *door* [dór].
ou pode ter som de "auâ", "au": *hour* [auâr]; *house* [hauz].
ow pode ter som de "au", "ou": *now* [nau]; *grow* [grou].

As consoantes

Há consoantes e grupos consonantais cuja pronúncia é muito própria do inglês, dando a esse idioma um som característico. Veja alguns exemplos:

ch é pronunciado como "tch" ou como "k": *chair* [tchér]; *Christmas* [krismâs].

g é pronunciado como "dj" quando antes de *i, y* e, em alguns casos, também de *e*: *gymnast* [djimnést]; *gin* [djin]; *gentleman* [djéntâlmen] — mas *get* [guét]. Quando precedido de *n*, o "g" mal se pronuncia. Muitas vezes, o grupo *ng* adquire quase um som de "nh" em português: *long* [lón(g)]; *morning* [mórninh]. Antes de *n* não é pronunciado: *sign* [sain].

h pode ser mudo ou ter o som aspirado, inexistente no português. O *h* aspirado é pronunciado como se soltássemos ar com força pela boca: *hour* [auâr]; *house* [hauz].

gh na maioria das vezes não se pronuncia, mas pode ter som de "f": *right* [rait]; *enough* [inâf].

j tem som de "dj": *june* [djun].

r tem um som característico. É como se fosse um "r" fraco pronunciado com a língua "enrolada".

th pode ter um som surdo, como o "ss" pronunciado por quem tem língua presa. Em outros casos, é mais leve, como um "z" pronunciado entre os dentes: *thank* [thénk]; *that* [dhét].

O alfabeto inglês

A a	B b	C c	D d	E e	F f	G g	H h	I i	J j	K k	L l
ei	bi	si	di	i	éf	dji	eitch	ai	djei	kei	él

M m	N n	O o	P p	Q q	R r	S s	T t	U u	V v	W w
ém	én	ou	pi	kiu	ar	és	ti	iu	vi	dâbliu

X x	Y y	Z z
éks	uai	zi

A transcrição fonética

Para facilitar a utilização deste guia, todas as palavras e frases em inglês virão acompanhadas de sua transcrição fonética, com a utilização do alfabeto latino, levando em conta o som dos fonemas em português. A pronúncia da língua inglesa varia muito conforme o país, a região e até conforme o grupo social dos indivíduos que estão falando. A pronúncia indicada neste guia é a mais genérica. Ao ler sua transcrição, você poderá sempre se fazer entender em inglês. Para se aproximar o mais possível da pronúncia correta, preste atenção nos seguintes detalhes:

— Já foi dito que o *r* é pronunciado como um "r" fraco, com a língua enrolada. Tenha isso sempre em mente, pois não há sinal especial para indicar essa característica: *corner* [córnâr].

— O som do *t* inicial, em inglês, é mais forte e "explosivo" do que no português.

— Em inglês não existem acentos. Na transcrição fonética, a vogal tônica é sublinhada e os acentos são utilizados apenas para indicar o som aberto ou fechado das vogais: *hello* [hélou].

— Foram criados alguns sinais especiais para indicar sons específicos do inglês, que não têm correspondente em português.

[**â**] indicação de um dos sons vocálicos mais frequentes da língua inglesa. É um som fechado e fraco, entre "a" e "ã": *daughter* [dótâr].

[*h*] indica o som do "h" aspirado. Aparece em itálico para evitar confusão com o "h" dos grupos "nh" e "ch". Observe: *have* [hév]; *morning* [mórninh].

[*th*] indicação do som mais forte de *th*, como se fosse "ss" pronunciado entre os dentes: *month* [mânth].

[*dh*] indicação do som mais suave de *th*, como se fosse "z" pronunciado entre os dentes: *those* [dhouz].

[(g)] as letras que aparecem entre parênteses na transcrição mal são pronunciadas, seu som é quase imperceptível: *long* [lón(g)].

[a] a vogal sublinhada é a vogal acentuada da palavra: *music* [miuzik].

[:] indica o prolongamento do som da vogal: *please* [pli:z].

– Convém lembrar que nunca é possível transcrever com absoluta exatidão algumas sutilezas de sons e as múltiplas variações entre as pronúncias adotadas nos diferentes países e regiões de língua inglesa. Por isso, é importante você ouvir com atenção as pessoas que estão à sua volta, para aprimorar sua pronúncia.

FUNDAMENTOS

Cumprimentos

Bom dia!
Good morning!
gu:d mórninh

Boa tarde!
Good afternoon!
gu:d aftârnu:n

Boa noite!
Good evening!
gu:d ivninh

> *Para que o cumprimento tenha um tom mais cordial, acrescenta-se a ele o nome da pessoa. Assim:* "Good morning, Mrs. Davies!" [gu:d mórninh, missiz deivis]. "Hello!" [hélou] *é um cumprimento mais informal, frequentemente utilizado entre pessoas que já se conhecem. Em inglês, o pronome da terceira pessoa é* you [iu:], *no singular e no plural. A mesma forma é utilizada no tratamento formal e informal. Portanto,* you *poderá ser traduzido por você, vocês, o senhor, a senhora, os senhores, as senhoras, conforme o contexto.*

*Muito prazer em vê-lo!
I'm (We're) very glad (delighted) to see you!
aim (uir) véri gléd (diláitid) tu si iu:

*Fez boa viagem?
Did you have a good journey?
did iu: hév â gu:d djârni

*Estou muito contente em *vê-lo (vê-la)*!
I'm very glad to see you!
aim véri gléd tu si iu:

Como vai?
How are you?
hau ar iu:

Como vão as coisas?
How are things (going)?
hau ar thinhz (góuinh)

E como vai você?
And how are you?
énd hau ar iu:

Como vai a família?
How's the family?
hauz dhâ fémili

Meu (Minha) ... está doente.
My ... is ill.
mai ... iz il

Dormiu bem?
Did you sleep well?
did iu: slip uél

Muito bem, obrigado!
Very well, thank you.
véri uél, thénk iu:

Estamos nos sentindo muito bem.
We're feeling fine.
uir fílinh fain

Muito obrigado por sua acolhida cordial!
Thank you very much for your warm welcome!
thénk iu: véri mátch fór ió:r uórm uélkâm

Formas de tratamento

Senhor	*(antes do nome)* Mr.;	mi̱stâr;
	(sem o nome) Sir	sâr
Senhora	*(antes do nome)* Mrs.;	mi̱ssiz;
	(sem o nome) Madam	mé̱dâm
Senhorita	Miss	mis
Senhora Jones	Mrs. Jones	mi̱ssiz djounz
Senhoras	Ladies	le̱idis
Senhores	Gentlemen	djéntlmen
Senhoras e senhores	Ladies and Gentlemen	le̱idis én djéntlmen
Sua esposa	Your wife	ió:r uai̱f
Seu marido	Your husband	ió:r *h*â̱zbând
Seu filho	Your son	ió:r sân
Sua filha	Your daughter	ió:r dó:târ
Doutor	Doctor	dóktâr
Professor	*(antes do nome)* Professor	prâféssâr

Cartas

Senhor J. B. Jones	Mr. J. B. Jones	mi̱stâr djei bi djounz
Ilustríssimo sr. J. B. Jones	J. B. Jones, Esq.	djei bi djounz, éskuai̱r
Senhora J. B. Jones	Mrs. J. B. Jones	mi̱ssiz djei bi djounz
Senhorita C. Jones	Miss C. Jones	mis si djounz
Prezado sr. Jones	Dear Mr. Jones	diâr mi̱stâr djounz
Prezada sra. Jones	Dear Mrs. Jones	diâr mi̱ssiz djounz
Prezada srta. Jones	Dear Miss Jones	diâr mis djounz
Prezados senhores	Dear Sirs	diâr sârz
Caro sr. Jones	Dear Mr. Jones	diâr mi̱stâr djounz
Caro Peter	Dear Peter	diâr pi̱târ
Cara sra. Jones	Dear Mrs. Jones	diâr mi̱ssiz djounz
Cara srta. Jones	Dear Miss Jones	diâr mis djounz
Cara Joan	Dear Joan	diâr djouân
Atenciosamente	Yours faithfully; Yours truly	ió:rz fei*th*fâli; ió:rz truli
Sinceramente	Yours sincerely	ió:rz sinsi̱rli
Lembranças	(With) Kind regards	(ui̱*th*) kai̱nd rigardz
(Com) Amor	(With) Love	(ui̱*th*) lâv

Apresentações

Meu nome é ...　　*Este (Esta) é o meu marido (a minha esposa).*
My name is ...　　　This is my husband (my wife).
m<u>ai</u> n<u>ei</u>m iz ...　　*dh*is iz m<u>ai</u> h<u>â</u>zbând (m<u>ai</u> u<u>ai</u>f)

meu filho	my son	m<u>ai</u> sân
minha filha	my daughter	m<u>ai</u> d<u>ó</u>:târ
meu namorado	my boyfriend	m<u>ai</u> b<u>ó</u>ifrénd
minha namorada	my girlfriend	m<u>ai</u> gârlfrénd
meu noivo	my fiancé	m<u>ai</u> fi<u>ó</u>nsei
minha noiva	my fiancée	m<u>ai</u> fi<u>ó</u>nsei

> *Quando duas pessoas são apresentadas uma à outra, a expressão "How do you do" [h<u>au</u> du iu: du] é utilizada por ambas. Não é uma pergunta que exija resposta, mas tem o sentido de uma troca de cordialidade.*

Como vai?　　　　　　　**Não nos conhecemos de vista?**
How do you do?　　　　　　Don't we know one another by sight?
h<u>au</u> du <u>iu</u>: du　　　　　　　d<u>ou</u>nt u<u>i</u> n<u>ou</u> u<u>â</u>n ân<u>â</u>*dh*âr b<u>ai</u> s<u>ai</u>t

Você (o senhor, etc.) mora aqui?
Do you live here?
du <u>iu</u>: liv h<u>i</u>âr

O senhor (A senhora, A senhorita) é o sr. (a sra., a srta.) Jones?
Are you Mr. (Mrs., Miss) Jones?
ar <u>iu</u>: m<u>i</u>stâr (m<u>i</u>ssiz, mis) dj<u>ou</u>nz

Poderia me dizer seu nome, por favor?　　**Qual é o seu nome?**
Could you tell me your name, please?　　　What's your name?
ku:d <u>iu</u>: tél mi i<u>ó</u>:r n<u>ei</u>m, pli:z　　　　u<u>ó</u>ts i<u>ó</u>:r n<u>ei</u>m

De onde *você vem (vocês vêm)*?　　*Estão (Está) aqui há muito tempo?*
Where do you come from?　　　　　Have you been here long?
u<u>é</u>:r du <u>iu</u>: kâm fróm　　　　　　　hév <u>iu</u>: bin h<u>i</u>âr lón(g)

Estamos aqui há uma *semana (quinzena)*.
We've been here a *week (fortnight)*.
u<u>i</u>v bin h<u>i</u>âr â u<u>i</u>k (f<u>ó</u>rtnait)

Estão (Está) gostando daqui?　　*Estamos (Estou) gostando muito.*
Do you like it here?　　　　　　　We (I) like it very much.
du <u>iu</u>: l<u>ai</u>k it h<u>i</u>âr　　　　　　　u<u>i</u> (<u>ai</u>) l<u>ai</u>k it v<u>é</u>ri mâtch

Está sozinho (sozinha) aqui?
Are you alone here?
ar iu: âloun hiâr

Estou passando minhas férias aqui.
I'm spending my holidays here.
aim spéndinh mai hólideis hiâr

Onde você trabalha?
Where do you work?
ué:r du iu: uârk

Qual é sua profissão?
What do you do for a living?
uót du iu: du fór â livinh

O que você estuda?
What (subject) are you studying?
uót (sâbdjikt) ar iu: stâdinh

Você ainda tem um pouco de tempo?
Are you still free?
ar iu: stil fri

Vamos ao (à) ...?
Shall we go to the ...?
chél ui gou tu dhâ ...

Quando nos encontraremos?
When shall we meet?
uén chél ui mit

Posso buscá-la (buscá-lo)?
May I call for you?
mei ai kó:l fór iu:

Por favor, deixe-me em paz!
Please, leave me alone!
pli:z, li:v mi âloun

Visita

O sr. (A sra., A srta.) ... está em casa?
Is Mr. (Mrs., Miss) ... at home?
iz mistâr (missiz, mis) ... ét houm

Eu poderia falar com *o sr. (a sra., a srta.)* ...?
Could I speak to *Mr. (Mrs., Miss)* ...?
ku:d ai spi:k tu mistâr (missiz, mis) ...

O sr. (A sra.) ... mora aqui?
Does *Mr. (Mrs.)* ... live here?
dâz mistâr (missiz) ... liv hiâr

Estou procurando ...
I'm looking for ...
aim lu:kinh fór ...

Quando *ele (ela)* estará em casa?
When will *he (she)* be home?
uén uil hi (chi) bi houm

Voltarei mais tarde.
I'll call again later.
ail kó:l âguén leitâr

Quando *posso (devemos)* vir?
When *can I (shall we)* come?
uén kén ai (chél ui) kâm

Visita

Adoraria (Adoraríamos) vir.
I (We) would love to come.
ai (ui) uu:d lâv tu kâm

*Entre!
Come in!
kâm in

*Sente-se, por favor!
Do sit down!
du sit daun

*Só um minuto, por favor.
Just a minute, please.
djâst â minit, pli:z

*Achegue-se, por favor!
Come up, please!
kâm âp, pli:z

Muito obrigado pelo seu convite.
Thank you very much for your invitation.
thénk iu: véri mâtch fór ió:r inviteichân

Estou incomodando você?
Am I disturbing you?
ém ai distârbinh iu:

Por favor, não se incomode.
Please don't go to a lot of trouble.
pli:z dount gou tu â lót óv trâbâl

*O que posso lhe oferecer? (O que você toma?)
What may I offer you? (What will you have?)
uót mei ai ófâr iu: (uót uil iu: hév)

*Você gostaria de ...?
Would you like ...?
uu:d iu: laik ...

O sr. (A sra.) Jones pediu-me para lhe mandar lembranças.
Mr. (Mrs.) Jones asked me to give you his (her) regards (íntimo: love).
mistâr (missiz) djounz askt mi tu guiv hiz (hâr) rigardz (lâv)

Lamento, mas preciso ir agora.
I'm afraid I must go now.
aim âfreid ai mâst gou nau

Muito obrigado *pela noite agradável (por ter vindo).*
Thank you very much for *the delightful evening (coming).*
thénk iu: véri mâtch fór dhâ dilaitful ívninh (kâminh)

Por favor, mande minhas lembranças ao sr. (à sra.) ...
Please give *Mr. (Mrs.)* ... my *regards (íntimo: love).*
pli:z guiv mistâr (missiz) ... mai rigardz (lâv)

Espero que logo nos vejamos novamente.
I hope we'll meet again soon.
ai houp uil mit âguén su:n

Despedida

Até logo!
Goodbye!
gu:dbai

Até breve!
See you again soon!
si iu: âguén su:n

Boa noite!
Good night!
gu:d nait

Até amanhã!
Till tomorrow then!
til tâmórou *dh*én

Tudo de bom!
All the best!
ó:l *dh*â bést

***Boa viagem!**
Have a good journey!
*h*év â gu:d djârni

Vim me despedir.
I have come to say goodbye.
ai *h*év kâm tu sei gu:dbai

Lamento, mas temos que ir.
I'm afraid we'll have to go.
aim âfreid uil *h*év tu gou

Obrigado por ter vindo.
Thank you for coming.
*th*énk iu: fór kâminh

Volte breve!
Come again soon!
kâm âguén su:n

Quando podemos nos reencontrar?
When can we meet again?
uén kén ui mit âguén

Telefonarei para você amanhã.
I'll ring you tomorrow.
ail rinh iu: tâmórou

Posso acompanhá-la até sua casa?
May I see you home?
mei ai si iu: *h*oum

Está tarde.
It's late.
its leit

Dê minhas lembranças a ...
Give my *regards* (íntimo: *love*) to ...
guiv mai rigardz (lâv) tu ...

Muito obrigado.
Thank you very much.
*th*énk iu: véri mâtch

Foi muito agradável.
It was lovely.
it uóz lâvli

Gostei muito.
I *liked (enjoyed)* it very much.
ai laikt (indjóid) it véri mâtch

Irei acompanhá-lo até o (a) ...
I'll take you to the ...
ail teik iu: tu *dh*â ...

Perguntas fundamentais

Quando?	**Por quê?**	**O quê?**	**Que tipo de ...?**
When?	Why?	What?	What kind of ...?
uén	uai	uót	uót kaind óv ...

Qual?	**Para quem?**	**Com quem?**	**De quem?**
Which?	To whom?	With whom?	Whom?
uitch	tu hum	uith hum	hum

Quem?	**Como?**	**Por quanto tempo?**	**Quanto?**
Who?	How?	*How long for? (For how long?)*	How much?
hu	hau	hau lón(g) fór (fór hau lón(g))	hau mâtch

Quantos?	**Onde?**	**De onde?**	**Para onde?**	**Para quê?**
How many?	Where?	Where from?	Where to?	What for?
hau méni	ué:r	ué:r fróm	ué:r tu	uót fór

Pode-se ... aqui?	**Posso ...?**	**Você precisa de ...?**
May one ... here?	Can I ...?	Do you need ...?
mei uân ... hiâr	kén ai ...	du iu: nid ...

Você tem ...?	**Quando posso obter ...?**
Have you ...?	When can I get ...?
hév iu: ...	uén kén ai guét ...

A que horas *abre (fecha)*?	**O que *deseja (posso lhe oferecer)*?**
When does it *open (close)*?	What *would you like (can I get you)*?
uén dâz it *oupân (klouz)*	uót *uu:d iu: laik (kén ai guét iu:)*

O que é isso?	**O que aconteceu?**	**O que significa isso?**
What's that?	What's happened?	What does that mean?
uóts *dh*ét	uóts hépând	uót dâz *dh*ét mi:n

Quanto custa isso?	**O que está procurando?**
What does that cost?	What are you looking for?
uót dâz *dh*ét kóst	uót ar iu: lu:kinh fór

De quem é isso?	***Quem está procurando?**
Whose is that?	Whom are you looking for?
huz iz *dh*ét	hum ar iu: lu:kinh fór

Perguntas fundamentais

Quem está aí?
Who's there?
huz dhé:r

Alguém pode ...?
Can anyone ...?
kén éniuân ...

Como se chama ...?
What's ... called?
uóts ... kó:ld

Qual é seu nome?
What's your name?
uóts ió:r neim

Como faço para chegar em ...?
How do I get to ...?
hau du ai guét tu ...

Como funciona isso?
How does that work?
hau dâz dhét uârk

Quanto tempo isso *leva (demora)*?
How long does it *take (last)*?
hau lón(g) dâz it teik (last)

Quanto recebo?
How much do I get?
hau mâtch du ai guét

Quanto é?
How much is it?
hau mâtch iz it

Onde posso encontrar ...?
Where can I find ...?
ué:r kén ai faind ...

Onde é *(são)* ...?
Where *is (are)* ...?
ué:r iz (ar) ...

Onde é o (a) ... mais próximo (próxima)?
Where's the nearest ...?
ué:rz dhâ ni:rist ...

Onde posso ...?
Where can I ...?
ué:r kén ai ...

Onde posso obter ...?
Where can I get ...?
ué:r kén ai guét ...

Onde há ...?
Where *is (are)* there ...?
ué:r iz (ar) dhé:r ...

Onde você mora?
Where do you live?
ué:r du iu: liv

Onde estamos?
Where are we?
ué:r ar ui

De onde você vem?
Where do you come from?
ué:r du iu: kâm fróm

Para onde você está indo?
Where are you going to?
ué:r ar iu: gouinh tu

Para onde vai *esse caminho (essa estrada)*?
Where does this *path (road)* go to?
ué:r dâz dhis path (roud) gou tu

Solicitação, pedido

Por favor, você poderia me *trazer (dar, mostrar)* ...?
Would you *bring (give, show)* me ..., please?
uu:d iu: brinh (guiv, chou) mi ... pli:z

Por favor, você poderia dizer-me ...?
Could you tell me ..., please?
ku:d iu: tél mi ..., pli:z

Você poderia trazer ...? **Como?**
Would you fetch ...? (I beg your) Pardon?
uu:d iu: fétch ... (ai bég ió:r) pardân

Em que posso ajudá-lo (O que posso lhe oferecer)?
What can I *do for (get)* you?
uót kén ai du fór (guét) iu:

Gostaria (Gostaríamos) de ... **Preciso de ...**
I (We) would like ... I need ...
ai (ui) uu:d laik ... ai nid ...

Preferiria ... **Posso obter ...?**
I would prefer ... Can I *have (get)* ...?
ai uu:d prifâr ... kén ai hév (guét) ...

Por favor, ajude-me! (Por favor, você poderia ajudar-me?)
Please help me! (Would you help me, please?)
pli:z hélp mi (uu:d iu: hélp mi, pli:z)

Claro. **Com licença, por favor.**
Certainly. *Excuse me, please. (May I?)*
sârtânli ikskiuz mi, pli:z (mei ai)

Estimo-lhe as rápidas melhoras. **Tudo de bom!**
I hope you'll be better soon. All the best!
ai houp iu:l bi bétâr su:n ó:l dhâ bést

Divirta(m)-se! **Desejo-lhe ...**
Have a good time! I hope you'll ...
hév â gu:d taim ai houp iu:l ...

Agradecimento

(Muito) Obrigado!
Thank you (very much)!
*th*énk iu: (vÉri mâtch)

Muito obrigado!
Many thanks! (Thank you very much indeed!)
méni *th*énks (*th*énk iu: vÉri mâtch indid)

Obrigado também a você.
Thank you, too.
*th*énk iu: tu:

Não, obrigado.
No, thank you.
nou *th*énk iu:

Eu lhe sou muito grato.
I'm most grateful to you.
aim moust greitful tu iu:

Muito obrigado *pela sua ajuda (por toda a sua preocupação).*
Thank you very much for *your help (all your trouble).*
*th*énk iu: vÉri mâtch fór ió:r *h*élp (ó:l ió:r trâbâl)

Eu (Nós) **lhe** *sou (somos)* **muito** *grato (gratos)* **por ...**
I am (We are) most grateful to you for ...
ai ém (ui ar) moust greitful tu iu: fór ...

Convém registrar:
— *Expressões mais utilizadas em resposta a* Thank you:
You're wellcome [ió:r uélcâm]
Don't mention it [dount ménchân it]
Not at all [nót ât ó:l]

— *Os sentidos da expressão* pardon [pardân]:

Desculpe!	**Como, por favor?**	**Com licença.**
Pardon me!	I beg your pardon?	Pardon me.

— Excuse me [ekskiuz me] *também é utilizada com os sentidos de "Com licença" e "Desculpe".*

Confirmação e negação

Sim.	**Certamente.**	**É claro.**	**Com muito prazer.**
Yes.	Certainly.	Of course.	I'll be glad to.
iés	sârtânli	óv kó:rs	ail bi gléd tu

22 Desculpas · Pesar · Votos e solidariedade

Ótimo!	**Está certo!**	**Excelente!**	**Com prazer!**
Good! (Fine!)	That's right!	Fine!	With pleasure!
gu:d (f*ai*n)	*dh*éts r*ai*t	f*ai*n	u*idh* léjâr
Não.	**Nunca.**	**Nada.**	**Claro que não!**
No.	Never.	Nothing.	Certainly not.
n*ou*	névâr	nâ*th*inh	sârtânli nót
Não *quero (posso)*.	**Talvez.**	**Provavelmente.**	
I *don't want (can't)*.	Perhaps.	Probably.	
ai d*ou*nt uónt (ként)	pâr*h*éps	próbâbli	

Desculpas

Desculpe(-me)!	**Eu lhe peço desculpas!**	**Sinto muito.**
(I'm) sorry!	I beg your pardon!	I'm *very (so)* sorry.
(*ai*m) sóri	*ai* bég ió:r pardân	*ai*m véri (s*ou*) sóri

Lamento muito ter acontecido isso.
I'm terribly sorry about it.
*ai*m térâbli sóri âb*au*t it

Devo me desculpar.
I must apologise.
ai mâst âpolodj*ai*z.

Por favor, não leve a mal.
Please don't take it amiss.
pli:z d*ou*nt t*ei*k it âm*i*s

Perdoe-me!
Do forgive me!
du fârgu*i*v mi

Pesar

Que pena!	**Para meu (grande) pesar ...**	**Lamento muito.**
What a pity!	To my (great) regret ...	I'm very sorry.
uót â p*i*ti	tu m*ai* (gr*ei*t) rigrét ...	*ai*m véri sóri

É muita pena que ...
It's a great pity that ...
its â gr*ei*t p*i*ti *dh*ét ...

Desculpe, mas isto é impossível.
I'm afraid it's impossible.
*ai*m âfr*ei*d its impóssâbâl

Votos e solidariedade

Parabéns pelo seu ...
Congratulations on your ...
kângrétiul*ei*chânz ón ió:r ...

aniversário	birthday	b__â__r_th_dei
noivado	engagement	ingu__ei__djmânt
casamento	marriage	m__é__ridj
êxito	success	sâks__é__s

Os melhores votos!
Very best wishes!
v__é__ri bést u__i__chiz

Feliz aniversário!
(Que esta data se repita por muitos anos!)
Happy birthday! (Many happy returns!)
_h_épi b__â__r_th_dei (m__é__ni _h_épi rit__â__rnz)

Feliz Natal!
Merry (Happy) Christmas!
m__é__ri (_h_épi) kr__i__stmâs

Feliz Ano-Novo!
A happy New Year!
â _h_épi niu __i__:âr

Desejo (Desejamos) -lhe ...
I (We) wish you ...
__ai__ (u__i__) u__i__ch iu: ...

Boa sorte!
Good luck!
gu:d lâk

Tudo de bom!
All the best!
ó:l _dh_â bést

Minhas sinceras condolências.
My sincere sympathy.
m__ai__ sinsîr s__i__mpâ_th_i

Nossa sincera solidariedade.
Our warmest sympathy.
__au__âr u__ó__rmist s__i__mpâ_th_i

Reclamações

Quero fazer uma reclamação.
I want to make a complaint.
__ai__ u__ó__nt tu m__ei__k â kâmpl__ei__nt

Por favor, posso falar com o gerente?
Can I speak to the manager, please?
kén __ai__ spi:k tu _dh__â_ m__é__nidjâr, pli:z

Eu preciso fazer uma reclamação sobre ...
I must lodge a complaint about ...
__ai__ mâst lódj â kâmpl__ei__nt âb__au__t ...

É muito desagradável.
That's most annoying.
_dh_éts m__ou__st ân__ói__nh

Está (Estão) faltando ...
... is (are) missing.
... iz (ar) m__i__ssinh

Não tenho nenhum ...
I haven't any ...
__ai__ _h_évânt __é__ni ...

... não funciona.
... doesn't work. (... is out of order.)
... d__â__zânt u__â__rk (... iz __au__t óv __ó__rdâr)

Comunicação

Você fala português? **Inglês?** **Francês?**
Do you speak Portuguese? English? French?
du iu: spi:k pórtiuguiz inglich fréntch

Você me compreende? **Compreendo.**
Do you understand me? I understand.
du iu: ândârsténd mi ai ândârsténd

Não compreendo absolutamente nada.
I don't understand anything at all.
ai dount ândârsténd énithinh ét ó:l

Poderia falar um pouco mais devagar, por favor?
Could you speak a little more slowly, please?
ku:d iu: spi:k â litâl mór slouli, pli:z

Como se diz ... em inglês? **Como você diz isso em inglês?**
What's the English for ... How do you say that in English?
uóts dhâ inglich fór ... hau du iu: sei dhét in inglich

O que significa isso? **Como?**
What does that mean? *I beg your pardon? (I'm sorry?)*
uót dâz dhét mi:n ai bég ió:r pardân (aim sóri)

Como se pronuncia esta palavra?
How is this word pronounced?
hau iz dhis uârd prânaunst

Por favor, poderia traduzir isto para mim?
Could you translate that for me, please?
ku:d iu: trénsleit dhét fór mi, pli:z

Por favor, você escreveria isto para mim?
Would you write that down for me, please?
uu:d iu: rait dhét daun fór mi, pli:z

Por favor, você poderia soletrar isto?
Would you spell that, please?
uu:d iu: spél dhét, pli:z

Tempo (clima)

Como estará o tempo?
What's the weather going to be like?
uóts dhâ uédhâr gouinh tu bi laik

Qual é a previsão do tempo?
What's the (weather) forecast?
uóts dhâ uédhâr fórkast

O termômetro está *subindo (descendo)*.
The thermometer's *rising (falling)*.
dhâ thârmómitârz raizinh (fó:linh)

O tempo estará ...
The weather's going to be ...
dhâ uédhârz gouinh tu bi ...

bom	fine	fain
instável	changeable	tcheindjâbâl
ruim	bad	béd

Vai continuar bom.
It's going to stay fine.
its gouinh tu stei fain

Parece que vai chover.
It looks like rain.
it lu:ks laik rein

Vai *chover (nevar)*?
Is it going to *rain (snow)*?
iz it gouinh tu rein (snou)

Como estão as condições da estrada daqui até ...?
What are road conditions like between here and ...?
uót ar roud kândichânz laik bituin hiâr énd ...

Está muito escorregadia.
It's very slippery.
its véri slipâri

– muito quente.
– very hot.
– véri hót

– nublado.
– foggy.
– fógui

– muito abafado.
– very close.
– véri klous

– muito ventoso.
– very windy.
– véri uindi

– tempestuoso.
– stormy.
– stórmi

Qual é a temperatura?
What's the temperature?
uóts dhâ témprâtchâr

Está fazendo ... graus *acima (abaixo)* de zero.
It's ... degrees *above (below)* freezing (point).
its ... digriz âbâv (bilou) frizing (póint)

Está *frio (calor)*.
It's *cold (warm)*.
its kould (uórm)

O tempo vai continuar bom?
Is it going to stay fine?
iz it gouinh tu stei fain

Tempo (clima)

Vai haver mudança de tempo.
There's going to be a change in the weather.
dhé:rz g*o*uinh tu bi â tch*e*indj in dhâ u*é*dhâr

Vai fazer tempo bom de novo.
It's going to be fine again.
its g*o*uinh tu bi f*ai*n âgu*é*n

O vento diminuiu.
The wind has dropped.
dhâ u*i*nd *h*éz drópt

O vento virou.
The wind has changed.
dhâ u*i*nd *h*éz tch*e*indjd

Vamos ter um temporal.
We're going to have a thunderstorm.
u*i*r g*o*uinh tu hév â *th*ândârstórm

Vai haver uma tempestade.
There's going to be a storm.
dhé:rz g*o*uinh tu bi â stórm

A neblina vai se dissipar?
Is the fog going to lift?
iz dhâ fóg g*o*uinh tu lift

Parou de chover.
It has stopped raining.
it *h*éz stópt r*e*ininh

O tempo está clareando.
It's clearing.
its kli:rinh

O sol está brilhando.
The sun's shining.
dhâ sânz ch*ai*ninh

O sol está abrasador.
The sun's burning.
dhâ sânz b*â*rninh

O céu está limpo.
The sky is clear.
dhâ sk*ai* iz kli*â*r

Na Grã–Bretanha e nos Estados Unidos a temperatura é medida, geralmente, em graus Fahrenheit (°F). Veja algumas correspondências:

$$32°F = 0°C$$
$$212°F = 100°C$$
$$x°F = 5/9\ (x-32)°C$$
$$y°C = (32 + 9/5\ y)°F$$

---

aguaceiro	cloudburst; shower	kl*au*dbârst; ch*au*âr
alvorada	dawn	dó:n
anticiclone	anticyclone	éntiss*ai*kloun
ar	air	é:r
barômetro	barometer	bér*ó*mitâr
boletim meteorológico	weather report	u*é*dhâr rip*ó*rt
calor	heat	*h*i:t
chuva	rain	r*e*in
– **está chovendo**	it's raining	its r*e*ininh

Tempo (clima)

Português	English	Pronúncia
clima	climate	kl<u>ai</u>mit
condições da estrada	road conditions	r<u>ou</u>d kând<u>i</u>chânz
corrente de ar	draught	dra:ft
degelo	thaw	*thó*:
– está degelando	its thawing	its *thó*:inh
depressão atmosférica	depression; ridge of low pressure	dipr<u>é</u>chân; ridj óv l<u>ou</u> préchâr
estrada escorregadia	*slippery (icy) road*	sl<u>i</u>pâri (<u>ai</u>ssi) r<u>ou</u>d
estrela	star	star
geada	frost	fróst
– está geando	it's freezing	its fr<u>i</u>zinh
gelo	ice	<u>ai</u>s
granizo	hail	*h*<u>ei</u>l
– está chovendo granizo	it's hailing	its *h*<u>ei</u>linh
lua	moon	mu:n
nascer do sol	sunrise	s<u>â</u>nraiz
neblina	fog	fóg
nevasca	snow flurry	sn<u>ou</u> fl<u>â</u>ri
neve	snow	sn<u>ou</u>
– está nevando	it's snowing	its sn<u>ou</u>inh
névoa	mist	mist
nublado	cloudy	kl<u>au</u>di
nuvem	cloud	kl<u>au</u>d
orvalho	dew	di<u>u</u>
penumbra	dusk	dâsk
pôr do sol	sunset	s<u>â</u>nsét
precipitação	precipitation	prissipit<u>ei</u>chân
pressão atmosférica	atmospheric pressure	étmâsf<u>é</u>rik préchâr
relâmpago	lightning	l<u>ai</u>tninh
– está relampejando	it's lightning	its l<u>ai</u>tninh
sol	sun	sân
temperatura	temperature	témprâtchâr
tempestade	storm	stórm
tempestade de neve	snowstorm; blizzard	sn<u>ou</u>stórm; bl<u>i</u>zârd
tempo	weather	u<u>é</u>*dh*âr
temporal	thunderstorm	*th*<u>â</u>ndârstórm
termômetro	thermometer	*th*ârm<u>ó</u>mitâr
trovão	thunder	*th*<u>â</u>ndâr
– está trovejando	it's thundering	its *th*<u>â</u>ndârinh
vento	wind	u<u>i</u>nd
– está ventoso	it's windy	its u<u>i</u>ndi
– vento *leste (norte)*	*east (north)* wind	i:st (nór*th*) u<u>i</u>nd
– vento *oeste (sul)*	*west (south)* wind	u<u>é</u>st (s<u>au</u>*th*) u<u>i</u>nd

Números

Números cardinais

0	zero	zi:rou	**0** *(em número de telefone)*	0	ou
1	one	uân	**6**	six	siks
2	two	tu:	**7**	seven	sévân
3	three	*th*ri	**8**	eight	eit
4	four	fó:r	**9**	nine	nain
5	five	faiv	**10**	ten	tén

11	eleven	ilévân
12	twelve	tuélv
13	thirteen	*th*ârtin
14	fourteen	fó:rtin
15	fifteen	fiftin
16	sixteen	sikstin
17	seventeen	sévântin
18	eighteen	eitin
19	nineteen	naintin
20	twenty	tuénti
21	twenty-one	tuénti uân
22	twenty-two	tuénti tu:
23	twenty-three	tuénti *th*ri
24	twenty-four	tuénti fó:r
25	twenty-five	tuénti faiv
26	twenty-six	tuénti siks
27	twenty-seven	tuénti sévân
28	twenty-eight	tuénti eit
29	twenty-nine	tuénti nain
30	thirty	*th*ârti
40	forty	fórti
50	fifty	fifti
60	sixty	siksti
70	seventy	sévânti
80	eighty	eiti
90	ninety	nainti
100	*a (one)* hundred	â (uân) *h*ândrâd
200	two hundred	tu: *h*ândrâd
1,000	*a (one)* thousand	â (uân) *th*auzând
2,000	two thousand	tu: *th*auzând

Números 29

10,000	ten thousand	tén *th*auzând
1,000,000	a (one) million	â (uân) miliân

Números ordinais

1º	first	fârst	6º	sixth	siks*th*
2º	second	s*é*kând	7º	seventh	s*é*vân*th*
3º	third	*th*ârd	8º	eighth	*ei*t*th*
4º	fourth	fó:r*th*	9º	ninth	n*ai*n*th*
5º	fifth	fif*th*	10º	tenth	tén*th*

11º	eleventh	il*é*vân*th*
12º	twelfth	tu*é*lf*th*
13º	thirteenth	*th*ârt*i*n*th*
14º	fourteenth	fó:rt*i*n*th*
15º	fifteenth	fift*i*n*th*
16º	sixteenth	sikst*i*n*th*
17º	seventeenth	s*é*vânt*i*n*th*
18º	eighteenth	*ei*t*i*n*th*
19º	nineteenth	n*ai*nt*i*n*th*
20º	twentieth	tu*é*nti:*th*
21º	twenty-first	tu*é*nti fârst
22º	twenty-second	tu*é*nti s*é*kând
23º	twenty-third	tu*é*nti *th*ârd
24º	twenty-fourth	tu*é*nti fó:r*th*
25º	twenty-fifth	tu*é*nti fif*th*
30º	thirtieth	*th*ârti:*th*
40º	fortieth	f*ó*rti:*th*
50º	fiftieth	f*i*fti:*th*
60º	sixtieth	s*i*ksti:*th*
70º	seventieth	s*é*vânti:*th*
80º	eightieth	*ei*ti:*th*
90º	ninetieth	n*ai*nti:*th*
100º	hundredth	h*â*ndrâd*th*
200º	two hundredth	tu: h*â*ndrâd*th*
1,000º	thousandth	*th*auzân*th*
2,000º	two thousandth	tu: *th*auzân*th*
10,000º	ten thousandth	tén *th*auzân*th*

Observe o uso do ponto e da vírgula na grafia dos numerais:
10.000 (dez mil) – **10,000** (ten thousand)
3,5 (três vírgula cinco) – **3.5** (three point five)

Horas

Que horas são?
What's the time?
uóts dhâ taim

É uma hora.
It's one o'clock.
its uân âklók

São exatamente três horas.
It's exactly three o'clock.
its igzéktli thri âklók

São seis e meia.
It's *half past six (six thirty)*.
its haf past siks (siks thârti)

São quatro e cinco.
It's five (minutes) past four.
its faiv (minits) past fó:r

Quando?
When?
uén

Às dez horas.
At ten o'clock.
ét tén âklók

Você tem a hora certa?
Do you know the exact time?
du iu: nou dhâ igzékt taim

São cerca de duas horas.
It's about two o'clock.
its âbaut tu: âklók

São cinco e quinze.
It's a quarter past five.
its â kuórtâr past faiv

São quinze para as nove.
It's a quarter to nine.
its â kuórtâr tu nain

São dez para as oito.
It's ten (minutes) to eight.
its tén (minits) tu eit

Às onze (horas) em ponto.
At eleven (o'clock) sharp.
ét ilévân (âklók) charp

Às nove e meia.
At *half past nine (nine thirty)*.
ét haf past nain (nain thârti)

Às oito e quinze.
At *a quarter past eight (eight fifteen)*.
ét â kuórtâr past eit (eit fiftin)

De oito às nove da manhã.
From eight to nine a.m.
fróm eit tu nain ei ém

Entre dez da manhã e meio-dia.
Between ten and twelve a.m.
bituin tén énd tuélv ei ém

Às cinco da tarde.
At five p.m.
ét faiv pi ém

Às sete da noite.
At seven p.m.
ét sévân pi ém

---

a.m. *(ante meridiem) indica as horas entre meia-noite e meio-dia.*
p.m. *(post meridiem) indica as horas entre meio-dia e meia-noite.*

Períodos de tempo 31

Dentro de meia hora.
In half an hour.
in *h*af én auâr

Dentro de duas horas.
In two hours(' time).
in tu: auârz (taim)

Não antes das sete (horas).
Not before seven (o'clock).
nót bifór sévân âklók

Pouco depois das nove (horas).
Shortly after nine (o'clock).
chórtli aftâr nain (âklók).

É tarde (demais).
It's (too) late.
its (tu:) leit

Ainda é cedo demais.
It's still too early.
its stil tu: ârli

Este relógio está certo?
Is this clock right?
is *dh*is klók rait

Ele está *adiantado (atrasado)*.
It's *fast (slow)*.
its fast (slou)

Períodos de tempo

Durante o dia.
During the day.
diurinh *dh*â dei

De manhã.
In the morning.
in *dh*â mórninh

Durante a manhã.
During the morning.
diurinh *dh*â mórninh

Ao meio-dia (Na hora do almoço).
At *noon (midday) (lunchtime)*.
ét nu:n (mid dei) (lântchtaim)

Por volta do meio-dia (da hora do almoço).
About *midday (noon) (lunchtime)*.
âbaut mid dei (nu:n) (lântchtaim)

À tarde.
In the afternoon.
in *dh*i aftârnu:n

No começo da noite.
In the evening.
in *dh*i ívninh

À noite.
At night.
ét nait

À meia-noite.
At midnight.
ét midnait

Diariamente.
Daily (Every day).
deili (évri dei)

De hora em hora.
Hourly (Every hour).
auârli (évri auâr)

Anteontem.
The day before yesterday.
*dh*â dei bifór iéstârdei

Ontem.
Yesterday.
iéstârdei

Hoje.
Today.
tâdei

Amanhã.
Tomorrow.
tâmórou

Depois de amanhã.
The day after tomorrow.
*dh*â dei aftâr tâmórou

Em uma semana.
In a week('s time).
in â uik(s taim)

Em uma quinzena.
In a fortnight('s time).
in â fórtnait(s taim)

32 Períodos de tempo

Hoje *de manhã (à tarde, no começo da noite)*.
This *morning (afternoon, evening)*.
*dh*is mórninh (aftârnu:n, ívninh)

Hoje à noite.
Tonight.
tânait

Hoje *ao meio-dia (na hora do almoço)*.
At *noon (midday) (lunchtime)* today.
ét nu:n (mid dei) (lântchtaim) tâdei

Há um mês.
A month ago.
â mân*th* âgou

Nos últimos dez dias.
For the last ten days.
fór *dh*â last tén deiz

Dentro de uma semana.
Within a week.
ui*dh*in â uik

No fim de semana.
At the weekend
é *dh*â uikénd

No ano *passado (que vem)*.
Last (Next) year.
last (nékst) i:âr

Anualmente.
Every year (Annually).
évri i:âr (éniuâli)

Semanalmente.
Every week (Weekly).
évri uik (uikli)

De vez em quando.
From time to time.
fróm taim tu taim

Por essa época.
About this time.
âbaut *dh*is taim

Atualmente.
At the moment.
ét *dh*â moumânt

Nesse ínterim.
During this time (Meanwhile).
diurinh *dh*is taim (mi:nuail)

a qualquer hora	at any time	ét éni taim
agora	now	nau
antes	before; earlier	bifór; ârliâr
às vezes	sometimes	sâmtaimz
até	until	ântil
brevemente	soon	su:n
desde	since	sins
em tempo	in (good) time	in gu:d taim
há pouco tempo	a short time ago	â chórt taim âgou
mais cedo	earlier	ârliâr
mais tarde	later	leitâr
recentemente	recently	rissântli
temporariamente	temporarily	témpârârili
segundo	second	sékând
minuto	minute	minit
hora	hour	auâr
dia	day	dei
semana	week	uik
mês	month	mân*th*

Dias da semana • Meses • Estações do ano • Feriados 33

ano	year	i:âr
– semestre	half a year; semester	haf â i:âr; simésrâr
– trimestre	a quarter; trimester	âku̱órtâr; traiméstâr

Dias da semana

segunda-feira	Monday	mândei
terça-feira	Tuesday	tiu̱zdei
quarta-feira	Wednesday	ue̱nzdei
quinta-feira	Thursday	thâ̱rzdei
sexta-feira	Friday	frai̱dei
sábado	Saturday	sétârdei
domingo	Sunday	sândei

Meses

janeiro	January	djéniuâri
fevereiro	February	fébruâri
março	March	martch
abril	April	ei̱prâl
maio	May	me̱i
junho	June	djun
julho	July	djula̱i
agosto	August	ó̱:gâst
setembro	September	séptémbâr
outubro	October	ókto̱ubâr
novembro	November	nouvémbâr
dezembro	December	dissémbâr

Estações do ano

primavera	spring	sprinh
verão	summer	sâ̱mâr
outono	autumn	ó̱:tâm
inverno	winter	ui̱ntâr

Feriados

Quinta-Feira Santa	Maundy Thursday	mó̱:ndi thâ̱rzdei
Sexta-Feira Santa	Good Friday	gu:d frai̱dei
Páscoa	Easter	i:stâr
Ascensão	Ascension Day	âssénchân dei
Pentecostes	Whitsun	ui̱tsân

34   Datas · Idade

Corpus Christi	Corpus Christi	kórpâs kristi
Dia de Todos os Santos	All Saints' Day	ó:l seints dei
Natal....................................	Christmas..................	krissmâs

Datas

Que dia é hoje?
What's the date today?
uóts dhâ deit tâdei

É dia dois de julho.
It's the second of July.
its dhâ sekând óv djulai

sábado
30
ABRIL

No dia quinze de maio de mil novecentos e ...
On *the fifteenth of May (May the 15th)*, 19 ...
ón dhâ fiftinth óv mei (mei thâ fiftinth), naintin hândrâd énd ...

No dia quatro *deste mês (do mês que vem)*.
On the fourth of *this (next)* month.
ón dhâ fó:rth óv dhis (nékst) mânth

Até o dia dez de março.
Until the tenth of March.
ântil dhâ ténth óv martch

No dia 1 de abril *deste ano (do ano passado)*.
On April the first of *this (last)* year.
ón eiprâl dhâ fârst óv dhis i:âr

Partiremos dia vinte de setembro.
We're leaving on *the twentieth of September (September the 20th)*.
uir li:vinh ón dhâ tuénti:th óv séptémbâr (séptémbâr dhâ tuénti:th)

Chegamos dia doze de agosto.
We arrived on *the twelfth of August (August the 12th)*.
ui âraivd ón dhâ tuélfth óv ó:gâst (ó:gâst dhâ tuélfth)

A carta foi expedida dia nove de junho.
The letter was sent off on *the ninth of June (June the 9th)*.
dhâ létâr uóz sént óf ón dhâ nainth óv djun (djun dhâ nainth)

(Muito) Obrigado pela sua carta do dia 2 de fevereiro.
Thank you (very much) for your letter of February the 2nd.
thénk iu: (véri mâtch) fór ió:r létâr óv fébruâri dhâ sekând

Idade

Quantos anos você tem?
How old are you?
hau ould ar iu:

Quantos anos *ele (ela)* tem?
How old is *he (she)*?
hau ould iz hi (chi)

Família 35

Tenho vinte anos.
I'm twenty.
aim tuénti

Tenho mais de dezoito.
I'm over eighteen.
aim ouvâr eitin

Menores de quatorze anos.
Children under fourteen.
tchildrân ândâr fó:rtin

Nasci no dia ...
I was born on ...
ai uóz bórn ón ...

Ele é *mais jovem (mais velho).*
He's *younger (older)*
*h*iz iângâr (ouldâr)

– menor de idade.
– *under age (a minor).*
– ândâr eidj (â mainâr)

– adulto.
– grown-up.
– grounâp

Com a idade de ...
At the age of ...
ét *dh*i eidj óv ...

Na minha idade.
At my age.
ét mai eidj

Família

avô	grandfather	gréndfa*dh*âr
avó	grandmother	gréndmâ*dh*âr
cunhada	sister-in-law	sistâr in ló:
cunhado	brother-in-law	brâ*dh*âr in ló:
família	family	fémili
filha	daughter	dó:târ
filho	son	sân
irmã	sister	sistâr
irmão	brother	brâ*dh*âr
mãe	mother	mâ*dh*âr
marido	husband	*h*âzbând
moça	girl	gârl
mulher, esposa	wife	uaif
neta	granddaughter	gréndó:târ
neto	grandson	gréndsân
neto, neta	grandchild	grénd tchaild
pai	father	fa*dh*âr
pais	parents	pé:rânts
primo, prima	cousin	kâzân
rapaz	boy	bói
sobrinha	niece	ni:s
sobrinho	nephew	néfiu
tia	aunt	ant
tio	uncle	ânkâl

Profissões

Trabalho em um escritório. **Sou ...**
I work in an office. I'm *a (an)* ...
ai uârk inén ófis aim â (én) ...

açougueiro	butcher	bútchâr
advogado	barrister; solicitor	béristâr; sâlissitâr
alfaiate	tailor	teilâr
aluno, aluna	pupil	piupil
aposentado	pensioner	pénchânâr
aprendiz	apprentice	âpréntis
arquiteto	architect	arkitékt
artesão	artisan; craftsman	artizén; kráftsmén
artista	artist	artist
atacadista	wholesaler	houlseilâr
barbeiro	barber	barbâr
bibliotecário	librarian	laibré:riân
cabeleireiro	hairdresser	hé:rdréssâr
carpinteiro	carpenter	karpântâr
carteiro	postman	poustmén
cientista	scientist	saiântist
clérigo	clergyman	klârdjimén
comerciante	shopkeeper; merchant	chópkipâr; mârtchânt
confeiteiro	confectioner; pastry cook	kânfékchânâr; peistri ku:k
costureira	dressmaker	dréssmeikâr
cozinheiro	cook	ku:k
dentista	dentist	déntist
dona de casa	housewife	haus uaif
eletricista	electrician	iléktrichân
encanador	plumber	plâmâr
enfermeiro, enfermeira	nurse	nârs
engenheiro	engineer	éndjiniâr
erudito	scholar	skólâr
escritor	writer	raitâr
escultor	sculptor	skâlptâr
estudante	student	stiudânt
farmacêutico	chemist; dispensing chemist	kémist; dispénsinh kémist

Profissões 37

fazendeiro	farmer	f̱armâr
ferroviário	railwayman	ṟeil ṵei mén
funcionário do correio	post-office clerk	p̱oust ófis klârk
funcionário público	civil servant	s̱ivâl sârvânt
garçom	waiter	ṵeitâr
garçonete	waitress	ṵeitris
guarda-florestal	forester	f̱óristâr
guarda-livros	bookkeeper	bu:k ḵipâr
instrutor de autoescola	driving instructor	dṟaivinh instṟ̂aktâr
intérprete	interpreter	intâ̱rpritâr
jardineiro	gardener	g̱ardânâr
jornalista	journalist	djâ̱rnâlist
juiz	judge	dj̱âdj
livreiro	bookseller	bu̱:ksélâr
marceneiro	joiner	dj̱óinâr
mecânico	mechanic; motor mechanic	miḵénik; m̱outâr miḵénik
médico	doctor	ḏóktâr
mineiro	miner	m̱ainâr
motorista	driver	dṟaivâr
músico	musician	miuẕichân
notário	notary	ṉoutâri
oculista	optician	ópṯichân
operário	workman; workingman; worker	uâ̱rkmén; uâ̱rkinhmén; uâ̱rkâr
padeiro	baker	ḇeikâr
parteira	midwife	mid u̱aif
pedreiro	bricklayer	bṟikleiâr
pescador	fisherman	f̱ichârmén
pintor	painter	p̱eintâr
político	politician	p̱óliṯichân
professor	teacher	ṯi:tchâr
professor de escola secundária	secondary-school teacher	séḵândâri sku:l ṯi:tchâr
professora do jardim de infância	kindergarten teacher	ḵindârgartân ṯi:tchâr
relojoeiro	watchmaker	uótchmeikâr
representante	representative	répriẕéntâtiv
sapateiro	shoemaker	chu̱:meikâr
secretária	secretary	s̱ékrâtâri

serralheiro	locksmith	lóksmi*th*
técnico	technician	tékni̯chân
vendedor	shop assistant	chóp âssi̯stânt
veterinário	vet; veterinary surgeon	vét; vetârinâri sârdjân
vidraceiro	glazier	gle̯iziâr

Áreas de conhecimento

O que você estuda? (Em que universidade você está?)
What are you studying? (What university are you at?)
uót ar iu: stâdi:nh (uót iunivârsiti ar iu: ét)

Estudo (Faço) ...   *Estou na universidade de ...*
I'm *studying (doing)* ...   I'm at ... university.
a̯im stâdinh (du̯inh) ...   a̯im ét ... iunivârsiti

Estou (Vou) à escola de ...
I'm at (I go to) ... school.
a̯im ét (a̯i go̯u tu) ... sku:l

academia	academy	âkédâmi
– academia de arte	academy of art	âkédâmi óv art
– faculdade de educação física	physical training college	fi̯zikâl tre̯ininh kólidj
aula universitária	lecture	léktchâr
curso	course	kó:rs
– administração de empresas	business administration	bi̯znis âdministre̯ichân
– alemão	German	djârmân
– arqueologia	archeology	arkióládji
– arquitetura	architecture	arkitéktchâr
– biologia	biology	ba̯ióládji
– ciência política	political science	pâli̯tikâl sa̯iâns
– construção naval	shipbuilding	chip bi̯ldinh
– direito	law	ló:
– economia	economics	ikânómiks
– engenharia civil	civil engineering	si̯vâl éndjini̯rinh
– farmácia	pharmacy	farmâssi

Áreas de conhecimento 39

– física	physics	f<u>i</u>ziks
– geografia	geography	dji<u>ó</u>grâfi
– geologia	geology	dji<u>ó</u>lâdji
– história	history	*h*<u>i</u>stâri
– história da arte	history of art	*h*<u>i</u>stâri óv art
– inglês	English	<u>i</u>nglich
– línguas eslavas	Slavonic languages	slâv<u>ó</u>nik l<u>é</u>ngüidjz
– línguas românicas	Romance languages	roum<u>é</u>ns l<u>é</u>ngüidjz
– matemática	mathematics	mé*th*âm<u>é</u>tiks
– medicina	medicine	m<u>é</u>dsin
– música	music	mi<u>u</u>zik
– odontologia	dentistry	d<u>é</u>ntistri
– pedagogia	education	<u>é</u>diuk<u>e</u>ichân
– pintura	painting	p<u>e</u>intinh
– psicologia	psychology	saik<u>ó</u>lâdji
– química	chemistry	k<u>é</u>mistri
– sociologia	sociology	soussi<u>ó</u>lâdji
– veterinária	veterinary science	v<u>é</u>târinâri s<u>a</u>iâns
– zoologia	zoology	zou<u>ó</u>lâdji
curso superior técnico	technical university	t<u>é</u>knikâl iuniv<u>â</u>rsiti
curso universitário	university training	iuniv<u>â</u>rsiti tr<u>e</u>ininh
– curso por correspondência	correspondence course	kórisp<u>ó</u>dâns kó:rs
escola	school	sku:l
– escola de artes aplicadas	college of applied arts	k<u>ó</u>lidj óv âpl<u>a</u>id arts
– escola de comércio	business school	b<u>i</u>znis sku:l
– escola secundária	secondary school	s<u>é</u>kândâri sku:l
– escola técnica	technical college	t<u>é</u>knikâl k<u>ó</u>lidj
– escola vocacional	vocational school	vouk<u>e</u>ichânâl sku:l
faculdade	college; faculty	k<u>ó</u>lidj; f<u>é</u>kâlti
instituto	institute	<u>i</u>nstitiut
matéria	subject	s<u>â</u>bdjikt
universidade	university	iuniv<u>â</u>rsiti

DE CARRO, MOTOCICLETA E BICICLETA

Informações sobre o trajeto

Onde é *(são)* ...?
Where *is (are)* ...?
u*é*:r iz (ar) ...

Como vou para ...?
How do I get to ...?
h*a*u du *ai* guét tu ...

A quantas milhas fica a cidade mais próxima?
How many miles is it to the nearest town?
h*a*u m*é*ni m*ai*lz iz it tu *dh*â n*i*:rist t*a*un

5 miles = 8 km

Esta é a estrada para ...?
Is this the road to ...?
iz *dh*is *dh*â r*o*ud tu ...

Esta é estrada certa para ...?
Is this the right road to ...?
iz *dh*is *dh*â r*ai*t r*o*ud tu ...

Preciso ir ...?
Do I have to go ...?
du *ai* h*é*v tu g*o*u ...

À *(Para a)* direita.	**À *(Para a)* esquerda.**	**Em frente.**	**Para trás.**
On (To) the right.	*On (To)* the left.	Straight on.	Back.
ón (tu) *dh*â r*ai*t	ón (tu) *dh*â léft	str*ei*t ón	bék

Aqui.	**Lá.**	**Naquela direção.**	**Até ...**
Here.	There.	In that direction.	As far as ...
h*i*âr	*dh*é:r	in *dh*ét dir*é*kchân	és far és ...

Por quanto tempo?	**(Para) Onde?**	**Qual é a distância até ...?**
For how long?	Where (to)?	How far is it to ...?
fór h*a*u lón(g)	u*é*:r tu	h*a*u far iz it tu ...

Poderia me mostrar isso no mapa, por favor?
Could you show me that on the map, please?
ku:d i*u*: ch*o*u mi *dh*ét ón *dh*â mép, pli:z

Tipos de veículos

bicicleta	bicycle	b*ai*ssikâl
bicicleta motorizada	moped	m*o*upéd
carro	car	kar
– caminhão	lorry; truck	l*ó*ri; trâk
– carro de passeio	passenger car	péssindjâr kar
– furgão	van	vén

– **perua**	estate car; station wagon	isteit kar; steichân uégân
carroça	dray	drei
motocicleta	motorbike	moutârbaik
ônibus	bus	bâs
– **ônibus de turismo**	coach	koutch
reboque	trailer	treilâr
scooter	motor-scooter	moutâr sku:târ
trailer	caravan	kérâvén
veículo	vehicle	viikâl

Aluguel de carro

Onde posso alugar um carro?
Where can I hire a car?
ué:r kén ai haiâr â kar

Quero alugar um carro.
I want to hire a car.
ai uónt tu haiâr â kar

... com motorista.
... with chauffeur.
... uith choufâr

... para *duas (seis)* pessoas.
... for *two (six)* people.
... fór tu: (siks) pi:pâl

... por *um dia (uma semana, uma quinzena)*.
... for *a day (a week, a fortnight)*.
... fór â dei (â uik, â fórtnait)

Quanto custará?
What will it cost?
uót uil it kóst

... incluindo um seguro total?
... including a comprehensive insurance?
... inkludinh â kómprihénsiv inchurâns

Eu mesmo devo pagar a gasolina?
Do I have to pay the petrol myself?
du ai hév tu pei dhâ pétrâl maissélf

Quanto devo pagar de depósito?
How much deposit do I have to pay?
hau mâtch dipózit du ai hév tu pei

***Quando (Onde)* posso buscar o carro?**
When (Where) can I collect the car?
uén (ué:r) kén ai kolékt dhâ kar

Haverá alguém aqui quando eu vier devolver o carro?
Will there be someone there when I bring the car back?
uil dhé:r bi sâmuân dhé:r uén ai brinh dhâ kar bék

Na direção

Vou para ...	Vocês vão para ...?
I'm going to ...	Are you going to ...?
aim gouinh tu ...	ar iu: gouinh tu ...

Ir de *carro (motocicleta, bicicleta)*.	Rápido.	Devagar.
To go by *car (motorbike, bicycle)*.	Fast.	Slow.
tu gou bai kar (moutârbaik, baissikâl)	fast	slou

área de estacionamento regulamentado	controlled parking zone	kântrould parkinh zoun
automóvel-clube	automobile *club (association)*	ó:tâmâbil klâb (âssoussieichân)
caminho	way; road	uei; roud
– trilha para pedestres	footpath	fu:tpath
cartão de estacionamento	parking disc	parkinh disk
carteira de motorista	driving licence	draivinh laissâns
ciclovia	cycle track	saikâl trék
código de trânsito	traffic regulations *(pl)*	tréfik réguiuleichânz
cruzamento	cross-roads	krós roudz
curva	bend	bénd
declive	gradient	greidiânt
desfiladeiro	pass	pas
desvio	diversion	daivârchân
entrada	entry	éntri
estacionamento	car park	kar park
estacionamento proibido	no parking	nou parkinh
estrada	road	roud
– estrada costeira	coastal road	koustâl roud
– estrada principal	*main (major)* road	mein (meidjâr) roud
– estrada transversal	crossroad	krósroud
– rodovia	highway	hai uei
– rua de mão única	one-way street	uân uei strit
faixa de pedestres	zebra crossing	zibrâ króssinh
faixa de segurança	crosswalk	krósuólk
ladeira	steep; steep hill	stip; stip hil
limite de velocidade	speed limit	spid limit
obras na estrada	road works	roud uârks

Na direção

parquímetro	parking meter	p*a*rkinh m*i*târ
passagem	thoroughfare	*th*ârâfé:r
passagem de nível	level crossing	l*é*vâl kr*ó*ssinh
passeio de carro	drive	dr*ai*v
pista (de rua, estrada)	lane	l*ei*n
pista escorregadia	slippery road	sl*i*pâri r*ou*d
pista sinuosa	winding road	u*ai*ndinh r*ou*d
placa com nome de localidade	place-name sign	pl*ei*s n*ei*m s*ai*n
placa de sinalização	signpost	s*ai*npoust
placa de trânsito	road sign	r*ou*d s*ai*n
polícia de trânsito	traffic police	tr*é*fik pâl*i*s
ponte	bridge	bridj
preferencial	right of way	r*ai*t óv u*ei*
proibido ultrapassar	no overtaking	n*ou* ouvârt*ei*kinh
queda de pedras	falling rocks	f*ó*:linh róks
rodovia	motorway	m*ou*târ u*ei*
rota	route	ru:t
rotatória	roundabout	r*au*ndâbaut
saída	exit	égzit
semáforo	traffic lights *(pl)*	tr*é*fik l*ai*ts
tráfego	traffic	tr*é*fik
túnel	tunnel	t*â*nâl
velocidade máxima permitida	maximum speed	m*é*ksimâm spid
via	lane	l*ei*n
viagem	journey	dj*â*rni
– a evitar	to avoid	tu âv*ói*d
– conservar–se na faixa	to get in lane	tu guét in l*ei*n
– descer (de veículos)	to get off	tu guét óf
– desviar	to turn off	tu târn óf
– dirigir	to drive	tu dr*ai*v
– entrar (em veículos)	to get in	tu guét in
– estacionar	to park	tu park
– frear	to brake	tu br*ei*k
– parar	to stop	tu stóp
– pedir carona	to hitch–hike	tu *h*itch *h*aik
– ultrapassar	to overtake	tu ouvârt*ei*k
– virar	to turn	tu târn

Estacionamento

Onde posso guardar meu carro?
Where can I garage my car?
u*é*:r kén *ai* gu*é*radj m*ai* kar

Há um estacionamento aqui perto?
Is there a garage near here?
iz *dh*é:r â gu*é*radj n*iâ*r *h*i*â*r

Vocês ainda têm uma garagem livre?
Have you still got a garage free?
*h*év i*u*: stil gót â gu*é*radj fri

Onde posso deixar o carro?
Where can I leave the car?
u*é*:r kén *ai* li:v *dh*â kar

Posso deixá-lo aqui?
Can I leave it here?
kén *ai* li:v it *h*i*â*r

Posso estacionar aqui?
Can I park here?
kén *ai* park *h*i*â*r

Há algum vigia?
Is there a park attendant?
is *dh*é:r â park ât*é*ndânt

Ainda tem lugar?
Is there still room?
iz *dh*é:r stil ru:m

Por quanto tempo posso estacionar aqui?
How long can I park here for?
*h*au lón(g) kén *ai* park *h*i*â*r fór

Quanto *custa por noite (custará para deixá-lo aqui até ...)*?
What *does it cost per night (will it cost to leave it here until ...)*?
u*ó*t dâz it kóst pâr n*ai*t (ui*l* it kóst tu li:v it *h*i*â*r ânti*l* ...)

**O estacionamento fica aberto
durante a noite toda?**
Is the garage open all night?
iz *dh*â gu*é*radj *ou*pân ó:l n*ai*t

Quando vocês fecham?
When do you close?
u*é*n du i*u*: kl*ou*z

Partirei *esta noite (amanhã às oito horas da manhã)*.
I'm moving on *this evening (at eight tomorrow morning)*.
*ai*m muvinh ón *dh*is *i*vninh (ét *ei*t tâm*ó*rou m*ó*rninh)

Quero retirar meu carro.
I want to fetch my car.
ai u*ó*nt tu fétch m*ai* kar.

Posto de gasolina

Onde é o posto de gasolina mais próximo?
Where's the nearest *petrol (filling)* station?
ué:rz *dh*â ni:rist pétrâl (fi̱linh) ste̱ichân

Fica a que distância?
How far is it?
*h*au far iz it

Cinco galões de *gasolina comum (gasolina especial)*, por favor.
Five gallons of *ordinary grade petrol (premium grade; super)*, please.
fa̱iv gue̱lânz óv óṟdinâri gre̱id pétrâl (pri̱miâm gre̱id; siu̱pâr), pli:z

1 galão = *aprox.* 4,5l

Nove galões de diesel, por favor.
Nine gallons of diesel fuel, please.
na̱in gue̱lânz óv di̱:zâl fiu̱âl, pli:z

Encha o tanque, por favor.
Full (Fill the tank right up), please.
ful (fil *dh*â ténk ra̱it âp), pli:z

Preciso de *água (refrigerante)*.
I need water (coolant).
a̱i nid uo̱târ (ku̱:lânt)

Poderia completar o radiador, por favor?
Would you top up the radiator, please.
uu̱:d iu̱ tóp âp *dh*â re̱idieitâr, pli:z

Por favor, verifique o fluido de freio.
Will you check the brake fluid, please
uil iu̱: tchék *dh*â bre̱ik flu̱id, pli:z

Um mapa rodoviário, por favor.
A road map, please.
â ro̱ud mép, pli:z

água	water	uótâr
– água destilada	distilled water	disti̱ld uótâr
água de refrigeração	cooling water	ku̱:linh uótâr
fluido de freio	brake fluid	bre̱ik flu̱id
frentista	attendant	âténdânt
gasolina	petrol	pétrâl
– latão de gasolina	petrol can	pétrâl kén
manutenção	service	sârvis
posto de gasolina	*petrol (filling) station*	pétrâl (fi̱linh) ste̱ichân
refrigerante	coolant	ku̱:lânt
substância anticongelante	antifreeze (agent)	énti̱friz (e̱idjânt)
tanque de gasolina	petrol tank	pétrâl ténk
tanque de reserva	reserve tank	rizârv ténk
vela de ignição	sparking plug	spa̱rkinh plâg

Óleo

Por favor, verifique o óleo.
Ckeck the oil, please.
tchék *dh*i óil, pli:z

Há óleo suficiente?
Is there enough oil?
iz *dh*é:r inâf óil

Preciso de óleo de *motor (câmbio)*.
I need *engine oil (gear oil)*.
ai nid éndjin óil (guiâr óil)

... quartilhos de óleo, por favor.
... pints of oil, please.
... paints óv óil, pli:z

1 quartilho = 0,57 l

Complete o óleo, por favor.
Top up the oil, please.
tóp âp *dh*i óil, pli:z

Troque o óleo, por favor.
Will you change the oil, please?
uil iu: tcheindj *dh*i óil, pli:z

lubrificação	greasing service	gri:zinh sârvis
nível do óleo	oil level	óil lévâl
óleo	oil	óil
– especial/comum	special/standard	spéchâl/sténdârd
óleo de câmbio	gear oil	guiâr óil
óleo de motor	engine oil	éndjin óil
recipiente de óleo	oilcan	óilkén
troca de óleo	oil change	óil tcheindj

Pneu

Dá para *consertar (recauchutar)* este pneu, por favor?
Can you *repair (retread)* this tyre, please?
kén iu: ripé:r (ritré:d) *dh*is taiâr, pli:z

Dá para remendar a câmara de ar?
Can the inner tube be patched?
kén *dh*i inâr tiub bi pétcht

Poderia trocar este pneu, por favor?
Would you change this tyre, please?
uu:d iu: tcheindj *dh*is taiâr, pli:z

Uma câmara de ar nova, por favor.
A new inner tube, please.
â niu inâr tiub, pli:z

Um dos pneus estourou.
One of the tyres has burst.
uân óv *dh*â t<u>ai</u>ârz héz bârst

Poderia encher o estepe, por favor?
Would you pump up the spare tyre, please?
u<u>u</u>:d i<u>u</u>: pâmp âp *dh*â spé:r t<u>ai</u>âr, pli:z

Poderia calibrar os pneus, por favor?
Would you check the tyres pressure, please?
u<u>u</u>:d i<u>u</u>: tchék *dh*â t<u>ai</u>ârz préchâr, pli:z

Os pneus dianteiros com 22.7 e os traseiros com 28.4.
The front tyres 22.7 and the back ones 28.4.
*dh*â frânt t<u>ai</u>ârz tuénti tu: p<u>ó</u>int sévân énd *dh*â bék u<u>â</u>nz tuénti <u>ei</u>t p<u>ó</u>int fó:r

---

Ao alugar ou tomar emprestado um carro, nunca se esqueça de informar-se a respeito do tipo de pneus e da pressão que exigem.

---

câmara de ar	inner tube	<u>i</u>nâr ti<u>u</u>b
furo	puncture	pânktchâr
macaco	jack	djék
pneu	tyre	t<u>ai</u>âr
– pneu sem câmara	tubeless tyre	ti<u>u</u>blis t<u>ai</u>âr
pressão do pneu	tyre pressure	t<u>ai</u>âr préchâr
roda	wheel	u<u>i</u>l
– estepe	spare wheel	spé:r u<u>i</u>l
– roda dianteira	front wheel	frânt u<u>i</u>l
– roda traseira	back wheel	bék u<u>i</u>l
troca de pneu	changing a wheel	tch<u>ei</u>ndjinh â u<u>i</u>l
válvula	valve	vélv

Lavagem de carro

Poderia limpar *o para-brisa (as janelas)*, por favor?
Would you clean the *windscreen (windows)*, please?
u<u>u</u>:d i<u>u</u>: kli:n *dh*â u<u>i</u>ndskrin (u<u>i</u>ndouz), pli:z

Daria para lavar meu carro, por favor?
Could I have the car washed, please?
ku:d <u>ai</u> hév m<u>ai</u> kar u<u>ó</u>cht, pli:z

Poderia limpar o carro por dentro também, por favor?
Would you clean the car inside as well, please?
u<u>u</u>:d i<u>u</u>: kli:n *dh*â kar ins<u>ai</u>d éz u<u>é</u>l, pli:z

Avaria, acidente

Meu (Nosso) carro está avariado.
I've (We've) had a breakdown.
aiv (uiv) héd â breikdaun

... não funciona (está enguiçado).
... isn't working (is out of order).
... izânt uârkinh (iz aut óv órdâr)

Tive um acidente.
I've had an accident.
aiv héd én éksidânt

Posso usar seu telefone?
May I use your phone?
mei ai iuz ió:r foun

Poderia se comunicar com a polícia, por favor?
Would you get in touch with the police, please?
uu:d iu: guét in tâtch uith dhâ pâlis, pli:z

Chame uma ambulância depressa!
Call an ambulance quickly!
kó:l én émbiulâns kuikli

Chame um médico!
Fetch a doctor!
fétch â dóktâr

Ajude-me, por favor!
Help me, please!
hélp mi, pli:z

Preciso de um curativo.
I need a dressing.
ai nid â dréssinh

Poderia me emprestar ...?
Could you lend me ...?
ku:d iu: lénd mi ...

Você poderia ...
Could you ...
ku:d iu: ...

– me dar uma carona?
– give me a lift?
– guiv mi â lift

– rebocar meu carro?
– *take my car in tow? (give me a tow?)*
– teik mai kar in tou (guiv mi â tou)

– enviar um *mecânico (reboque)*?
– send a *mechanic (breakdown lorry)*?
– sénd â mikénik (breikdaun lóri)

– cuidar das pessoas que estão feridas?
– look after the people who are hurt?
– lu:k aftâr dhâ pi:pâl hu ar hârt

Onde há uma oficina mecânica?
Where is there a *garage (repair shop)*?
ué:r iz dhé:r â guéradj (ripé:r chóp)

Dê-me seu nome e endereço, por favor.
Will you give me your name and address, please?
uil iu: guiv mi ió:r neim énd âdrés, pli:z

Avaria, acidente

Foi culpa sua!
It was your fault!
it u*ó*z i*ó*:r fó:lt

Você danificou ...
You've damaged ...
i*u*:v d*é*midjd ...

A preferencial era minha.
I had the right of way.
*a*i h*é*d dhâ r*a*it óv u*e*i

... está (gravemente) ferido.
... is (badly) hurt.
... iz (b*é*dli) *h*ârt

Ninguém está ferido.
Nobody's hurt.
n*ou*bódiz *h*ârt

Muito obrigado pela sua ajuda.
Thank you very much for your help.
*th*énk i*u*: véri mâtch fór i*ó*:r *h*élp

Pode ser minha testemunha?
Will you act as a witness for me?
u*i*l i*u*: ékt éz â u*i*tnés fór mi

Qual é a seguradora do seu carro?
Where is your car insured?
u*é*:r iz i*ó*:r kar inch*u*rd

acidente	accident	*é*ksidânt
ambulância	ambulance	*é*mbiulâns
avaria	breakdown; damage	br*e*ikdaun; d*é*midj
cabo de reboque	towrope	t*ou*roup
colisão	collision; impact	kâlij*â*n; *i*mpékt
corpo de bombeiros	fire brigade	fa*i*âr brigu*e*id
Cuidado!	Caution!	k*ó*:chân
curativo	dressing	dr*é*ssinh
dano superficial	superficial damage	siupârf*i*châl d*é*midj
engarrafamento	bottleneck	b*ó*tâlnék
ferimento	injury	*i*ndjâri
hospital	hospital	*h*óspitâl
mecânico	mechanic	mik*é*nik
mola quebrada	broken spring	br*ou*kân sprinh
oficina autorizada	garage	gu*é*ridj
oficina mecânica	breakdown service; garage; repair shop	br*e*ikdaun s*â*rvis; gu*é*radj; rip*é*:r chóp
perigo	danger	d*e*indjâr
polícia	police	pâl*i*s
pronto-socorro	first-aid post; casualty department	fârst *e*id p*ou*st; k*é*jiuâlti dipartmânt
reboque	breakdown lorry	br*e*ikdaun l*ó*ri
seguro	insurance	inch*u*râns
socorro	help	hélp

Consertos

Onde é a *oficina (oficina autorizada ...)* mais próxima?
Where is the nearest *garage (... garage)*?
u*é*:r iz *dh*â n*i*:rist gu*é*radj (... gu*é*radj)

... não está funcionando direito.
... isn't working properly.
... i*z*ânt uârkinh pr*ó*pârli

... está enguiçado (não funciona).
... is out of order (isn't working).
... iz aut óv *ó*rdâr (i*z*ânt uârkinh)

Vocês podem *consertá-lo (consertá-la)*?
Can you repair it?
kén i*u*: ripé:r it

Onde posso mandar fazer isso?
Where can I get it done?
u*é*:r kén *ai* guét it dân

Por favor, poderia verificar ...?
Would you check ..., please?
u*u*:d i*u*: tchék ..., pli:z

Por favor, poderia me dar ...?
Would you give me ..., please?
u*u*:d i*u*: guiv mi ..., pli:z

Por favor, poderia consertar isso?
Would you repair it, please?
u*u*:d i*u*: ripé:r it, pli:z

Vocês têm peças de reposição para ...?
Have you got ... spares?
*h*év i*u*: gót ... spé:rz

Quando terão as peças de reposição?
When will you get the spares in?
u*é*n u*i*l i*u*: guét *dh*â spé:rz in

Preciso de um *(uma)* ... *novo (nova)*.
I need a new ...
ai nid â n*i*u ...

Dá para eu continuar a dirigi-lo?
Can I continue to drive it?
kén *ai* kânt*i*niu: tu dr*ai*v it

Faça somente o essencial, por favor.
Just do the essential, please.
djâst du *dh*i iss*é*nchâl, pli:z

Quando estará pronto?
When will it be ready?
u*é*n u*i*l it bi r*é*di

Quanto *é (vai custar)*?
How much *is it (will it be)*?
*h*au mâtch iz it (u*i*l it bi)

Peças, tipos de serviços

acelerador	accelerator	âks<u>é</u>lâreitâr
– acelerar	to accelerate	tu âks<u>é</u>lâr<u>ei</u>t
– soltar o acelerador	to release the accelerator	tu ril<u>i</u>:s *dh*i âks<u>é</u>lâreitâr
amortecedor	shock absorber	chók âbz<u>ó</u>rbâr
aquecimento	heating	*h*<u>i</u>:tinh
arruela	seal; gasket; washer	si:l; gu<u>é</u>skit; u<u>ó</u>châr
árvore	camshaft	k<u>é</u>mchaft
assento	seat	si:t
– assento dianteiro	front seat	frânt si:t
– assento traseiro	back seat	bék si:t
bateria	battery	b<u>é</u>tri
biela	connecting rod	kân<u>é</u>ktinh ród
boia	float	fl<u>ou</u>t
bomba de ar	air pump	é:r pâmp
bomba de gasolina	petrol pump	p<u>é</u>trâl pâmp
bomba de óleo	oil pump	<u>ó</u>il pâmp
bomba hidráulica	water pump	u<u>ó</u>târ pâmp
bucha	bearing	b<u>é</u>:rinh
bucha da biela	connecting-rod bearing	kân<u>é</u>ktinh ród b<u>é</u>:rinh
buzina	horn	*h*órn
– sinal luminoso	flashing signal	fl<u>é</u>chinh s<u>i</u>gnâl
cabeçote	cylinder head	s<u>i</u>lindâr h<u>é</u>d
cabo	cable	k<u>ei</u>bâl
cabo de ignição	ignition cable	ign<u>i</u>chân k<u>ei</u>bâl
caixa de câmbio	gearbox; transmission	gui<u>â</u>rbóks; trénzm<u>i</u>chân
calota	hubcap	*h*<u>â</u>bkép
câmbio	gear lever	gui<u>â</u>r l<u>i</u>vâr
câmbio automático	automatic transmission	ó:tâm<u>é</u>tik trénsm<u>i</u>chân
capota	roof; top	ru:f; tóp
capota conversível	sliding roof	sl<u>ai</u>dinh ru:f
carburador	carburettor	k<u>a</u>rbârétâr
carroceria	body	b<u>ó</u>di
cárter	crank case	krénk k<u>ei</u>s
chassi	chassis	ch<u>é</u>ssi
chave da ignição	ignition key	ign<u>i</u>chân ki:
chave do carro	car key	kar ki:

52 Peças, tipos de serviços

cilindro	cylinder	silindâr
cinto de segurança	safety belt	seifti bélt
compressão	compression	kâmpréchân
comutador	switch	suitch
condensador	condenser	kândénsâr
conduto	tube; pipe	tiub; paip
conduto de gasolina	fuel pipe	fiuâl paip
conserto	repair	ripé:r
contato	contact	kóntékt
contato da ignição	ignition lock	ignichân lók
correia de ventilador	fan belt	fén bélt
corrente	chain	tchein
– corrente antiderrapante	non-skid chain	nón skid tchein
cubo de roda	hub	hâb
curto-circuito	short-circuit	chórt sârkit
diferencial	differential	difârénchâl
dínamo	dynamo; generator	dainâmou; djénâreitâr
direção	steering	stirinh
distribuidor	distributor	distribiutâr
eixo	axle	éksl
eixo propulsor	propeller shaft	prâpélâr chaft
embreagem	clutch	klâtch
escapamento	exhaust	igzó:st
espelho retrovisor	rear-view mirror	riâr viu mirâr
estepe	spare wheel	spé:r uil
estouro	backfire	békfaiâr
extintor de incêndio	fire extinguisher	faiâr ikstingüichâr
faísca	spark	spark
farol	headlights (pl); lights (pl)	hédlaits; laits
– faróis baixos	dipped headlights	dipt hédlaits
– farol alto	full beam	ful bi:m
– farol dianteiro	headlight	hédlait
– farol traseiro	rear light	riâr lait
– lanterna	sidelight	saidlait
fechadura da porta	door lock	dó:r lók
filtro de ar	air filter	é:r filtâr
fluido de freio	brake fluid	breik fluid
freio	brake	breik
– freio a disco	disc brake	disk breik

Peças, tipos de serviços 53

– freio de mão	handbrake	héndbreik
– freio de pé	foot brake	fu:t breik
fusível	fuse	fiuz
galão de reserva	spare can	spé:r kén
grade do radiador	radiator grille	reidieitâr gril
graxa	grease	gri:s
hodômetro	mileage indicator; odometer	mailidj indikeitâr; ódómitâr
ignição	ignition	ignichân
injetor	jet; nozzle	djét; nózâl
injetor de gasolina	fuel injector	fiuâl indjéktâr
interruptor	interrupter	intâráptâr
isolamento	insulation	insiuleichân
junta de cabeçote	cylinder-head gasket	silindâr héd guéskit
lâmpada	lamp; bulb	lémp; bâlb
– trocar a lâmpada	to put in a new bulb	tu put in â niu bâlb
lâmpada-piloto	pilot light	pailât lait
lavador de para-brisa	windscreen washer	uindskrin uóchâr
limpador de para-brisa	windscreen wiper	uindskrin uaipâr
lona de freio	brake lining	breik laininh
luz de freio	brake light	breik lait
maçaneta	handle	héndâl
marcha	gear	guiâr
– engatar	to put it into gear	tu put it intu guiâr
– marcha à ré	reverse (gear)	rivârs (guiâr)
– ponto morto	neutral (gear)	niutrâl (guiâr)
medidor de óleo	dipstick	dipstik
mola	spring	sprinh
motor	engine	éndjin
– motor a diesel	diesel engine	di:zâl éndjin
– motor de dois tempos	two-stroke engine	tu: strouk éndjin
– motor traseiro	rear engine	riâr éndjin
– motor de arranque	starter	startâr
mudança de marcha	gear change	guiâr tcheindj
para-brisa	windscreen	uindskrin
para-choque	bumper	bâmpâr
para-lama	mudguard; wing	mâdgard; uinh
parafuso	screw; bolt	skru:; boult
– porca	nut	nât
pastilha de freio	brake drum	breik drâm

54 Peças, tipos de serviços

peça de reposição	spare part	spé:r part
pedal	pedal	pédâl
– **pedal da embreagem**	clutch pedal	klâtch pédâl
– **pedal de freio**	brake pedal	breik pédâl
– **pedal do acelerador**	accelerator	âksélâreitâr
pintura (revestimento)	paintwork	peintuârk
pisca-pisca	car's indicators	kars indikeitârs
pistão	piston	pistân
placa de matrícula	number plate	nâmbâr pleit
porta-malas	boot	bu:t
radiador	radiator	reidieitâr
raio de roda	spoke	spouk
roda	wheel	uil
roda livre	freewheel	friuil
rolamento de esfera	ball bearing	bó:l bé:rinh
rosca de parafuso	thread	thré:d
segmento do pistão	piston ring	pistân rinh
sistema de ignição	ignition system	ignichân sistâm
soldar	to solder	tu sóldâr
substância anticongelante	antifreeze (agent)	éntifriz (eidjânt)
termostato	thermostat	thârmâstét
triângulo de segurança	warning triangle	uórninh traiengâl
válvula	valve	vélv
vela de ignição	sparking plug	sparkinh plâg
velocímetro	speedometer	spidómitâr
ventilador	fan	fén
virabrequim	crankshaft	krénkchaft
volante	steering wheel	stirinh uil

O aquecimento não está funcionando.
The heating isn't working.
dhâ hi:tinh izânt uârkinh

A bateria *descarregou (precisa ser recarregada).*
The battery*'s run down (needs charging).*
dhâ bétriz rân daun (nidz tchardjinh)

Está vazando óleo da caixa de câmbio.
Oil is leaking from the gearbox.
óil iz li:kinh fróm dhâ guiârbóks

Peças, tipos de serviços 55

Poderia *verificar (limpar)* o carburador, por favor?
Would you *check (clean)* the carburettor, please?
uu:d iu: tchék (kli:n) dhâ k<u>a</u>rbârétâr, pli:z

O dínamo não está dando corrente.
The dynamo isn't charging.
dhâ d<u>a</u>inâmou <u>i</u>zânt tch<u>a</u>rdjinh

A embreagem *está escorregando (não solta)*.
The clutch *slips (won't disengage)*.
dhâ klâtch slips (u<u>o</u>unt disingu<u>e</u>idj)

Os freios não estão funcionando direito.
The brakes aren't working properly.
dhâ br<u>e</u>iks arnt u<u>â</u>rkinh pr<u>ó</u>pârli

Eles estão *frouxos (apertados demais)*.   **O fusível está queimado.**
They're *slack (too sharply adjusted)*.   The fuse has blown.
dh<u>e</u>iâr slék (tu: ch<u>a</u>rpli âdj<u>â</u>stid)   dhâ fiu̲z héz bl<u>o</u>un

O limpador de para-brisa *não está limpando direito (está quebrado)*.
The windscreen wiper *smears (has broken)*.
dhâ u<u>i</u>ndskrin u<u>a</u>ipâr smi:rz (héz br<u>o</u>ukân)

A ... marcha não está engatando.   **O motor está sem potência.**
It won't stay in ... gear.   The engine lacks power.
it u<u>o</u>unt st<u>e</u>i in ... gu<u>i</u>âr   dhi éndjin léks p<u>a</u>uâr

– está esquentando demais. **– está batendo.** **– morre de repente.**
– is overheating.   – knocks.   – stalls suddenly.
– iz ouvârh<u>i</u>:tinh   – nóks   – stó:lz s<u>â</u>dânli

– está falhando.   **A mudança de marcha precisa ser verificada.**
– misses.   The gear change needs checking.
– m<u>i</u>ssiz   dhâ gu<u>i</u>âr tch<u>e</u>indj nidz tch<u>é</u>kinh

Poderia endireitar o para-choque, por favor?
Would you straighten the bumper, please?
uu:d iu: str<u>e</u>itân dhâ b<u>â</u>mpâr, pli:z

É preciso *apertar (afrouxar)* este parafuso.
This screw needs *tightening (loosening)*.
dhis skru: nidz t<u>a</u>itâninh (l<u>u</u>:sâninh)

Ferramentas

As pastilhas de freio estão esquentando demais.
The brake drums get too hot.
*dh*â br<u>ei</u>k drâmz guét tu: hót

O radiador está vazando.
The radiator's leaking.
*dh*â r<u>ei</u>dieitârz l<u>i</u>:kinh

Poderia trocar as velas, por favor?
Would you change the sparking plugs, please?
u<u>u</u>:d i<u>u</u>: tch<u>ei</u>indj *dh*â sp<u>a</u>rkinh plâgz, pli:z

Ferramentas

Daria para me emprestar ...?	**Preciso de ...**
Could you lend me ...?	I need ...
ku:d i<u>u</u>: lénd mi ...	<u>ai</u> nid ...

alicate	pliers; pincers	pl<u>ai</u>ârz; p<u>i</u>nsârz
arame	wire	u<u>ai</u>âr
– um pedaço de arame	a piece of wire	â pi:s óv u<u>ai</u>âr
barbante	string	strinh
bomba de ar	air pump	é:r pâmp
broca	drill; gimlet	dril; dj<u>i</u>mlit
cabo	cable	k<u>ei</u>bâl
caixa de ferramentas	tool box	tu:l bóks
chave de fenda	screwdriver	skru:dr<u>ai</u>vâr
chave inglesa	spanner; wrench	spénâr; réntch
chave-cachimbo	box spanner; box wrench	bóks spénâr; bóks réntch
cinzel	chisel	tch<u>i</u>zâl
ferramenta	tool	tu:l
funil	funnel	f<u>â</u>nâl
kit de ferramentas	tool kit	tu:l kit
lâmpada de teste	test lamp	tést lémp
lima	file	f<u>ai</u>l
lixa	emery paper	<u>é</u>mâri p<u>ei</u>pâr
macaco	jack	djék
martelo	hammer	h<u>é</u>mâr
parafuso	screw; bolt	skru:; b<u>ou</u>lt
– **porca**	nut	nât
trapo	cloth	kló*th*

Indicações de trânsito

BOX JUNCTION **Não avançar sobre a faixa se o cruzamento não for possível**	CAR PARK **Estacionamento**

CROSSING NO GATES CROSS-ROADS
Passagem de nível sem barreira **Cruzamento**

DIVERSION DRIVE SLOWLY DUAL CARRIAGEWAY
Desvio **Devagar** **Estrada de pista dupla**

GET IN LANE GIVE WAY
Conserve-se na faixa **Dê a preferência**

HALT AT MAJOR ROAD AHEAD HOSPITAL KEEP CLEAR
Parada obrigatória à frente **Hospital** **Deixe livre**

NO ENTRY NO PARKING
Entrada proibida **Proibido estacionar**

NO RIGHT TURN NO THROUGH ROAD
Proibido virar à direita **Proibido atravessar a pista**

NO U-TURN NO PARKING THIS SIDE TODAY
Proibido retornar **Proibido estacionar deste lado hoje**

ONE-WAY STREET REDUCE SPEED NOW SCHOOL
Rua de mão única **Reduza a velocidade** **Escola**

ROAD NARROW ROAD WORKS
Estreitamento de pista **Obras na estrada**

SINGLE FILE TRAFFIC
Tráfego em pista única

SPEED LIMIT 20MHP
Limite de velocidade 20 milhas por hora (= *aprox*. 30 km/h)

STOP CHILDREN CROSSING SLOW
Pare! Travessia de crianças **Devagar**

PARKING LIMITED TO 20 MINS IN ANY HOUR
Estacionamento limitado a 20 minutos dia e noite

DE ÔNIBUS

Onde é o ponto de ônibus mais próximo?
Where is the nearest bus stop?
ué:r iz *dh*â ní:rist bâs stóp

Onde param os ônibus que vão para ...?   **É longe?**
Where do the buses *for (to)* ... stop?   Is that far?
ué:r du *dh*â bâssiz fór (tu) ... stóp   iz *dh*ét far

Quando sai *um (o primeiro, o último)* ônibus para ...?
When is *there a (the first, the last)* bus to ...?
uén iz *dh*é:r â (*dh*â fârst, *dh*â last) bâs tu ...

Que ônibus vai para ...?   **Para onde vai o ônibus?**
Which bus goes to ...?   Where does the bus go to?
uitch bâs gouz tu ...   ué:r dâz *dh*â bâs gou tu

Há algum ônibus que (Este ônibus) vai para ...?   **Quando chegaremos em ...?**
Is there a bus (Does this bus go) to ...?   When do we get to ...?
iz *dh*é:r â bâs (dâz *dh*is bâs gou) tu ...   uén du ui guét tu ...

Tenho que trocar de ônibus para ir a ...?   **Onde tenho que trocar de ônibus?**
Do I have to change for ...?   Where do I have to change?
du ai hév tu tcheindj fór ...   ué:r du ai hév tu tcheindj

Uma passagem (Duas passagens) de ida e volta, por favor.   **Uma inteira e uma meia para ..., por favor.**
A return (Two returns), please.   One and a half to ..., please.
â ritârn (tu: ritârnz), pli:z   uân énd â haf tu ..., pli:z

bagagem	luggage	lâguidj
bilhete de conexão	transfer ticket	trénsfâr tikit
cobrador	conductor	kândâktâr
direção	direction	dirékchân
itinerário	route	ru:t
motorista	driver	draivâr
ônibus	bus	bâs
passagem	ticket	tikit
terminal	terminus; terminal	târminâs; târminâl

Request stop [riquést stóp] *é o ponto onde o ônibus só para mediante solicitação ou sinal do passageiro.*

Estação • Horário 59

DE TREM

Estação

Onde é a *estação (estação principal)*? **Onde *está (estão)* ...?**
Where is the *station (main station)*? Where *is (are)* ...?
ué:r iz *dh*â steichân (mein steichân) ué:r iz (ar)

o balcão de informações	the information office	*dh*i infârmeichân ófis
os banheiros	the lavatories	*dh*â lévâtâriz
a bilheteria	the ticket office	*dh*â tikit ófis
a casa de câmbio	the exchange office	*dh*i ikstcheindj ófis
a entrega de bagagens	the luggage delivery office	*dh*â lâguidj dilivâri ófis
o guarda-volumes	the left-luggage office	*dh*â léft lâguidj ófis
o quadro de horários	the timetable	*dh*â taimteibâl
a plataforma dois	platform two	plétfórm tu:
o posto médico	the first-aid post	*dh*â fârst eid poust
o restaurante	the restaurant	*dh*â réstârónt
a sala de espera	the waiting-room	*dh*â ueitinh ru:m

Horário

automotriz	rail car	reil kar
conexão	connection	kónékchân
guia ferroviário	railway guide	reil uei gaid
partida / chegada	departure / arrival	dipartchâr / âraivâl
plataforma	platform	plétfórm
sujeito a tarifa suplementar	supplementary fare payable	sâplinéntâri fé:r peiâbâl
trem de passageiro	passenger train	péssindjâr trein
trem de subúrbio	suburban train	sâbârbân trein
trem expresso	express (train)	iksprés (trein)
trem rápido	fast train	fast trein
vagão direto	through carriage	*th*ru: kéridj
vagão-leito	*couchette (sleeping) car;* sleeper	ku:chét (slipinh) kar; slipâr
vagão-restaurante	*dining (restaurant) car*	daininh (réstârónt) kar
via férrea	track	trék

Informações

Quando sai um *trem de passageiros (trem expresso)* para ...?
When is there *a passenger train (an express)* to ...?
uén iz *dh*é:r â péssindjâr trein (én iksprés) tu ...

Onde está o trem para ...?
Where is *the train to ... (the ... train)*?
ué:r iz *dh*â trein tu ... (*dh*â ... trein)

Este é o trem para ...?
Is this the train to ...?
iz *dh*is *dh*â trein tu ...

Este trem vai por ...?
Does this train go via ...?
dâz *dh*is trein gou vaiâ ...

Este trem para em ...?
Does this train stop at ...?
dâz *dh*is trein stóp ét ...

O trem de ... está atrasado?
Is *the train from ... (the ... train)* late?
iz *dh*â trein fróm ... (*dh*â ... trein) leit

Quantos minutos?
How many minutes?
hau méni minits

Há uma conexão para ...?
Is there a connection for ...?
iz *dh*é:r â kónékchân fór ...

Quando ela chega em ...?
When does it get to ...?
uén dâz it guét tu ...

Temos que trocar de trem?
Do we have to change?
du ui hév tu tcheindj

Onde?
Where?
ué:r

O trem tem *vagão-restaurante (vagões-leitos)*?
Is there a dining car (Are there sleepers) on the train?
iz *dh*é:r â daininh kar (ar *dh*é:r slipârz) ón *dh*â trein

Posso interromper minha viagem em ...?
Can I break my journey in ...?
kén ai breik mai djârni in ...

Em qual plataforma chega o trem de ...?
What platform does the train from ... arrive at?
uót plétfórm dâz *dh*â trein fróm ... âraiv ét

De qual plataforma parte o trem para ...?
What platform does the train to ... leave from?
uót plétfórm dâz *dh*â trein tu ... li:v fróm

Compra de passagem

Uma passagem de ida (Duas inteiras e duas meias) para ..., por favor.
A single (Two and two halves) to ..., please.
â s<u>i</u>ngâl (tu: and tu: *h*avz) tu ..., pli:z

– de ida e volta.	– de ida.	– de primeira classe.	– de segunda classe.
– return.	– single.	– 1st class.	– 2nd class.
– rit<u>â</u>rn	– s<u>i</u>ngâl	– fârst klas	– s<u>é</u>kând klas

Quero reservar um assento no trem do meio-dia para ...
I want *to book a seat on (a seat reservation for)* the 12 o'clock train to ...
<u>a</u>i u<u>ó</u>nt tu bu:k â s<u>i</u>:t ón (â s<u>i</u>:t rézârv<u>e</u>ichân fór) *dh*â tu<u>é</u>lv âkl<u>ó</u>k tr<u>e</u>in tu ...

Por quanto tempo vale a passagem?
How long is the ticket valid (for)?
h<u>a</u>u lón(g) iz *dh*â t<u>i</u>kit v<u>é</u>lid (fór)

Gostaria de interromper minha viagem em ...
I'd like to break my journey in ...
<u>a</u>id l<u>a</u>ik tu br<u>e</u>ik m<u>a</u>i dj<u>â</u>rni in

Gostaria de reservar ...	*Poderia reservar dois assentos, por favor?*
I'd like to book ...	Would you book two seats, please?
<u>a</u>id l<u>a</u>ik tu bu:k ...	u<u>u</u>:d i<u>u</u>: bu:k tu: s<u>i</u>:ts, pli:z

Quanto custa uma passagem para ...?
How much is a ticket to ...?
h<u>a</u>u mâtch iz â t<u>i</u>kit tu ...

bilhete coletivo	party ticket	p<u>a</u>rti t<u>i</u>kit
bilhete suplementar	supplementary ticket	sâplim<u>é</u>ntâri t<u>i</u>kit
ingresso para a plataforma	platform ticket	pl<u>é</u>tfórm t<u>i</u>kit
meia passagem	half	*h*af
passagem	ticket	t<u>i</u>kit
passagem a preço reduzido	cheap ticket	tchi:p t<u>i</u>kit
passagem de ida	single	s<u>i</u>nhgâl
passagem de ida e volta	return ticket	rit<u>â</u>rn t<u>i</u>kit
passagem econômica (ida e volta no mesmo dia)	day return	d<u>e</u>i rit<u>â</u>rn
preço	price	pr<u>a</u>is
reserva de assento	seat reservation	s<u>i</u>:t rézârv<u>e</u>ichân
reserva de leito	sleeper reservation	sl<u>i</u>pâr rézârv<u>e</u>ichân

Bagagem

Gostaria de ...
I'd like to ...
aid laik tu ...

– **despachar esta bagagem para ...**
– register this luggage to ...
– rédjistâr *dh*is lâguidj tu ...

– **deixar esta bagagem aqui.**
– leave this luggage here.
– li:v *dh*is lâguidj hiâr

– **retirar minha bagagem.**
– collect my luggage.
– kolékt mai lâguidj

Aqui está o comprovante de depósito.
Here is the left-luggage ticket.
hiâr iz *dh*â léft lâguidj tikit

São duas malas e um saco de viagem.
There are two cases and a travelling bag.
*dh*é:r ar tu: kéissiz énd â trévâlinh bég

A bagagem vai no mesmo trem?
Does the luggage travel by the same train?
dâz *dh*â lâguidj trévâl bai *dh*â seim trein

Quando ela chegará em ...?
When will it get to ...?
uén uil it guét tu ...

Estas não são minhas.
These aren't mine.
*th*i:s arnt main

Está faltando uma mala.
A case is missing.
â keis iz missinh

bagagem	luggage; baggage	lâguidj; béguidj
bagagem de mão	hand luggage	hénd lâguidj
comprovante de depósito	left-luggage ticket	léft lâguidj tikit
depósito de bagagem	left-luggage deposit	léft lâguidj dipózit
despacho de bagagem	registered-luggage office	rédjistârd lâguidj ófis
guarda-volumes	left-luggage office; luggage locker	léft lâguidj ófis; lâguidj lókâr
mala	case	keis
retirada de bagagem	left-luggage withdrawal	léft lâguidj ui*dh*dró:âl
saco de viagem	travelling bag	trévâlinh bég

Carregador

carregador ... . porter ... . pórtâr ...

Esta *bagagem (mala)* ..., por favor.
This luggage (case) ..., please.
*dh*is lâguidj (k*e*is) ..., pli:z

– **para o trem para ...**
– to the ... train.
– tu *dh*â ... tr*e*in

– **para a plataforma 2.**
– to platform two.
– tu pl*é*tfórm tu:

– **para o guarda-volumes.**
– to the left–luggage office.
– tu *dh*â léft lâguidj ófis

– **para a saída.**
– to the exit.
– tu *dh*i égzit

– **para o táxi.**
– to the taxi.
– tu *dh*â téksi

– **para o ônibus para ...**
– to the ... bus.
– tu *dh*â ... bâs

Quanto é?
How much?
*h*au mâtch

Na plataforma

Este é o trem *para (de)* ...?
Is this the train *to (from)* ...?
iz *dh*is *dh*â tr*e*in tu (fór) ...

Onde *é (são)* ...?
Where *is (are)* ...?
u*é*:r iz (ar) ...

– **a primeira classe?**
– the first class?
– *dh*â fârst clas

– **o vagão direto para ...?**
– the through carriage to ...?
– *dh*â *th*ru: k*é*ridj tu ...

– **os vagões-leitos?**
– the *couchette cars (sleepers)*?
– *dh*â ku:ch*é*t kars (sl*i*pârz)

– **o vagão-restaurante?**
– the dining car?
– *dh*â d*a*ininh kar

– **o vagão-bagageiro?**
– the luggage van?
– *dh*â lâguidj vén

– **o vagão número ...?**
– carriage number ...?
– k*é*ridj n*â*mbâr ...

Lá.	**Na (parte da) frente.**	*No meio (Na parte do meio).*
There.	At the front (portion).	In the middle (portion).
*dh*é:r	ét *dh*â frânt (p*ó*rchân)	in *dh*â m*i*dâl (p*ó*rchân)

64 Dentro do trem

Atrás (Na parte de trás).
At the rear (portion).
ét *dh*â ri̱âr (pórchân)

Quando chega o trem?
When does the train get in?
ue̱n dâz *dh*â tre̱in guét in

TO THE TRAINS	EXIT	DRINKING WATER
Acesso aos trens	Saída	Água potável

LEFT–LUGGAGE DEPOSITS	REFRESHMENTS
Depósito de bagagem	Lanches

SUBWAY	BRIDGE	PLATFORM
Passagem subterrânea	Passarela	Plataforma

FIRST-AID POST	WAITING-ROOM
Posto médico	Sala de espera

LAVATORIES	GENTLEMEN	LADIES
Sanitários	Cavalheiros	Damas

STATION SUPERINTENDENT	INFORMATION
Supervisor da estação	Informações

Dentro do trem

Este assento está ocupado?
Is this seat taken?
iz *dh*is si:t te̱ikân

É meu lugar.
That's my seat.
*dh*é:ts ma̱i si:t

Posso *abrir (fechar)* a janela?
May I *open (shut)* the window?
me̱i a̱i ou̱pân (chât) *dh*â ui̱ndou

Com licença.
Excuse me. (May I?)
ikskiu̱z mi (me̱i a̱i)

O senhor poderia me ajudar, por favor?
Could you help me, please?
ku:d iu̱: *h*élp mi, pli:z

Poderíamos trocar de lugar?
Could we change places?
ku:d ui̱ tche̱indj ple̱issiz

Não consigo viajar de costas para a locomotiva.
I can't travel with my back to the engine.
ai ként trévâl ui*th* mai bék tu *dh*i éndjin

*As passagens, por favor!
Tickets, please!
tikits, pli:z

Gostaria de *pagar a sobretaxa (comprar um bilhete suplementar, pagar agora*).
I'd like to *pay the excess fare (take a supplementary ticket, pay now)*.
aid lik tu pei *dh*i éksés fé:r (teik â sâpliméntâri tikit, pei nau)

Quantas paradas há antes de chegarmos em ...?
How many stops are there before we get to ...?
*h*au méni stóps ar*dh*é:r bifór ui guét tu ...

Chegaremos em ... na hora certa?
Are we going to be in ... on time?
ar ui góuinh tu bi in ... ón taim

Onde estamos agora?
Where are we now?
ué:r ar ui nau

Por quanto tempo ficaremos parados?
How long do we stop for?
*h*au lón(g) du ui stóp fór

Estarei em tempo para pegar o trem para ...?
Am I going to be in time to get the train to ...?
ém ai góuinh tu bi in taim tu guét *dh*â trein tu ...

*Troquem todos de trem, por favor!
All change, please!
ó:l tcheindj, pli:z

*Passageiros para ... troca de trem em ...!
Passengers for ... change at ...!
péssindjârz fór ... tcheindj ét ...

*Passageiros para ... fiquem na parte *da frente (de trás)* do trem.
Passengers for ... in the *front (rear)* of the train.
péssindjârz fór ... in *dh*â frânt (riâr) óv *dh*â trein

NON-SMOKER	SMOKER	EMERGENCY BRAKE
Não-fumantes	Fumantes	Freio de emergência

RESTAURANT CAR		SLEEPING CAR
Vagão-restaurante		Vagão-leito

LAVATORY	VACANT	ENGAGED
Banheiro	Livre	Ocupado

De trem · Vocabulário

aquecimento	heating	hí:tinh
– frio	cold	kould
– quente	hot	hót
assento na janela	window seat	uíndou si:t
bagageiro	luggage rack	lâguidj rék
bagagem	luggage	lâguidj
barreira	barrier	bériâr
chefe da estação	stationmaster	stéichânmastâr
chefe do trem	guard	gard
chegada	arrival	âraivâl
chegar	to arrive	tu âraiv
compartimento	compartment	compartmént
conexão	connection	kónékchân
descer *(do trem)*	to get off; tu alight	tu guét óf; tu âlait
entrada	entrance	éntrâns
entrar *(no trem)*	to get in	tu guét in
estação	station	stéichân
estação de mercadorias	goods station	gu:dz stéichân
estrada de ferro	railway	réil uéi
guia ferroviário	railway guide	réil uéi gaid
informações	information	infârméichân
itinerário	route	ru:t
locomotiva	engine	éndjin
maquinista	guard	gard
parada	stop	stóp
partida	departure	dipartchâr
partir	to leave	tu li:v
passageiro	passenger	péssindjâr
passagem	ticket	tikit
plataforma	platform	plétfórm
porta do vagão	carriage door	kéridj dó:r
preço da passagem	fare	fé:r
redução	reduction	ridâkchân
saída	exit; way out	égzit; uéi aut
trem	train	tréin
trocar	to change	tu tchéindj
vagão	carriage	kéridj
vagão-bagageiro	luggage van	lâguidj vén
via férrea	track	trék

DE AVIÃO

Informações e reserva

Há voos (diretos) para ...?
Are there direct flights to ...?
ar *dh*é:r dirékt fl<u>ai</u>ts tu ...

A que horas há um voo para ... *hoje (amanhã)*?
When is there a flight to ... *today (tomorrow)*?
u<u>é</u>n iz *dh*é:r â fl<u>ai</u>t tu ... tâd<u>ei</u> (tâm<u>ó</u>rou)

Quando sai o próximo avião para ...?
When is the next plane to ...?
u<u>é</u>n iz *dh*â nékst pl<u>ei</u>n tu ...

Há uma escala em ...?
Is there a stopover in ...?
is *dh*é:r â stópouvâr in ...

Há um voo de conexão para ...?
Is there a connecting flight to ...?
iz *dh*é:r â kón<u>é</u>ktinh fl<u>ai</u>t tu ...

Quando chegaremos em ...?
When do we get to ...?
u<u>é</u>n du u<u>i</u> guét tu ...

Ainda há assentos disponíveis?
Are there still seats available?
ar *dh*é:r stil si:ts âv<u>ei</u>lâbâl

Quanto custa uma passagem (ida e volta) para ...?
How much is the (return) flight to ...?
*h*au mâtch iz *dh*â (rit<u>â</u>rn) fl<u>ai</u>t tu ...

A quanta bagagem tem-se direito?
What's the free *luggage (baggage)* allowance?
u<u>ó</u>ts *dh*â fri l<u>â</u>guidj (b<u>é</u>guidj) âl<u>a</u>uâns

Quanto custa o excesso de bagagem?
What does the excess *luggage (baggage)* cost?
u<u>ó</u>t dâz *dh*i éks<u>é</u>s l<u>â</u>guidj (b<u>é</u>guidj) kóst

De quanto é a taxa de embarque?
How much is the airport tax?
*h*au mâtch iz *dh*i <u>é</u>:rpórt téks

Como faço para chegar no aeroporto?
How do I get to the airport?
*h*au du <u>ai</u> guét tu *dh*i <u>é</u>:rpórt

Quando devo fazer o check-in?
When do I have to check in?
u<u>é</u>n du <u>ai</u> *h*év tu tchék in

No aeroporto

Gostaria de reservar um assento no voo de sexta-feira para ...
I'd like to book a seat on the Friday flight to ...
aid laik tu bu:k â si:t ón *dh*â fraidei flait tu ...

**Gostaria de reservar uma passagem de ida e volta para ...
para oito de maio.**
I'd like to book a return flight to ... on May 8th.
aid laik tu bu:k â ritârn flait tu ... ón *dh*i eit*th* óv mei

– **primeira classe.**
– first class.
– fârst klas

– **classe *turística (econômica)*.**
– *Tourist (Economy)* class.
– tu:rist (ikónâmi) klas

Por quanto tempo vale a passagem?
How long is the ticket valid (for)?
hau lón(g) iz *dh*â tikit vélid (fór)

Tenho que *cancelar minha passagem (mudar minha reserva)*.
I have to *cancel my flight (change my booking)*.
ai hév tu kénsâl mai flait (tcheindj mai bu:kinh)

Quanto é a taxa de cancelamento?
How much is the cancellation fee?
hau mâtch iz *dh*â kénsâleichân fi

No aeroporto

Posso levar isto como bagagem de mão?
Can I take this as hand luggage?
kén ai teik *dh*is és hénd lâguidj

Quanto devo pagar?
How much do I have to pay?
hau mâtch du ai hév tu pei

Onde é a *sala de espera (saída B)*?
Where is *the waiting-room (Exit B)*?
ué:r iz *dh*â ueitinh ru:m (égzit bi)

Onde é o balcão de informações?
Where is the information desk?
ué:r iz *dh*i infârmeichân désk

Onde se podem comprar artigos isentos de taxas?
Where can one buy duty-free goods?
ué:r kén uân bai diuti fri gu:dz

O avião para ... está atrasado?
Is the plane to ... late?
iz dhâ pl<u>ei</u>n tu ... l<u>ei</u>t

O avião vindo de ... já aterrissou?
Has the plane from ... already landed?
héz dhâ pl<u>ei</u>n fróm ... ólrédi léndid

Dentro do avião

*Por favor, apaguem seus cigarros.
Would you stop smoking, please.
u<u>u</u>:d i<u>u</u>: stóp sm<u>ou</u>kinh, pli:z

*Por favor, apertem os cintos.
Fasten your seat belts, please.
f<u>a</u>ssân ió:r si:t bélts, pli:z

A que altitude estamos voando?
What altitude are we flying at?
u<u>ó</u>t éltitiud ar u<u>i</u> fl<u>ai</u>inh ét

Onde estamos agora?
Where are we now?
ué:r ar u<u>i</u> n<u>au</u>

Que *montanhas são aquelas (rio é aquele)*?
Which *mountains are those (river is that)*?
u<u>i</u>tch m<u>au</u>ntânz ar dh<u>ou</u>z (r<u>i</u>vâr iz dhét)

Posso obter ...?
Can I have ...?
kén <u>ai</u> hév ...

Estou enjoado.
I feel sick.
<u>ai</u> fil sik

Vocês têm algum remédio para enjoo?
Have you got anything for air sickness?
hév i<u>u</u>: gót énithinh fór é:r s<u>i</u>knâs

Quando aterrissaremos?
When do we land?
uén du u<u>i</u> lénd

Como está o tempo em ...?
What's the weather like in ...?
u<u>ó</u>ts dhâ u<u>é</u>dhâr l<u>ai</u>k in ...

abordagem	approach	âpr<u>ou</u>tch
aeromoça	stewardess	stiu<u>â</u>rdés
aeroporto	airport	é:rpórt
apertar os cintos	to fasten seat belts	tu fassân si:t bélts
artigos isentos de taxas	duty-free goods	di<u>u</u>ti fri gu:dz
aterrissagem	landing	léndinh
aterrissagem de emergência	emergency landing	imârdjânsi léndinh
aterrissar	to land	tu lénd
avião	plane; aircraft	pl<u>ei</u>n; é:rkraft
avião a jato	jet (plane)	djét (pl<u>ei</u>n)

Dentro do avião • Vocabulário

Português	Inglês	Pronúncia
avião de carreira	airliner	é:rlainâr
bagagem de mão	hand luggage	hénd lâguidj
balcão de informações	information desk	infârmeichân désk
charter	charter plane	tchartâr plein
chegada	arrival	âraivâl
cinto de segurança	seat belt	si:t bélt
colete salva-vidas	life-jacket	laif djékit
companhia aérea	airline	é:rlain
decolagem	takeoff	teikóf
decolar	to take off	tu teik óf
destinação	destination	déstineichân
enjoo	air sickness	é:r siknâs
escala	stopover	stópouvâr
excesso de bagagem	excess *luggage (baggage)*	éksés lâguidj (béguidj)
helicóptero	helicopter	hélikóptâr
horário do serviço de bordo	air-service timetable	é:r sârvis taimteibâl
informações	information	infârmeichân
motor	engine	éndjin
neblina	fog	fóg
passagem	ticket	tikit
piloto	pilot	pailât
rampa de emergência	emergency chute	imârdjânsi chut
reserva	booking	bu:kinh
rota	route	ru:t
saída	exit	égzit
saída de emergência	emergency exit	imârdjânsi égzit
sala de espera	waiting-room	ueitinh ru:m
subir	to climb	tu klaim
taxa de embarque	airport tax	é:rpórt téks
tempo	weather	uédhâr
tempo de voo	flying time	flaiinh taim
temporal	thunderstorm	thândârstórm
trem de aterrissagem	undercarriage	ândârkéridj
tripulação	crew	kru:
ventilador	ventilator	véntileitâr
voar	to fly	tu flai
voo	flight	flait
voo de volta	return flight	ritârn flait

DE NAVIO

Informações, compra de passagem

Quando parte *um barco (a balsa)* para ...?
When does *a boat (the ferry)* leave for ...?
uén dâz â bout (*dh*â féri) li:v fór ...

De onde?
Where?
ué:r

Com que frequência o ferry-boat vai para ...?
How often does the ferryboat to ... run?
hau ófân dâz *dh*â féri bout tu ... rân

Quanto tempo leva a travessia (de ...) para ...?
How long does the crossing (from ...) to ... take?
hau lón(g) dâz *dh*â króssinh (fróm ...) tu ... teik

Qual é a distância entre a estação e o porto?
How far is the station from the harbour?
hau far iz *dh*â steichân fróm *dh*â harbâr

Em que portos faremos escala?
What ports do we call at?
uót pórts du uí kó:l ét

Quando atracaremos em ...?
when do we *dock (land)* at ...?
uén uí dók (lénd) ét ...

Há uma conexão para ...?
Is there a connection to ...?
iz *dh*é:r â kónékchân tu ...

Pode-se desembarcar em ...?
Can one go ashore at ...?
kén uân gou âchór ét ...

Por quanto tempo?
For how long?
fór *h*au lón(g)

Haverá alguma excursão?
Will there be any excursions?
uil *dh*é:r bi éni ikskârchânz

Quando devemos estar a bordo?
When do we have to be on board?
uén du uí *h*év tu bi ón bó:rd

Onde se podem comprar passagens?
Where can one get tickets?
ué:r kén uân guét tikits

72   No porto

Gostaria de ... — **uma passagem para ...**
I'd like ... – a passage to ...
aid laik ... – â péssidj tu ...

– duas passagens para amanhã, no ... para ...
– two tickets for tomorrow on the ... to ...
– tu tikits fór tâmórou ón dhâ ... tu ...

– uma passagem de ida e volta para ...
– a round-trip ticket from ... to ...
– â raund trip tikit fróm ... tu ...

– uma passagem para *automóvel (motocicleta, bicicleta)*.
– a ticket for a *car (motorcycle, bicycle)*.
– â tikit fór â kar (moutârsaikâl, baissikâl)

– uma cabine individual. — **uma cabine *externa (interna)*.**
– a single cabin. – an *outside (inside)* cabin.
– â singâl kébin – én autsaid (insaid) kébin

– uma cabine dupla. — **– primeira classe.** — **– classe turística.**
– a double cabin. – first class. – tourist class.
– â dâbâl kébin – fârst klas – tu:rist klas

No porto

Onde está atracado o "..."? **Onde o "..." atraca?**
Where is the "..." docked? Where does the "..." dock?
ué:r iz dhâ "..." dókt ué:r dâz dhâ "..." dók

Este navio vai para ...? **Quando ele parte?**
Is this ship going to ...? When does it sail?
iz dhis chip gouinh tu ... uén dâz it seil

Onde é o escritório *da companhia de navegação (da polícia portuária, das autoridades alfandegárias)*?
Where is the *shipping company's (harbour police's, customs authorities')* office?
ué:r iz dhâ chipinh kâmpâniz (hârbâr pâlisiz, kâstâmz ó:thóritiz) ófis

Onde pego minha bagagem? **Venho do "...".**
Where do I get my luggage? I come from the "...".
ué:r du ai guét mai lâguidj ai kâm fróm dhâ "..."

A bordo

Estou procurando a cabine número ...
I'm looking for number ... cabin.
aim lu:kinh fór nâmbâr ... ké̱bin

Onde está minha bagagem?
Where is my luggage?
ué:r iz mai lâguidj

Vocês têm ... a bordo?
Have you got ... on board?
hév iu: gót ... ón bó:rd

Por favor, onde é ...?
Where is ..., please?
ué:r iz ..., pli:z

o bar	the bar	dhâ bar
a cabine de rádio	the wireless room	dhâ uairlés ru:m
a enfermaria	the sick bay	dhâ sik bei
o fotógrafo de bordo	the ship's photographer	dhâ chips fâtógrâfâr
a piscina	the swimming pool	dhâ suiminh pu:l
a sala de estar	the lounge	dhâ laundj
a sala de jantar	the dining-room	dhâ daininh ru:m
a sala de leitura	the reading room	dhâ ri:dinh ru:m
a sala do comissário de bordo	the purser's office	dhâ pârsârz ófis
a sala do guia	the courier's office	dhâ ku:riârz ófis
o salão de baile	the ballroom	dhâ bó:l ru:m
o salão de cabeleireiro	the hairdresser's	dhâ hé:rdréssârz

Comissário, poderia me trazer ..., por favor?
Steward, would you bring me ..., please?
stiuârd, uu:d iu: brinh mi ..., pli:z

Chame o médico de bordo, por favor!
Fetch the ship's doctor, please!
fétch dhâ chips dóktâr, pli:z

O senhor tem algum remédio para enjoo?
Have you got anything for seasickness?
hév iu: gót énithinh fór si:ssiknâs

Qual é a voltagem aqui?
What's the voltage here?
uóts dhâ voultidj hiâr

De navio · Vocabulário

a bordo	on board	ón bó:rd
agência de navegação	shipping agency	chipinh eidjânsi
amarra	rope; cable	roup; keibâl
âncora	anchor	énkâr
ar condicionado	air-conditioning	é:r kândichâninh
atracar	to dock; to land	tu dók; to lénd
balaustrada	railing	reilinh
balsa	ferry	féri
– ferry-boat	ferryboat	féribout
bandeira	flag	flég
barcaça	barge	bardj
barco	boat	bout
– barco a motor	motorboat	moutârbout
– barco de pesca	fishing boat	fichinh bout
– bote salva-vidas	lifeboat	laifbout
– lancha	launch	ló:ntch
– veleiro	sailing boat	seilinh bout
boia	buoy	bói
boia salva-vidas	lifebelt	laifbélt
bombordo	port	pórt
brisa	breeze	briz
cabine	cabin	kébin
cais	quay	ki:
camarote	cabin	kébin
canal	canal	kânél
Canal da Mancha	English Channel	inglich tchénâl
capitão	captain	képtin
classe turística	tourist class	tu:rist klas
colete salva-vidas	life-jacket	laif djékit
comissário	steward	stiuârd
companhia de navegação	shipping company	chipinh kâmpâni
convés	deck	dék
– convés de passeio	promenade deck	prómânad dék
– convés de primeira classe	saloon deck	sâlu:n dék
– convés de proa	fore deck	fór dék
– convés principal	main deck	mein dék
– convés superior	upper deck	âpâr dék
– entrecoberta	between-decks	bituin déks
– solário	sundeck	sândék

De navio • Vocabulário 75

costa	coast	k<u>o</u>ust
cruzeiro	cruise	kru:z
desembarcadouro	landing place; dock	l<u>é</u>ndinh pl<u>ei</u>s; dók
desembarcar	to disembark	tu dizimb<u>a</u>rk
enjoado	seasick	s<u>i</u>:ssik
enjoo	seasickness	s<u>i</u>:ssiknâs
espreguiçadeira	deckchair	d<u>é</u>ktché:r
estibordo	starboard	st<u>a</u>rbó:rd
excursão	excursion	iksk<u>â</u>rchân
farol	lighthouse	l<u>ai</u>t*h*aus
fazer escala	to call at	tu kó:l ét
festa a bordo	party on board ship	p<u>a</u>rti ón bó:rd chip
iate	yacht	i<u>ó</u>t
ilha	island	<u>ai</u>lând
jantar de despedida	farewell dinner	f<u>é</u>ruél d<u>i</u>nâr
leme	helm; rudder	*h*élm; r<u>â</u>dâr
mar	sea	si:
– em alto-mar	on the high seas	ón *dh*â h<u>ai</u> si:z
mar agitado	rough sea	răf si:
margem	shore; bank	chór; bénk
marinheiro	sailor	s<u>ei</u>lâr
mastro	mast	mast
médico de bordo	ship's doctor	chips d<u>ó</u>ktâr
molhe	pier; jetty; mole	pi<u>â</u>r; dj<u>é</u>ti; m<u>ou</u>l
navio	ship	chip
– cargueiro	freighter	fr<u>ei</u>târ
– navio de guerra	warship	u<u>ó</u>rchip
– navio de passageiros	passenger ship	p<u>é</u>ssindjâr chip
– navio a vapor	steamer	st<u>i</u>:mâr
nó	knot	nót
onda	wave	u<u>ei</u>v
partir	to sail	tu s<u>ei</u>l
passageiro	passenger	p<u>é</u>ssindjâr
plataforma de desembarque	landing stage	l<u>é</u>ndinh st<u>ei</u>dj
polícia portuária	harbour police	*h*<u>â</u>rbâr pâl<u>i</u>s
ponte	bridge	bridj
popa	stern	stârn
porto	harbour	*h*<u>â</u>rbâr
primeiro imediato	first officer	fârst <u>ó</u>fissâr

proa	bow	b<u>au</u>
programa de excursão	programme of excursion	pr<u>o</u>ugrém óv iksk<u>â</u>rchân
quarto de brinquedos	playroom	pl<u>e</u>iru:m
rebocador	tug (boat)	tâg (b<u>ou</u>t)
rota	course	kó:rs
taxa portuária	harbour due	h<u>â</u>rbâr di<u>u</u>
timoneiro	helmsman	h<u>e</u>lmsmén
travessia	crossing	króssinh
tripulação	crew	kru:
viagem	voyage	v<u>o</u>iâdj

NA FRONTEIRA

Controle de passaportes

Quando chegaremos à fronteira?
When do we reach the border?
uén du uí ri:tch dhâ bórdâr

*Passaportes, por favor!
Passports, please!
paspórts, pli:z

*Seus documentos (de viagem), por favor!
Your (travel) documents, please!
ió:r (trévâl) dókiâmânts, pli:z

Aqui, por favor!
Here, please!
hiâr, pli:z

Ficarei *uma semana (três semanas, até ...)*.
I'm staying *for a week (for three weeks, until ...)*.
aim steiinh fór â uik (fór thri uiks, ântil ...)

Estou aqui *a negócios (de férias)*.
I'm *here on business (on holyday here)*.
aim hiâr ón bizniss (ón hólidei hiâr)

***Vou (Vamos)* visitar ...**
I'm (we're) visiting ...
aim (uir) vizitinh ...

Não tenho atestado de vacinação.
I haven't got a vaccination certificate.
ai hévânt gót â véksineichân sârtifikât

O que devo fazer?
What do I have to do?
uót du ai hév tu du

***Sou (Não sou)* vacinado contra *varíola (cólera)*.**
I *have (haven't)* been *vaccinated against smallpox (inoculated against cholera)*.
ai hév (hévânt) bin véksineitid âguénst smó:lpóks (inókiuleitid âguénst kólârâ)

Devo preencher o formulário?
Do I have to fill in the form?
du ai hév tu fil in dhâ fórm

Faço parte do grupo de ...
I belong to the ... party.
ai bilón(g) tu dhâ ... parti

As crianças estão registradas no meu passaporte.
The children are entered in my passport.
dhâ tchildrân ar éntârd in mai paspórt

Posso obter o visto aqui?
Can I get the visa here?
kén ai guét dhâ vizâ hiâr

Posso telefonar para o meu consulado?
Can I phone my consulate?
kén ai foun mai kónsiulât

Controle de passaportes

assinatura	signature	sįgnâtchâr
atestado internacional de vacinação	international vaccination certificate	intârnéchânâl véksinęichân sârtįfikât
carteira de identidade	identity card	aidéntiti kard
carteira de motorista	driving licence	draivinh laissâns
carteira de seguro	insurance certificate	inchurâns sârtįfikât
controle de passaportes	passport control	pasport kântroul
cor do cabelo	colour of hair	kâlâr óv hé:r
cor dos olhos	colour of eyes	kâlâr óv aiz
data de nascimento	date of birth	deit óv bârl
domicílio	place of residence	pleis óv rézidâns
entrada (no país)	entry (into the country)	éntri (intu *dh*â kântri)
estado civil	marital status	méritâl steitâs
– casado, casada	married	méri:d
– solteiro, solteira	single	sįngâl
– viúva	widow	uįdou
– viúvo	widower	uįdouâr
estatura	height	*h*ait
fronteira	border	bórdâr
local de nascimento	place of birth	pleis óv bâr*th*
nacionalidade	nationality	néchânéliti
número	number	nâmbâr
passaporte	passport	pasport
primeiro nome	Christian name	krįstchân neim
profissão	profession	prâféchân
prorrogação	renewal; extension	riniųâl; iksténchân
regulamento	regulation	réguiuleichân
saída (do país)	departure (from the country)	dipartchâr (fróm *dh*â kântri)
sinais particulares	distinguishing marks	distįngüichinh marks
sobrenome	surname	sârneim
sobrenome de solteira	maiden name	meidân neim
válido	valid	vélid
viagem de negócios	business trip	bįzniss trip
visto de entrada	entry visa	éntri vįzâ
visto de saída	exit visa	égzit vįzâ

Alfândega

*Tem alguma coisa a declarar?
Have you got anything to declare?
hév iu: gót enithinh tu diklé:r

Tenho somente objetos de uso pessoal.
I've only got articles for my personal use.
aiv ounli gót artikâlz fór mai pârsânâl ius

Essa é minha mala. **Isso não é meu.**
That's my case.   That isn't mine.
dhéts mai keis   dhét izânt main

*Poderia abrir ..., por favor? **Isto é um presente (uma lembrança).**
Would you open ..., please?   That's a *present (souvenir)*.
uu:d iu: oupân ..., pli:z   dhéts â prézânt (su:vânir)

Tenho ... cigarros (um frasco de perfume).
I've got ... *cigarettes (a bottle of perfume)*.
aiv gót ... sigaréts (â bótâl óv pârfium)

*O que tem aqui dentro? **É só isso.**   ***Certo!**
What's in here?   That's all.   Right!
uóts in hiâr   dhéts ó:l   rait

Quero declarar isto. **Tenho que pagar uma taxa sobre isto?**
I want to declare this.   Do I have to pay duty on this?
ai uónt tu diklé:r dhis   du ai hév tu pei diuti ón dhis

Até quanto é isento de taxas? **Que taxa devo pagar por isto?**
What's the duty-free allowance?   What do I have to pay on it?
uóts dhâ diuti fri âlauâns   uót du ai hév tu pei ón it

alfândega	customs	kâstâmz
alfandegueiro	customs officer	kâstâmz ófissâr
declaração alfandegária	customs declaration	kâstâmz dêklâreichân
despacho aduaneiro	customs clearance	kâstâmz kli:râns
fronteira	border; frontier	bórdâr; frântiâr
revista alfandegária	customs examination	kâstâmz igzémineichân
sala de alfândega	customs office	kâstâmz ófis
taxa de exportação	export duty	ékspórt diuti
taxa de importação	import duty	impórt diuti

HOSPEDAGEM

Informações

Onde é *o hotel ... (a pensão ...)*?
Where is the ... *hotel (boarding house)*?
u*é*:r iz *dh*â ... hout*é*l (b*ó*:rdinh h*au*s)

Você poderia me recomendar um bom hotel?
Could you recommend a good hotel?
ku:d i*u*: rékâm*é*nd â gu:d *h*out*é*l

Aqui perto há ... ?
Is there ... near here?
iz *dh*é:r ... n*ia*r *h*i*a*r

uma acomodação	an accommodation	én âkómâd*e*ichân
um albergue da juventude	a youth hostel	â i*u*:*th* h*ó*stâl
um apartamento	a flat; an apartment	â flét; én âp*a*rtmânt
uma área de camping	a camping site	â k*é*mpinh s*ai*t
um bangalô	a bungalow	â b*â*ngâlou
um hotel	a hotel	â *h*out*é*l
um motel	a motel	â mout*é*l
uma pensão	a boarding house; a private hotel	â b*ó*:rdinh h*au*s; â pr*ai*vit *h*out*é*l
um quarto de aluguel	a room for hire	â ru:m fór *h*aiâr

– **perto da praia.**
– near the beach.
– n*ia*r *dh*â bi:tch

– **numa área *tranquila (central).***
– in a *quiet (central)* area.
– in â ku*ai*ât (s*é*ntrâl) *é*:riâ

Como *são os preços (é a comida)* aqui?
What *are the prices (is the food)* like here?
u*ó*t ar *dh*â pr*ai*ssiz (iz *dh*â fu:d) l*ai*k *h*i*a*r

Na recepção

Reservei um quarto aqui.
I have booked a room here.
ai hév bu:kt â ru:m hiâr

(Reservei ...) há seis semanas.
(I booked ...) six weeks ago.
(ai bu:kt ...) siks uiks âgou

A agência de viagens reservou um quarto para *mim (nós)*.
The travel agency reserved a room for *me (us)*.
dhâ trévâl eidjânsi rizârvd â ru:m fór mi (âs)

Vocês têm um quarto *individual (de casal)* vago?
Have you got a *single (double)* room vacant?
hév iu: gót â singâl (dâbâl) ru:m veikânt

Gostaria de ...
I would like ...
ai uu:d laik ...

um apartamento	a flat; an apartment	â flét; én âpartmânt
um bangalô	a bungalow	â bângâlou
um quarto	a room	â ru:m
– com água (corrente) quente e fria	with hot and cold (running) water	uith hót énd kould (râninh) uótâr
– com banheiro privativo	with a private bath	uith â praivit bath
– com chuveiro	with a shower	uith â chauâr
– com terraço	with a terrace	uith â térâs
– com varanda	with a balcony	uith â bélkâni
– com vista para o mar	overlooking the sea	ouvârlu:kinh dhâ si:
– no segundo andar	on the second floor	ón dhâ sékând fló:r
– para ... pessoas	for ... people	fór ... pi:pâl
– voltado para o interior	facing inland	feissinh inlând
um quarto de casal	a double room	â dâbâl ru:m
um quarto tranquilo	a quiet room	â kuaiât ru:m

... por *uma noite (dois dias, uma semana, quatro semanas)*.
... for *one night (two days, a week, four weeks)*.
... fór uân nait (tu: deiz, â uik, fó:r uiks).

Posso ver o quarto?
Can I see the room?
kén ai si dhâ ru:m

É muito agradável.
It's very nice.
its véri nais

Ficarei (Ficaremos) com ele.
I'll (We'll) take it.
a̱il (ui̱l) te̱ik it

Pode me mostrar outro quarto?
Could you show me another room?
ku:d iu̱: chou mi ana̱dhâr ru:m

Pode colocar *uma cama suplementar (um berço)* no quarto?
Could you put in *an extra bed (a cot)*?
ku:d iu̱: put in én e̱kstrâ béd (â kót)

Preços

Qual o preço do quarto por *dia (semana)*?
How much is the room per *day (week)*?
ha̱u mátch iz dhâ ru:m pâr de̱i (ui̱k)

– com café da manhã.
– with breakfast.
– ui*th* bre̱kfâst

– com meia-pensão.
– with breakfast and dinner.
– ui*th* bre̱kfast énd di̱nâr

– com pensão completa.
– with full board.
– ui*th* ful bó:rd

Está tudo (O serviço está) incluído?
Is everything included? (Does that include service?)
iz évri*th*inh inklu̱did (dâz dhét inklu̱d sâ̱rvis)

Qual é *o acréscimo para um quarto individual (a tarifa de alta-estação)*?
What's the *surcharge for a single room (seasonal surcharge)*?
uóts dhâ sâ̱rtchardj fór â si̱ngâl ru:m (si̱:zânâl sâ̱rtchardj)

Há redução para crianças?
Is there a reduction for children?
iz dhé:r â rida̱kchân fór tchi̱ldrân

Quanto devo pagar de sinal?
How much deposit do I pay?
ha̱u mâtch dipózit du a̱i pe̱i

Quanto é ao todo?
How much is that altogether?
ha̱u mâtch iz dhét óltâgue̱dhâr

Registro, bagagem

Gostaria de me registrar.
I'd like to register.
aid laik tu rédjistâr

Precisa dos nossos passaportes?
Do you need our passports?
du iu: nid auâr paspórts

Quando devemos lhe devolver o formulário de registro?
When do you want the registration form back?
uén du iu: uónt dhâ rédjistreichân fórm bék

O que devo preencher aqui?
What do I have to fill in here?
uót du ai hév tu fil in hiâr

*Só preciso da sua assinatura.
I just need your signature.
ai djâst nid ió:r signâtchâr

Daria para mandar buscar minha bagagem?
Could you arrange to have my luggage collected?
ku:d iu: âreindj tu hév mai lâguidj kâléktid

Ela ainda está *na estação (no aeroporto)*.
It's still at *the station (the airport)*.
its stil ét dhâ steichân (dhi é:rpórt)

Aqui está o comprovante de depósito.
Here's the luggage ticket.
hiârz dhâ lâguidj tikit

Onde está minha bagagem?
Where's my luggage?
ué:rz mai lâguidj

Minha bagagem já foi levada para o quarto?
Has my luggage already been taken to my room?
héz mai lâguidj ólrédi bin teikân tu mai ru:m

Posso deixar minha bagagem aqui?
Can I leave my luggage here?
kén ai li:v mai lâguidj hiâr

Vocês poderiam guardar estes objetos de valor para mim?
Could you look after these valuables for me?
ku:d iu: lu:k aftâr dhi:s véliuâbâlz fór mi

Vocês têm *garagem (estacionamento)*?
Have you got a *garage (car park)*?
hév iu: gót â guéradj (kar park)

Recepcionista, porteiro

Onde é o quarto 308?
Where's room number three-o-eight?
ué:rz ru:m nâmbãr thri ou eit

A chave, por favor.
The key, please.
dhâ ki:, pli:z

Número ..., por favor.
Number ..., please.
nâmbâr ..., pli:z

Alguém perguntou por mim?
Did anyone enquire for me?
did éniuân inkuair fór mi

Há alguma carta para mim?
Is there any letter for me?
iz dhé:r éni létâr fór mi

Quando chega o correio?
When does the post come?
uén dâz dhâ poust kâm

Vocês têm *selos (cartões-postais)*?
Have you got any *stamps (picture postcards)*?
hév iu: gót éni stémps (piktchâr poustkardz)

Quanto custa *um cartão-postal (uma carta)* para o Brasil?
What does a *postcard (letter)* to Brazil cost?
uót dâz â poustkard (létâr) tu brâzil kóst

Onde posso *alugar (obter)* ...?
Where can I *hire (get)* ...?
ué:r kén ai haiâr (guét) ...

Onde posso me inscrever para a excursão para ...?
Where can I book for the excursion to ...?
ué:r kén ai bu:k fór dhi ikskârchân tu ...

Onde posso *telefonar (trocar dinheiro)*?
Where can I *make a phone call (change some money)*?
ué:r kén ai meik â foun kó:l (tcheindj sâm mâni)

Quero fazer uma ligação interurbana para ...
I want a *long-distance (trunk)* call to ...
ai uónt â lón(g) distâns (trânk) kó:l tu ...

Estou esperando uma ligação do Brasil.
I'm expecting a call from Brazil.
aim ikspéktinh â kó:l fróm brâzil

Recepcionista, porteiro

Onde posso comprar um jornal brasileiro?
Where can I get a Brazilian paper?
ué:r kén ai guét â brâziliân peipâr

Onde é (são) ...?
Where *is (are)* ...?
ué:r iz (ar) ...

Poderia conseguir ... para mim?
Could you get me ...?
ku:d iu: guét mi ...

Qual é a voltagem aqui?
What's the voltage here?
uóts *dh*â voultidj hiâr

Estarei de volta em *dez minutos (duas horas)*.
I'll be back in *ten minutes (a couple of hours)*.
ail bi bék in tén minits (â kâpâl óv auârz)

Vamos à *praia (cidade)*.
We're going *down to the beach (into town)*.
uir gouinh daun tu *dh*â bi:tch (intu taun)

Estarei *na sala de estar (no bar)*.
I shall be in *the lounge (at the bar)*.
ai chél bi in *dh*â laundj (ét *dh*â bar)

Perdi a chave. (Deixei a chave no quarto.)
I've *lost the key (left the key in my room)*.
aiv lóst *dh*â ki: (léft *dh*â ki: in mai ru:m)

Qual é o horário das refeições?
At what time are meals served?
ét uót taim ar mi:lz sârvd

Onde é a sala de jantar?
Where's the dining room?
ué:rz *dh*â daininh ru:m

Podemos tomar café da manhã no quarto?
Can we have breakfast in the room?
kén ui *h*év brékfast in *dh*â ru:m

Amanhã podemos tomar o café da manhã às sete horas?
Can we have breakfast at seven o'clock tomorrow?
kén ui *h*év brékfast ét sévân âklók tâmórou

Por favor, amanhã de manhã eu gostaria de uma merenda.
I would like a packed lunch tomorrow morning, please.
ai uu:d laik â pékt lântch tâmórou mórninh, pli:z

Poderia me acordar amanhã de manhã às seis horas, por favor?
Could you wake me at six o'clock tomorrow morning, please?
ku:d iu: ueik mi ét siks âklók tâmórou mórninh, pli:z

Camareira

Entre!
Come in!
kâm in

Só um minuto, por favor!
Just a minute, please!
djâst â minit, pli:z

Poderia esperar mais *cinco (dez)* minutos?
Could you wait another *five (ten)* minutes?
ku:d iu: ueit anâ*dh*âr faiv (tén) minits

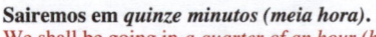

Sairemos em *quinze minutos (meia hora)*.
We shall be going in *a quarter of an hour (half an hour)*.
ui chél bi gouinh in â kuórtâr óv én auâr (haf én auâr)

Poderia trazer ... para *mim (nós)*, por favor?
Would you bring *me (us)* ..., please?
uu:d iu: brinh mi (âs) ..., pli:z

um ou dois cabides	one or two hangers	uân ór tu: hénhârz
o café da manhã	breakfast	brékfast
um cinzeiro	an ashtray	én échtrei
um cobertor	a blanket	â blénkit
outro cobertor	another blanket	anâ*dh*âr blénkit
um pano de chão	a floor cloth	â fló:r klo*th*
um pedaço de sabão	a piece of soap	â pi:s óv soup
outra toalha	another towel	anâ*dh*âr tauâl
outro travesseiro	another pillow	anâ*dh*âr pilou

Como funciona isto?
How does this work?
hau dâz *dh*is uârk

Nosso quarto está pronto?
Is our room ready?
iz auâr ru:m rédi

Poderia mandar lavar estas coisas para mim?
Could you arrange to have these things washed for me?
ku:d iu: âreindj tu hév *dh*i:z *th*inhz uócht fór mi

Poderia fazer alguma coisa contra os mosquitos no quarto?
Could you do something about the midges in the room?
ku:d iu: du sâm*th*inh âbaut *dh*â midjiz in *dh*â ru:m

Muito obrigado!
Thank you very much!
*th*énk iu: véri mâtch

Isto é para você.
That's for you.
*dh*éts fór iu:

Reclamações

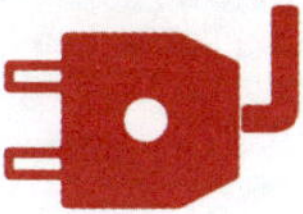

Eu gostaria de falar com o gerente, por favor.
I'd like to speak to the manager, please.
aid laik tu spi:k tu dhâ ménidjâr, pli:z

Não tem ...	**... não funciona.**
There *is (are)* no ...	... doesn't work.
dhé:r iz (ar) nou ...	... dâzânt uârk

Não tem luz no meu quarto.	**Esta lâmpada está queimada.**
There's no light in my room.	This bulb has burnt out.
dhé:rsz nou lait in mai ru:m	dhis bâlb héz bârnt aut

A tomada está quebrada.	**O fusível queimou.**
The wall *plug (socket)* is broken.	The fuse has blown.
dhâ uó:l plâg (sókit) iz broukân	dhâ fiuz héz bloun

A campainha (O aquecimento) não está funcionando.
The *bell (heating)* isn't working.
dhâ bél (hi:tinh) izânt uârkinh

A chave não entra.	**Está entrando chuva no quarto.**
The key doesn't fit.	The rain's coming in.
dhâ ki: dâzânt fit	dhâ reinz kâminh in

A janela não *está fechando direito (abre).*
The window *doesn't shut properly (won't open).*
dhâ uindou dâzânt chât próparli (uount oupân)

Não tem água (quente).	**A torneira está pingando.**
There's no (hot) water.	The tap drips.
dhé:rz nou (hót) uótâr	dhâ tép drips

A descarga não está funcionando.	**O cano está vazando.**
The lavatory won't flush.	The pipe's leaking.
dhâ lévâtâri uount flâch	dhâ paips li:kinh

O cano de esgoto está entupido.
The drain's blocked.
dhâ dreinz blókt

Partida

Partirei amanhã.
I'm leaving tomorrow.
aim li:vinh tâmórou

Iremos embora amanhã.
We're moving on tomorrow.
ui̯r muvinh ón tâmórou

Prepare minha conta, por favor.
Please have my bill ready.
pli:z hév mai̯ bil rédi

Poderia dar *minha (nossa)* conta, por favor?
Can I have *my (our)* bill, please?
kén ai̯ hév mai̯ (auâr) bil, pli:z

Poderia me acordar amanhã de manhã, por favor?
Would you wake me tomorrow morning, please?
uu:d i̯u: ue̯ik mi tâmórou mórninh, pli:z

Poderia mandar vir um táxi amanhã às oito horas da manhã, por favor?
Would you order a taxi for me at eight o'clock tomorrow morning, please?
uu:d i̯u: órdâr â téksi fór mi ét eit âklók tâmórou mórninh, pli:z

Poderia mandar levar minha bagagem *à estação (ao aeroporto)*, por favor?
Could you arrange for my luggage to be taken to *the station (the airport)*, please?
ku:d i̯u: âre̯indj fór mai̯ lâguidj tu bi te̯ikân tu dhâ ste̯ichân (dhi é:rpórt), pli:z

Quando sai o *trem (ônibus)* para ...?
When does the *bus (train)* to ... leave?
ué̯n dâz dhâ bâs (tre̯in) tu ... li:v

Poderia me remeter minhas cartas, por favor?
Would you send on my letters, please?
uu:d i̯u: sénd ón mai̯ létârz, pli:z

Muito obrigado por tudo!
Thank you very much for everything!
thénk i̯u: véri mâtch fór évrithinh

Ficamos muito bem acomodados (Aproveitamos muito).
We were *very comfortable (enjoyed ourselves very much)*.
ui̯ uâr véri kâmfârtâbâl (indjói̯d auârsélvz véri mǎtch)

Hospedagem · Vocabulário

acomodação	accommodation	âkómâd<u>e</u>ichân
adaptador	adaptor	âd<u>é</u>ptâr
adega	cellar	s<u>é</u>lâr
agência de viagens	travel agency	tr<u>é</u>vâl <u>e</u>idjânsi
água	water	u<u>ó</u>târ
– água potável	drinking water	dr<u>i</u>nkinh u<u>ó</u>târ
– fria	cold	k<u>o</u>uld
– quente	hot	h<u>ó</u>t
almoço	lunch	lântch
alugar	to hire; to rent; to hire out	tu *h*<u>a</u>iâr; tu r<u>é</u>nt; tu *h*<u>a</u>iâr <u>a</u>ut
alugar *(imóveis)*	to let	tu l<u>é</u>t
aluguel	rent	r<u>é</u>nt
andar	floor; storey	fló:r; st<u>ó</u>ri
apartamento	flat; apartment	fl<u>é</u>t; âp<u>a</u>rtmânt
– prédio de apartamentos	block of *flats (apartments)*	blók óv fléts (âp<u>a</u>rtmânts)
aposento	room	ru:m
– quarto	bedroom	b<u>é</u>d ru:m
– quarto de brinquedos	playroom	pl<u>e</u>iru:m
– sala de estar	sitting-room	s<u>i</u>tinh ru:m
aquecedor	heater; radiator	*h*<u>i</u>:târ; r<u>e</u>idieitâr
aquecimento	heating	*h*<u>i</u>:tinh
aquecimento central	central heating	s<u>é</u>ntrâl *h*<u>i</u>:tinh
ar condicionado	air-conditioning	é:r kândi̱châninh
armário	cupboard	k<u>â</u>bârd
arrumadeira	chambermaid	tch<u>e</u>imbârmeid
balde	bucket	b<u>â</u>kit
banheiro	bathroom; lavatory; toilet	ba*th*ru:m; l<u>é</u>vâtâri; t<u>ói</u>lit
– banheiro feminino	ladies' room	l<u>e</u>idis ru:m
– banheiro masculino	gents	djénts
cabide	coat hanger	k<u>o</u>ut *h*<u>é</u>nhâr
cadeira	chair	tché:r
café da manhã	breakfast	br<u>é</u>kfast
cama	bed	b<u>é</u>d
– berço	cot	k<u>ó</u>t
– cobertor	blanket	bl<u>é</u>nkit
– colcha	bedspread	b<u>é</u>dspré:d

Hospedagem · Vocabulário

Português	English	Pronúncia
– colchão	mattress	métris
– travesseiro	pillow	pilou
campainha	bell	bél
casa	house	haus
categoria	category	kétâgâri
chaminé	chimney	tchímni
chave	key	ki:
chave da casa	house key	haus ki:
chegada	arrival	âraivâl
chuveiro	shower	chauâr
cinzeiro	ashtray	échtrei
conta	bill	bil
copo	tumbler; glass	tâmblâr; glas
corredor	corridor	kóridâr
corrente alternada	alternating current	ólltârneitinh kârânt
cortina	curtain	kârtân
cozinha	kitchen	kítchin
criado-mudo	bedside table	bédsaid teibâl
desocupar o quarto	to *move out (vacate)* the room	tu muv aut (vâkeit) dhâ ru:m
divã	divan	divén
elevador	lift	lift
entrada	entrance	éntrâns
escada	staircase; stairs *(pl)*	stérkeis; sté:rz
espelho	mirror	mirâr
espreguiçadeira	deckchair	déktché:r
extensão elétrica	extension *cord (flex)*	iksténchân kórd (fléks)
fechadura	lock	lók
fogão	stove	stouv
fusível	fuse	fiuz
gaveta	drawer	dró:âr
geladeira	refrigerator	rifrídjâreitâr
guarda-sol	sunshade	sâncheid
guia	courier	ku:riâr
hotel	hotel	houtél
– hotel na praia	beach hotel	bi:tch houtél
iluminação	light; lightin	lait; laitinh
informações	information *(sing)*	infârmeichân

instalar-se	to move in	tu muv in
interruptor	switch	suitch
janela	window	uindou
jantar	dinner	dinâr
jardim	garden	gardân
kitchenette	kitchenette	kitchinét
lâmpada	lamp	lémp
lâmpada de leitura	reading lamp	ri:dinh lémp
lâmpada elétrica	electric light bulb	iléktrik lait bâlb
lareira	fireplace	faiârpleis
lavanderia	laundry	ló:ndri
– lavar	to wash	tu uóch
– passar a ferro	to iron	tu aiârn
– secar	to dry	tu drai
maçaneta da porta	door handle	dó:r héndâl
meia-pensão	breakfast and dinner	brékfast énd dinâr
mesa	table	teibâl
mudar	to move	tu muv
panela	pan; pot	pén; pót
papel higiênico	toilet paper	tóilit peipâr
parede	wall	uó:l
partida	departure	dipartchâr
pensão	boarding-house; private hotel	bó:rdinh haus; praivit houtél
pensão completa	full board	ful bó:rd
pernoite	overnight stay	ouvârnait stei
pia	washbasin	uóchbeissân
piscina	swimming pool	suiminh pu:l
plugue	plug	plâg
poltrona	armchair	armtché:r
porão	cellar; basement	sélâr; beismânt
porta	door	dó:r
porta da frente	front door	frânt dó:r
porteiro	porter	pórtâr
praia particular	private beach	praivit bi:tch
preço	price	prais
recepção	reception	rissépchân
recepcionista	receptionist	rissépchânist

Portuguese	English	Pronunciation
reclamação	complaint	kâmpleint
registro	registration	rédjistreichân
restaurante de grelhados	grill room	gril ru:m
restaurante do hotel	hotel restaurant	*h*outél réstârónt
roupa de cama	bed linen	béd linin
– colcha	cover	kâvâr
– fronha	pillowcase	piloukeis
– lençol	sheet	chit
saguão do hotel	hotel vestibule	*h*outél véstibiul
saída	exit; way out	égzit; uei aut
sala de café da manhã	breakfast room	brékfast ru:m
sala de jantar	dining room	daininh ru:m
semana adicional	extra week	ékstrâ uik
serviço	service	sârvis
sinal	deposit	dipózit
tapete	carpet	kárpit
tapete de cama	bedside rug	bédsaid râg
telefone	telephone	télifoun
temporada	season	si:zân
terraço	terrace	térâs
teto	ceiling	si:linh
toalha de mesa	tablecloth	teibâlkló*th*
tomada	wall socket	uó:l sókit
torneira	tap	tép
varanda	balcony	bélkâni
ventilação	ventilation	véntileichân
ventilador	fan	fén
vidraça	window-pane	uindou pein
voltagem	voltage	voultidj

Camping, albergue da juventude

Aqui existe *alguma área de camping (algum albergue da juventude)*?
Is there a *camping site (youth hostel)* here?
iz *dh*é:r â kémpinh sait (iu:*th* hóstâl) *h*iâr

Podemos acampar aqui?
Can we camp here?
kén ui kémp *h*iâr

A área é vigiada à noite?
Is the site guarded at night?
iz *dh*â sait gardid ét nait

Camping, albergue da juventude 93

Vocês têm lugar (para mais uma barraca)?
Have you got any room (for another tent)?
hév iu: gót éni ru:m (fór anâdhâr tént)

Quanto custa o pernoite?
How much is it per night?
hau mâtch iz it pâr nait

Qual é a taxa pelo *carro (trailer)*?
How much is it for the *car (caravan)*?
hau mâtch iz it fór dhâ kar (kérâvén)

Ficarei ... dias (semanas).
I'm staying for ... days (weeks).
aim steiinh fór ... deiz (uiks)

Pode-se ... aqui?
Can one ... here?
kén uân ... hiâr

Há algum armazém aqui perto?
Is there a *food shop (general store)* near here?
iz dhé:r â fu:d chóp (djénârâl stór) niâr hiâr

Posso *alugar (trocar)* bujões de gás aqui?
Can I *hire (exchange)* bottled gas here?
kén ai haiâr (ikstcheindj) bótâld gués hiâr

Onde são os banheiros?
Where are the *lavatories (washrooms)*?
ué:r ar dhâ lévâtâriz (uóchru:mz)

Há alguma tomada?
Are there any power points?
ar dhé:r éni pauâr póint

A água é potável?
Is the water drinkable?
iz dhâ uótâr drinkâbâl

Posso alugar ...?
Can I hire ...?
kén ai haiâr ...

Onde se pode ...?
Where can one ...?
ué:r kén uân ...

acampar	to camp	tu kémp
água potável	drinking water	drinkinh uótâr
albergue da juventude	youth hostel	iu:th hóstâl
alugar	to hire	tu haiâr
área de camping	camping site	kémpinh sait
barraca	tent	tént
cama de campanha	camping bed	kémpinh béd

Camping, albergue da juventude

camping	camping	kémpinh
carteira de associado do albergue da juventude	youth-hostel card	iu:*th* hóstâl kard
carteira de sócio	membership card	mémbârchip kard
carteira do camping	camping card	kémpinh kard
comunicado de saída	notice of departure	nóutis óv dipartchâr
cozinhar	to cook	tu ku:k
dormitório	dormitory	dórmitâri
estacionar	to park	tu park
fogão	stove	stouv
grupo de jovens	youth group	iu:*th* gru:p
lavar	to wash	tu uóch
louça	crockery	krókâri
nadar	to bathe	tu beidh
obter	to get	tu guét
passar a ferro	to iron	tu aiârn
playground	playground	pleigraund
preço de locação	hiring *charge (fee)*	hairinh tchardj (fi)
registro	registration	rédjistreichân
reserva antecipada	advance reservation	âdvans rézârveichân
saco de dormir	sleeping bag	slipinh bég
sala de recreação	recreation room	rékrieichân ru:m
taxa (pelo uso de ...)	fee (for the use of ...)	fi (fór *dh*i ius óv ...)
tomar banho	to have a bath	tu hév â ba*th*
trailer	caravan	kérâvén
utensílios de cozinha	cooking utensils	ku:kinh iuténsâlz

COMER E BEBER

Reserva e pedido

Há um restaurante *bom (chinês, de peixes)* aqui?
Is there a *good (Chinese, fish)* restaurant here?
iz dhé:r â gu:d (tchainiz, fich) réstârónt hiâr

Reserve uma mesa para quatro pessoas, para as oito horas da noite, por favor.
Will you reserve a table for four for eight p.m., please?
uil iu: rizârv â teibâl fór fó:r fór eit pi ém, pli:z

Esta mesa (Este lugar) está livre?	**Garçom!**	**Garçonete!**
Is this *table (seat)* free?	Waiter!	Waitress!
iz dhis teibâl (si:t) fri	ueitâr	ueitris

É o senhor (a senhora, a senhorita) que serve aqui?	**Gostaria de alguma coisa para comer.**
Are you serving here?	I would like something to eat.
ar iu: sârvinh hiâr	ai uu:d laik sâmthinh tu i:t

Gostaríamos de alguma coisa para beber.
We would like something to drink.
ui uu:d laik sâmthinh tu drink

Poderia me dar *o cardápio (a carta de vinhos)*, por favor?	**Uma refeição, por favor.**
Could I have the *menu (wine list)*, please?	A set lunch, please.
cu:d ai hév dhâ méniu (uain list), pli:z	â sét lântch, pli:z

O que podemos comer sem ter que esperar?	**Vocês têm ...?**
What can we have without waiting?	Have you ...?
uót kén ui hév uidhaut ueitinh	hév iu: ...

Vocês também servem comida *vegetariana (dietética)*?
Do you serve *vegetarian (dietary)* food as well?
du iu: sârv védjité:riân (daiâtâri) fu:d éz uél

Poderia nos trazer *uma porção (duas porções)* de ..., por favor?
Would you bring us *a portion (two portions)* of ..., please?
uu:d iu: brinh âs â pórchân (tu: pórchânz) óv ..., pli:z

Utensílios de mesa

Uma xícara (Uma jarra, Um copo, Uma garrafa) de ..., por favor.
A *cup (pot, glass, bottle)* of ..., please.
â kâp (pót, glas, bótâl) óv ..., pli:z

Utensílios de mesa

abridor de garrafa	bottle-opener	bótâl oupânâr
açúcar	sugar	chugâr
açucareiro	sugar bowl	chugâr boul
bandeja	tray	trei
bule	pot	pót
– cafeteira	coffee pot	kófi pót
– chaleira	tea pot	ti: pót
cesta de pão	bread basket	bréd baskit
cinzeiro	ashtray	échtrei
colher	spoon	spu:n
– colher de chá	teaspoon	ti:spu:n
copo	glass	glas
– cálice	brandy glass	bréndi glas
– copo de vinho	wine glass	uain glas
faca	knife	naif
galheteiro	cruet (-stand)	kruit (sténd)
garfo	fork	fórk
garrafa	bottle	bótâl
guardanapo	napkin	népkin
jarra	jug; decanter	djâg; dikéntâr
– leiteira	milk jug	milk djâg
molheira	sauce-boat	só:s bout
mostardeira	mustard-pot	mâstârd pót
palito	toothpick	tu:*th*:pik
pimenteira	pepperpot	pépârpót
porta-ovos	egg-cup	ég kâp
prato	plate	pleit
– pratinho de pão	bread plate	bréd pleit
– prato fundo	soup plate	su:p pleit
saca-rolha	corkscrew	kórkskru:
saleiro	salt cellar	sólt sélâr
talher	cutlery	kâtlâri
tigela	bowl	boul
toalha de mesa	tablecloth	teibâlkló*th*
travessa	(serving) dish	(sârvinh) dich
xícara	cup	kâp
– pires	saucer	só:ssâr

Café da manhã

Português	Inglês	Pronúncia
arenque defumado	kipper	kipâr
café	coffee	kófi
– café com creme	coffee with cream	kófi ui*th* kri:m
– café descafeinado	decaffeinated coffee	dikéfineitid kófi
– café preto	black coffee	blék kófi
café da manhã	breakfast	brékfast
cereais	cereal	siriâl
chá	tea	ti:
– chá com limão	tea with lemmon	ti: ui*th* lémân
chocolate em pó	cocoa	koukou
croissant	croissant	kruâssón
geleia	jam	djém
– geleia de laranja	marmalade	marmâleid
hadoque defumado	smoked haddock	smoukt *h*édâk
leite	milk	milk
– leite condensado	condensed milk	kândénst milk
manteiga	butter	bâtâr
mel	honey	*h*âni
mingau de aveia	porridge	póridj
ovo	egg	ég
– cozido	hard-boiled	*h*ard bóild
– ovos com bacon	bacon and eggs	beikân énd égz
– ovos com presunto	ham and eggs	*h*ém énd égz
– ovos escalfados	poached eggs	poutcht égz
– ovos estrelados	fried eggs	fraid égz
– ovos mexidos	scrambled eggs	skrémbâld égz
– quente	soft-boiled	sóft bóild
(uma fatia de) pão	(a slice of) bread	(â slais óv) bréd
– pão branco	white bread	uait bréd
– pão preto	brown bread	braun bréd
pãozinho	roll	roul
rosca	rusk	râsk
salsicha	sausage	só:ssidj
– salsicha e bacon	sausage and bacon	só:ssidj énd beikân
suco de frutas	fruit juice	fru:t djus
suco de tomate	tomato juice	tâmatou djus
torrada	toast	toust

A Grã-Bretanha e os Estados Unidos são conhecidos pela fartura de seu breakfast [brékfast].

Almoço e jantar

Gostaria (Gostaríamos) de ...
I (We) would like ...
ai (uí) uu:d laik ...

Poderia trazer ... para nós?
Could you bring us ...?
ku:d iu: brinh âs ...

Pode me passar ..., por favor?
Would you pass ..., please?
uu:d iu: pas ..., pli:z

Como se chama este prato?
What's this dish called?
uóts *dh*is dich kó:ld

*Mais um pouco?
A little more?
â litâl mór

Sim, por favor.
Yes, please.
iés, pli:z

Aceito, por favor.
Yes, please.
iés, pli:z

Só um pouco.
Just a little.
djâst â litâl

Obrigado, é suficiente.
That's enough, thank you.
*dh*éts inâf, *th*énk iu:

Não, obrigado.
No, thank you.
nou, *th*énk iu:

Estou satisfeito.
I have had enough.
ai hév héd inâf

Nada mais, obrigado.
Nothing more, thank you.
nâ*th*inh mór, *th*énk iu:

*Gostaram?
Did you enjoy it?
did iu: indjói it

Estava excelente!
It was excellent!
it uóz éksâlânt

Acabe de tomar sua bebida!
Finish your glass!
finich ió:r glas

À saúde!
Cheers!
tchirz

Este prato (O vinho) está excelente!
This dish (The wine) is excellent!
*dh*is dich (*dh*â uain) iz éksâlânt

Não *posso (quero)* tomar bebidas alcoólicas.
I'm not allowed alcohol (I don't want anything alcoholic).
aim nót âlaud élkouhól (ai dount uónt éni*th*inh élkouhólik)

Modos de preparo

assado	baked; roasted	b<u>ei</u>kt; r<u>ou</u>stâd
– no espeto	on the spit	ón *dh*â spit
– na grelha	on grill	ón gril
bem-passado	well done	u<u>é</u>l dân
cozido	boiled	b<u>ói</u>ld
cozido no vapor	steamed	sti:md
cru	raw	ró:
duro	hard; tough	*h*ard; tâf
em conserva	pickled	pikâld
estufado	braised; stewed	br<u>ei</u>zd; sti<u>u</u>:d
fresco	fresh	fréch
frio	cold	k<u>ou</u>ld
frito	fried	fr<u>ai</u>d
gorduroso	fatty	féti
grelhado	grilled	grild
guisado	stewed	sti<u>u</u>:d
lardeado	larded	l<u>a</u>rdâd
macio	soft	sóft
magro	lean	li:n
malpassado	rare	ré:r
quente	hot	*h*ót
recheado	stuffed	stâft
recheio	stuffing	stâfinh
refogado	stewed	sti<u>u</u>:d
salgado	salted	s<u>ó</u>ltâd
salmourado	salted	s<u>ó</u>ltâd
seco	dried	dr<u>ai</u>d
suculento	juicy	djussi
temperado	seasoned	s<u>i</u>:zând
tenro	tender	téndâr

Ingredientes

alcaparra	caper	k<u>ei</u>pâr
alecrim	rosemary	r<u>ou</u>zmâri
alho	garlic	g<u>a</u>rlik
aneto	dill	dil
azeite	oil	<u>ói</u>l
azeitona	olive	<u>ó</u>liv

Ingredientes

banha	lard	lard
canela	cinnamon	s<u>i</u>nâmân
catchup	tomato ketchup	tâm<u>a</u>tou k<u>é</u>tchâp
cebola	onion	âniân
cebolinha	chives	tch<u>ai</u>vz
cogumelo	mushroom	mâchru:m
cominho	caraway	k<u>é</u>râuei
cravo	clove	kl<u>ou</u>v
ervas aromáticas	herbs	*h*ârbz
folha de louro	bay leaf	b<u>ei</u> li:f
geleia	jelly	dj<u>é</u>li
gordura	fat	fét
gordura derretida	dripping	dripinh
limão	lemon	l<u>é</u>mân
maionese	mayonnaise	meiân<u>ei</u>z
manteiga	butter	b<u>â</u>târ
margarina	margarine	mardjâr<u>i</u>n
molho	sauce	só:s
– molho branco	cream sauce	kri:m só:s
– molho de baunilha	custard	k<u>â</u>stârd
– molho de carne	gravy	gr<u>ei</u>vi
– molho de tomate	tomato sauce	tâm<u>a</u>tou só:s
– molho tártaro	tartar sauce	t<u>a</u>rtâr só:s
mostarda	mustard	m<u>â</u>stârd
noz-moscada	nutmeg	n<u>â</u>tmég
páprica	paprika	pép<u>ri</u>kâ
passas de Corinto	currants	k<u>â</u>rânts
pepininho em conserva	pickled gherkin	p<u>i</u>kâld g<u>â</u>rkin
pepino	cucumber	ki<u>u</u>kâmbâr
– pepino em conserva	pickled cucumber	p<u>i</u>kâld ki<u>u</u>kâmbâr
pimenta	pepper	pépâr
rábano	horseradish	*h*órs r<u>é</u>dich
sal	salt	sólt
salsa	parsley	p<u>a</u>rsli
tempero	seasoning; spice	s<u>i</u>:zâninh; sp<u>ai</u>s
toicinho	bacon	b<u>ei</u>kân
uva-passa	raisin	r<u>ei</u>zân
vinagre	vinegar	v<u>i</u>nigâr

CARDÁPIO

O cardápio que segue refere-se principalmente à Grã-Bretanha. Grande parte de seus pratos, no entanto, são encontrados também na cozinha norte-americana. Ao final deste capítulo, encontra-se uma lista de alguns pratos típicos dos Estados Unidos.

Antepastos

anchovies	éntchâviz	anchovas
artichokes	ártitchouks	alcachofras
aspic	éspik	galantina
avocado	évâkadou	abacate
boiled ham	bóild hém	presunto cozido
caviar(e)	kéviar	caviar
cold meat (slices of)	kould mi:t (slaissâs óv)	carnes frias (fatias de)
crab	kréb	caranguejo
crayfish	kreifich	lagostim
edible snail	édibâl sneil	escargot
eggs à la Russe	égz a lâ rüs	ovos à russa
fish salad	fich sélâd	prato frio de peixe
gammon	guémân	presunto defumado
grapefruit (juice)	greipfru:t (djus)	(suco de) toranja
ham (slices of)	hém (slaissâs óv)	(fatias de) presunto
hors d'oeuvres	órdâvr	antepastos
lobster	lóbstâr	lagosta
mayonnaise	meiâneiz	maionese
melon	mélân	melão
olives	ólivz	azeitonas
orange juice	órindj djus	suco de laranja
oysters	óistârz	ostras
pâté de foie gras	pétei dâ fua gra	foie gras
pineapple juice	painépâl djus	suco de abacaxi
prawn	pró:n	lagostim
raw ham	ró: hém	presunto cru
(smoked) salmon	(smoukt) sémân	salmão (defumado)
sardines	sardinz	sardinhas
shrimps	chrimps	camarões
smoked eel	smoukt il	enguia defumada
smoked ham	smoukt hém	presunto defumado
tomato juice	tâmatou djus	suco de tomate
vol-au-vent	vólouvón	vol-au-vent

Sopas

asparagus soup	âspérâgâs su:p	**sopa de aspargo**
bean soup	bi:n su:p	**sopa de feijão**
bouillon	bu:ión	**caldo de carne**
broth	bróth	**caldo**
– with an egg	uith én ég	**com ovo**
– with rice	uith rais	**com arroz**
– with vermicelli	uith vârmisséli	**com aletria**
chicken broth	tchikin bróth	**caldo de galinha**
consommé	kónsómei	**consomê**
fish soup	fich su:p	**sopa de peixe**
julienne	djulién	**sopa juliana**
lentil soup	léntil su:p	**sopa de lentilha**
meat broth	mi:t bróth	**caldo de carne**
mock turtle soup	mók târtâl su:p	**sopa verde de cabeça de vitela**
mushroom soup	mâchru:m su:p	**sopa de cogumelo**
onion soup	âniân su:p	**sopa de cebola**
oxtail soup	óksteil su:p	**rabada**
pea soup	pi: su:p	**sopa de ervilha**
potato soup	pâteitou su:p	**sopa de batata**
Scotch broth	skótch bróth	**caldo de legumes e carneiro engrossado com cevada**
soup	su:p	**sopa**
thick soup	thik su:p	**sopa grossa**
tomato soup	tâmatou su:p	**sopa de tomate**
turtle soup	târtâl su:p	**sopa de tartaruga**
vegetable soup	védjitâbâl su:p	**sopa de legumes**

Massas

macaroni	mékârouni	**macarrão**
noodles *(pl)*	nu:dâlz	**talharim**
pasta	péstâ	**massa**
spaghetti	spâguéti	**espaguete**
vermicelli	vârmisséli	**aletria**
Yorkshire pudding	iórkchâr pudinh	**pudim assado em caldo de carne**

Peixes • Frutos do mar

Peixes

carp	karp	**carpa**
cod (fish)	kód (fich)	**bacalhau**
dried cod	dráid kód	**bacalhau seco**
eel	il	**enguia**
fish	fich	**peixe**
flounder	fláundâr	**solha**
freshwater fish	fréchuótâr fich	**peixe de água doce**
haddock	hédâk	**hadoque**
halibut	hélibât	**albacora**
herring	hérinh	**arenque**
lamprey	lémpri	**lampreia**
mackerel	mékârâl	**cavala**
mullet	mâlit	**tainha**
perch	pârtch	**perca**
pike	paik	**lúcio**
plaice	pleis	**solha**
salmon	sémân	**salmão**
saltwater fish	sóltuótâr fich	**peixe de água salgada**
sturgeon	stârdjân	**esturjão**
tench	téntch	**tenca**
trout	traut	**truta**
tunny; tuna	tâni; tiunâ	**atum**
turbot	târbât	**rodovalho**

Frutos do mar

clam	klém	**amêijoa**
crabs	krébz	**caranguejos**
crayfish	kreifich	**lagostim**
crustaceans	krâsteichânz	**crustáceos**
lobster	lóbstâr	**lagosta**
mussels	mâssâlz	**mexilhões**
oysters	óistârz	**ostras**
prawns	pró:nz	**lagostins**
sea-food	si:fu:d	**frutos do mar**
shellfish	chélfich	**molusco**

shellfish	chélfich	**marisco**
shrimps	chrimps	**camarões**
sole	soul	**linguado**
spiny lobster	spaini lóbstâr	**lagosta**
turtle	târtâl	**tartaruga**

Aves

capon	keipân	**capão**
chicken	tchikin	**frango**
chicken breast	tchikin brést	**peito de frango**
duck	dâk	**pato**
fowl	faul	**aves comestíveis**
fried chicken	fraid tchikin	**frango frito**
giblets	djiblits	**miúdos de ave**
goose	gu:s	**ganso**
grouse	graus	**galo silvestre**
guinea-fowl	guini faul	**galinha-d'angola**
partridge	partridj	**perdiz**
pheasant	fézânt	**faisão**
pigeon	pidjin	**pombo**
poultry	poultri	**aves comestíveis**
quail	kueil	**codorna**
roast chicken	roust tchikin	**frango assado**
snipe	snaip	**narceja**
turkey	târki	**peru**

Carnes

beef	bif	**carne de vaca**
beef olives	bif ólivz	**torta de carne com recheio**
boiled	bóild	**cozido**
brains	breinz	**miolos**
braised	breizd	**estufado**
brisket	briskit	**carne de peito**
calf's head	kafs héd	**cabeça de vitela**
chop	tchóp	**costeleta**
collared beef	kólârd bif	**bife enrolado**
cutlet	kâtlit	**costeleta**
fillet	filit	**filé**

Carnes

fricassee	frikâssi	**fricassé**
fried	fraid	**frito**
forcemeat	fórsmi:t	**recheio feito de carne**
game	gueim	**carne de caça**
goulash	guléch	**goulash**
ham	hém	**presunto**
hamburguer	hémbârgâr	**hambúrguer**
hare	hé:r	**lebre**
hash	héch	**picadinho**
joint	djóint	**assado**
kidneys	kidniz	**rins**
knuckle	nâkâl	**mocotó**
lamb	lém	**cordeiro**
leg	lég	**perna**
liver	livâr	**fígado**
loin	lóin	**lombo**
meat	mi:t	**carne**
meat balls	mi:t bó:lz	**almôndegas**
meat dish	mi:t dich	**prato de carnes**
meat pie	mi:t pai	**bolo de carne**
minced meat	minst mi:t	**carne picada**
minced raw beef	minst ró: bif	**bife tártaro**
pie	pai	**torta**
pork	pórk	**carne de porco**
pork sausages	pórk só:ssidjiz	**linguiças de porco**
rabbit	rébit	**coelho**
ragout	régu:	**ragu**
rissole	rissoul	**croquete**
roast	roust	**assado**
roast loin	roust lóin	**lombo assado**
rump steak	râmp steik	**alcatra**
saddle	sédâl	**lombo**
salted	sóltâd	**salmourado**
shepherd's pie	chépârdz pai	**torta de carne picada e purê de batatas**
shoulder	chouldâr	**paleta**
sirloin	sârlóin	**lombo**
smoked	smoukt	**defumado**
stag	stég	**cervo**
steak	steik	**bife**
steamed	sti:md	**cozido no vapor**

stew	stiu	**ensopado**
stewed	stiu:d	**guisado**
sweetbread	sui̱tbréd	**pâncreas de vitela**
tenderloin	téndârlóin	**filé de lombo**
toad-in-the-hole	toud in dhâ houl	**linguiça empanada**
tongue	tân	**língua**
tripe	traip	**tripa**
veal	vi:l	**vitela**
venison	vénizân	**carne de veado**
Wienerschnitzel	vi:nârchnitsl	**bife à milanesa**
wild boar	uaild bó:r	**javali**

Legumes

artichokes	artitchouk	**alcachofras**
asparagus	âspérâgâs	**aspargos**
baked potatoes	beikt pâteitouz	**batatas assadas**
beetroot	bitru:t	**beterraba**
boiled potatoes	bóild pâteitouz	**batatas cozidas**
brussels sprout	brâssâlz spraut	**couve-de-bruxelas**
butter bean	bâtâr bi:n	**feijão-manteiga**
cabbage	kébidj	**repolho**
carrots	kérâts	**cenouras**
cauliflower	có:liflauâr	**couve-flor**
celery	sélâri	**aipo**
chicory	tchikâri	**chicória**
chips *(pl)*	tchips	**batata frita**
cress	krés	**agrião**
cucumber	kiukâmbâr	**pepino**
French bean	fréntch bi:n	**vagem**
French fries	fréntch fraiz	**batata frita**
fried potatoes	fraid pâteitouz	**batatas fritas**
haricot bean	hérikou bi:n	**feijão**
kale	keil	**couve**
lettuce	létis	**alface**
mashed potatoes	mécht pâteitouz	**purê de batatas**
mushrooms	mâch ru:mz	**cogumelos**
peas	pi:z	**ervilhas**
peppers	pépârz	**pimentões**

potatoes baked in their jackets	pât<u>ei</u>touz b<u>ei</u>kt in dhé:r djékits	**batatas assadas com casca**
red cabbage	réd kébidj	**repolho roxo**
runner bean	rânâr bi:n	**vagem**
salad	sélâd	**salada**
sautéed potatoes	s<u>ou</u>teid pât<u>ei</u>touz	**batatas coradas**
savoy	sâv<u>ói</u>	**couve lombarda**
spinach	spinidj	**espinafre**
swede	su<u>i</u>d	**couve-nabo**
sweet corn	su<u>i</u>t kórn	**milho verde**
tomatoes	tâm<u>a</u>touz	**tomates**
vegetable marrow	védjitâbâl mérou	**abóbora-menina**
vegetables	védjitâbâlz	**hortaliças**

Pratos com ovos

bacon and eggs	b<u>ei</u>kân énd égz	**ovos com bacon**
egg dish	ég dich	**prato à base de ovos**
fried eggs	fr<u>ai</u>d égz	**ovos estrelados**
ham and eggs	*h*ém énd égz	**ovos com presunto**
hard-boiled eggs	*h*ard b<u>ói</u>ld égz	**ovos cozidos**
omelette	ómlit	**omelete**
poached eggs	p<u>ou</u>tcht égz	**ovos escalfados**

Queijos

scrambled eggs	skrémbâld égz	**ovos mexidos**
soft-boiled eggs	sóft b<u>ói</u>ld égz	**ovos quentes**
Camembert	kémâmbér	**queijo camembert**
cheddar cheese	tchédâr tchiz	**queijo cheddar**
cheese spread	tchiz spré:d	**queijo fundido**
Cheshire cheese	tchéchâr tchiz	**queijo cheshire**
cottage cheese	kótidj tchiz	**queijo branco fresco**
cream cheese	kri:m tchiz	**queijo cremoso**
Dutch cheese	dâtch tchiz	**queijo-do-reino**
grated cheese	gr<u>ei</u>tid tchiz	**queijo ralado**
gruyère (cheese)	gru<u>ié</u>r (tchiz)	**queijo gruyère**
Parmesan (cheese)	parmizén (tchiz)	**queijo parmesão**
Stilton (cheese)	st<u>i</u>ltân (tchiz)	**queijo stilton**

Sobremesas

fruit salad	fru:t sélâd	**salada de frutas**
ice cream	ais kri:m	**sorvete**
mousse	mu:s	**musse**
pancake	pénkeik	**panqueca**
rice pudding	rais pudinh	**arroz-doce**
sweet	suit	**doce**
stewed fruit	stiu:d fru:t	**compota de frutas**

Pie [pai] *é uma especialidade inglesa e norte-americana. Trata-se de uma torta doce ou salgada, uma espécie de empadão, com recheio à base de frutas cozidas ou de carne, galinha, etc.*

Frutas

almond	amând	**amêndoa**
apple	épâl	**maçã**
apricot	eiprikót	**abricó**
banana	bânénâ	**banana**
bilberry	bilbâri	**arando**
blackberry	blékbâri	**amora preta**
blackcurrant	blék kârânt	**groselha preta**
cherry	tchéri	**cereja**
chestnut	tchésnât	**castanha**
coconut	koukânât	**coco**
cranberry	krénbâri	**arando**
damson	démzân	**ameixa pequena**
date	deit	**tâmara**
fig	fig	**figo**
fruit	fru:t	**fruta**
gooseberry	gu:zbâri	**groselha**
grapefruit	greipfru:t	**toranja**
grape	greip	**uva**
greengage	gringueidj	**ameixa-rainha-cláudia**
hazelnut	heizâlnât	**avelã**
melon	mélân	**melão**
nut	nât	**noz**

orange	órindj	laranja
peach	pi:tch	pêssego
peanut	pi:nât	amendoim
pear	pé:r	pera
pineapple	painépâl	abacaxi
plum	plâm	ameixa
prune	prun	ameixa-preta
quince	kuins	marmelo
raspberry	razbâri	framboesa
redcurrant	rédkârânt	groselha vermelha
rhubarb	rubarb	ruibarbo
strawberry	stró:bâri	morango
tangerine	téndjârin	tangerina
walnut	uólnât	noz

Estados Unidos

Nos Estados Unidos, desenvolveu-se uma cozinha própria. Nas várias regiões, observam-se características dos diferentes países de origem dos imigrantes norte-americanos, com aproveitamento dos elementos locais e uma certa incorporação da cozinha dos nativos indígenas.

Alaska king crab	âléska kinh kráb	santolas cozidas com molho ou maionese
barbecue	barbâkiu	churrasco com molho apimentado
banana walnut bread	bânénâ uólnât bréd	pão cozido com banana amassada e nozes
barbecued rib of dall sheep	barbâkiud rib óv dél chip	costela grelhada de carneiro montês
bay scallops	bei skéloups	vieiras grelhadas
Boston baked beans	bóstân beikd bi:ns	feijão assado com melaço
cheese cake	tchiz keik	torta de queijo
chicken creole	tchikin krioul	galinha refogada com tomate, cebola e pimentão
chicken a la king	tchikin a la kinh	galinha com cogumelos, pimentão, creme de leite e xerez

chicken pót pie	tchikin pót pai	**torta de galinha, batatas, toucinho, cogumelos**
corn chouder	kórn tchaudâr	**sopa de milho e batata**
deviled crab	dévild kréb	**casquinha de siri**
gumbo	gâmbou	**sopa de quiabo, galinha, mariscos e legumes**
Hangtown fry	*h*énhtaun frai	**omelete de ostras**
key lime pie	ki: laim pai	**torta de limas e ovos**
Lady Baltimore cake	leidi béltimâr keik	**bolo branco, coberto de merengue e frutas secas**
Long Island duckling	lón(g) ailând dâklinh	**pato com laranja**
peach cobbler	pi:tch kâblâr	**pêssegos cozidos cobertos com massa de bolo**
pepperpot	pépârpót	**sopa de dobradinha e legumes**
Philadelphia scrapple	filâdélfiâ scrépâl	**fubá com carne de porco frita**
pumpkin pie	pâmpkin pai	**torta de abóbora e especiarias**
reindeer steak	reindir steik	**bife de rena**
salmon salad	sémân sélâd	**salada de salmão grelhado e desfiado**
shrimp à la creole	chrimp a la krioul	**camarão ensopado com tomate, cebola e pimentão**
shrimp jambalaya	chrimp djémbélaia	**cozido de camarão, ostra, galinha e presunto**
snapper soup	snépâr su:p	**sopa de tartaruga**
stuffed peppers	stâft pépârz	**pimentões recheados**
Waldorf salad	ualdórf sélâd	**salada de frutas, alface, nozes e maionese**

CARDÁPIO DE BEBIDAS

Vinho

champanhe	champagne	chémpe̱in
clarete	claret	kle̱rât
sidra	cider	sa̱idâr
vermute	vermouth	vârmâ*th*
vinho	wine	ua̱in
– **vinho cortado**	blended wine	bléndid ua̱in
– **vinho de boa safra**	vintage wine	vi̱ntidj ua̱in
– **vinho leve**	light wine	la̱it ua̱in
– **vinho maturado**	mature wine	mâtiu̱r ua̱in
– **vinho novo**	new wine	niu̱ ua̱in
– **vinho pesado**	heavy wine	*h*évi ua̱in
– **vinho seco**	dry wine	dra̱i ua̱in
– **vinho suave**	sweet wine	sui̱t ua̱in
– **vinho velho**	old wine	o̱uld ua̱in
– **vinho verde**	sour wine	sa̱ur ua̱in
vinho branco	white wine	ua̱it ua̱in
vinho branco do Reno	hock	*h*ók
vinho de Borgonha	Burgundy	bârgâ̱ndi
vinho de mesa	table wine	te̱ibâl ua̱in
vinho de sobremesa	dessert wine	dizâ̱rt ua̱in
vinho do Reno	Renish wine	ré̱nich ua̱in
vinho moscatel	muscatel (wine)	mâskâté̱l (ua̱in)
vinho moselle	Moselle (wine)	mouzé̱l (ua̱in)
vinho quente	mulled wine	mâ̱ld ua̱in
vinho tinto	red wine	réd ua̱in

Cerveja

cerveja	beer	bi̱âr
– **cerveja ale**	ale	e̱il
– **cerveja ale clara**	pale ale	pe̱il e̱il
– **cerveja *escura (clara)***	*dark (light) beer*	dark (la̱it) bi̱âr
– **cerveja porter**	porter	pó̱rtâr
– **cerveja preta forte**	stout	sta̱ut
um copo de cerveja	a glass of beer	â glas óv bi̱âr
cerveja em garrafa	bottled beer	bó̱tâld bi̱âr

cerveja em lata	canned beer	kénd biâr
cerveja lager	lager	lagâr
chope	draught beer	dra:ft biâr

Outras bebidas alcoólicas

aperitivo amargo	bitters	bitârz
bebida alcoólica	alcoholic drink	élkou*h*ólik drink
conhaque	cognac; brandy	kóniék; bréndi
gim	gin	djin
grogue	grog	grôg
licor	liqueur	likiur
– bénédictine	Benedictine	bénidiktân
– conhaque de abricó	apricot brandy	eiprikót bréndi
– conhaque de cereja	cherry brandy	tchéri bréndi
ponche	punch	pântch
rum	rum	râm
sidra	cider	saidâr
uísque	whisky	uiski
vodca	vodka	vódkâ

Bebidas não-alcoólicas

Café, chá, chocolate, leite: ver item "Cafés e Doces"

água	water	uótâr
– água mineral	mineral water	minârâl uótâr
bebida gasosa	pop	póp
– limonada	lemon squash	lémân skuóch
– soda	soda	soudâ
– soda-limonada	fizzy lemonade	fizi lémâneid
– água tônica	tonic	tónik
bebida não-alcoólica	soft drink	sóft drink
laranjada	orangeade	órindjeid
milk-shake	milk-shake	milk cheik
suco	juice	djus
suco de frutas	fruit juice	fru:t djus
– suco de groselha preta	blackcurrant juice	blék kârânt dju:s
– suco de laranja	orange juice	órindj dju:s
– suco de limão	lemon juice	lémân dju:s
– suco de toranja	grapefruit juice	greipfru:t djus

Café e doces

Gostaria de ...
I would like ...
ai uu:d laik ...

um pedaço de bolo	a piece of cake	â pi:s óv keik
uma xícara de café	a cup of coffee	â kâp óv kófi
um sorvete	an ice (cream)	én ais (kri:m)
– *com (sem)* creme	*with (without)* cream	ui*th* (uid*h*aut) kri:m
um copo de suco de laranja	a glass of orange juice	â glas óv órindj djus
açúcar	sugar	chugâr
– açúcar em torrão	lump sugar	lâmp chugâr
biscoito	biscuit	biskit
bolachas	biscuits	biskits
– bolachas de chocolate	chocolate biscuits	tchókâlit biskits
– bolachas sortidas	*assorted (mixed) biscuits*	âssórtid (mikst) biskits
bolinho cozido na chapa de ferro	scone; teacake	skoun; ti:keik
bolo	cake	keik
– bolo branco	angel cake	eindjel keik
– bolo de cereja	cherry cake	tchéri keik
– bolo decorado	gateau; pastry; fancy cake	guétou; peistri; fénsi keik
– bolo de chocolate	chocolate cake	tchókâlit keik
– bolo inglês	*sultana (fruit) cake*	sâltanâ (fru:t) keik
– bolo-mármore	marble cake	marbâl keik
– pão de gengibre	gingerbread	djindjârbréd
– pastel doce de maçã	apple turnover	épâl târnouvâr
– rocambole	roll	roul
– torta de ameixa	plum flan	plâm flén
– torta de frutas	fruit flan	fru:t flén
– torta de maçã	apple tart	épâl tart
bombons	chocolates	tchókâlits
café	coffee	kófi
café *(bar)*	café	kéfei
café gelado	iced coffee	aist kófi

Café e doces

chá	tea	ti:
chocolate	chocolate	tchókâlit
chocolate gelado	iced chocolate	aist tchókâlit
confeitaria	confectionery	kânfékchânâri
creme	cream	kri:m
creme batido	whipped cream	uipt kri:m
doces	sweets	suits
leite	milk	milk
– frio / quente	cold / hot	kould / hót
– leite condensado	condensed milk	kândénsâd milk
– leite evaporado	evaporated milk	ivépâreitâd milk
leite com chocolate	cocoa	koukou
leiteria	milk bar	milk bar
maçapão	macaroon	mékâru:n
pãozinho doce	bun	bân
pastelaria (*massas*)	pastries	peistriz
rosca frita (com creme)	(cream) doughnut	(kri:m)dounât
sorvete	ice (cream)	ais (kri:m)
– sorvete com frutas em calda	parfait	parfei
– sorvete de baunilha	vanilla ice	vânilâ ais
– sorvete de chocolate	chocolate ice	tchókâlit ais
– sorvete de limão	lemon ice	lémân ais
– sorvete de morango	strawberry ice	stró:bâri ais
– sorvete misto	mixed ice	mikst ais
sorveteria	ice cream *bar (parlour)*	ais kri:m bar (parlâr)
sundae	sundae	sândei
– banana split	banana split	bânénâ split
– pêssego melba	peach melba	pi:tch mélbâ
suspiro	meringue	mârénh
wafer	wafer	ueifâr

Os scones [skounz] *são uma especialidade inglesa. São bolinhos chatos, de farinha de aveia ou de trigo, geralmente de forma triangular, cozidos em chapa de ferro. Comem-se com manteiga ou, também, com geleia ou creme de leite batido. Também são muito apreciados os pastéis de massa-podre ou massa folhada, recheados com maçãs, geleia, salsichas ou presunto.*

Reclamações, a conta

Está faltando *uma porção (uma faca, um garfo, um copo)*.
We need another *portion (knife, fork, glass)*.
ui nid an*â*d*h*âr p*ó*rchân (n*ai*f, f*ó*rk, glas)

Não era isso que eu queria. This isn't what I wanted. *dh*is izânt u*ó*t *ai* u*ó*ntid	**Pedi ...** I asked for ... *ai* askd fór ...
Isto não está fresco. This isn't fresh. *dh*is izânt fréch	**Isto está ...** This is ... *dh*is is ...

azedo demais	too sour	tu: sau*â*r
duro demais	too *hard (tough)*	tu: *h*ard (tâf)
frio demais	too cold	tu: k*ou*ld
gorduroso demais.......	too fatty	tu: féti
picante demais............	too *higly seasoned* *(hot)*	tu: *h*aili si:zând (*h*ót)
quente demais.............	too hot	tu: *h*ót
salgado demais	*too salty* *(oversalted)*	tu: s*ó*lti (ouvâr s*ó*ltâd)

A conta, por favor! The bill, please! *dh*â bil, pli:z	**Tudo junto, por favor.** All together, please. ó:l tâgu*é*d*h*âr, pli:z
Contas separadas, por favor. Separate bills, please. s*é*pârât bilz, pli:z	**Parece que isto não está certo.** This doesn't seem to be right. *dh*is d*â*zânt sim tu bi r*ai*t
Não comemos isto. We didn't have it. ui didânt *h*év it	**Muito obrigado!** Thank you very much! *th*énk iu: véri mâtch
Isto é para você. That's for you. *dh*éts fór iu:	

NA CIDADE

Na rua

Onde é ...?
Where is ...?
ué:r iz ...

o aeroporto	the airport	*dh*i é:rpórt
a agência de correio	post office	poust ófis
o banco	the bank	*dh*â bénk
a câmara municipal	the town hall; guildhall	*dh*â taun hó:l; guild*h*ó:l
a estação	the station	*dh*â steichân
o hotel ...	the ... Hotel	*dh*â ... houtél
a igreja católica	the Catholic Church	*dh*â ké*th*âlik tchârtch
a igreja St. Paul	St. Paul's church	seint pó:lz tchârtch
o museu	the museum	*dh*â miuzjâm
o ponto de ônibus	the bus stop	*dh*â bâs stóp
o ponto de táxi	the taxi rank	*dh*â téksi rénk
o porto	the harbour	*dh*â *h*arbâr
o posto policial	the police station	*dh*â pâlis steichân
a praça ...	... Square	... skué:r
a rua ...	... Road; ... Street	... roud; ... strit

É longe?
Is it far?
iz it far

Qual é a distância até *o (a)* ...?
How far is it to the ...?
*h*au far iz it tu *dh*â ...

Quantos minutos a pé?
How many minutes on foot?
*h*au méni minits ón fu:t

É bem (Não é) longe.
A good distance (Not far).
â gu:d distâns (nót far)

Em que direção fica ...?
What direction is ... in?
uót dirékchân iz ... in

Em que rua fica ...?
What road is ... in?
uót roud iz ... in

Lá.	**Em frente.**	**À direita.**	**À esquerda.**
There.	Straight on.	To the right.	To the left.
*dh*é:r	streit ón	tu *dh*â rait	tu *dh*â léft

Ônibus, táxi

Posso ir de ônibus?
Can I go by bus?
kén ai gou bai bâs

Que ônibus vai para (o (a)) ...?
Wich bus goes to (the) ...?
uitch bâs gouz tu (dhâ) ...

Quantos pontos são?
How many stops is it?
hau méni stóps iz it

Tenho que trocar de ônibus?
Do I have to change?
du ai hév tu tcheindj

Onde tenho que *descer (trocar de ônibus)*?
Where do I have to *get off (change)*?
ué:r du ai hév tu guét óf (tcheindj)

Poderia me avisar quando chegarmos lá, por favor?
Could you tell me when we get there, please?
ku:d iu: tél mi uén ui guét dhé:r, pli:z

Um bilhete de *ida (conexão)* para ...
A *single (transfer)* to ...
â singâl (trénsfâr) tu ...

Onde posso tomar um táxi?
Where can I get a taxi?
ué:r kén ai guét â téksi

Por favor, leve-me *ao (à)* ...
Take me to ..., please.
teik mi tu ..., pli:z

Para a estação, por favor!
To the station, please!
tu dhâ steichân, pli:z

Quanto custa para ir até (o, a) ...?
How much is the fare to (the) ...?
hau mâtch iz dhâ fé:r tu (dhâ) ...

Poderia nos mostrar algumas atrações turísticas?
Could you show us some of the sights?
ku:d iu: chou âs sâm óv dhâ saits

Poderia *esperar (parar)* aqui um minuto, por favor?
Would you *wait (stop)* here for a minute, please?
uu:d iu: ueit (stóp) hiâr fór â minit, pli:z

Excursões e visitas

Dois bilhetes para ..., para amanhã, por favor.
Two tickets to ... for tomorrow, please.
tu: tikits tu ... fór tâmórou, pli:z

O almoço está incluído no preço?
Is lunch included in the price?
iz lântch inkludid in dhâ prais

Quando (Onde) nos encontramos?
When (Where) do we meet?
uén (ué:r) du ui mit

Nós nos encontraremos ...
We're meeting ...
ui:r mitinh ...

Quando partiremos?
When do we start?
uén du ui start

Também visitaremos ...?
Are we going to visit ... too?
ar ui gouinh tu vizit ... tu:

Teremos algum tempo livre?
Have we got some free time?
hév ui gót sâm fri taim

Quanto?
How much?
hau mâtch

Poderemos fazer algumas compras?
Can we do some shopping?
kén ui du sâm chópinh

Quando voltaremos?
When do we come back?
uén du ui kâm bék

Quanto tempo ficaremos em ...?
How long do we stay in ...?
hau lón(g) du ui stei in ...

Também iremos a ...?
Do we go to ... too?
du ui gou tu ... tu:

O que vale a pena ver em ...?
What is there worth seeing in ...?
uót iz dhé:r uârth siinh in ...

Quando *abre (fecha)* o (a) ...?
When does ... *open (close)*?
uén dâz ... oupân (klouz)

Quanto custa a *entrada (visita guiada)*?
How much is the entrance fee? (What does the conducted tour cost?)
hau mâtch iz dhi éntrâns fi (uót dâz dhâ kândâktid tu:r kóst)

Há algum guia que fale português?
Is there a Portuguese-speaking guide?
iz dhé:r â pórtiuguiz spi:kinh gaid

Gostaria de ver ...
I'd like to see ...
aid laik tu si ...

Pode-se visitar ... hoje?
Can one visit ... today?
kén uân vizit ... tâdei

o castelo	the castle	dhâ kassâl
a exposição	the exhibition	dhi égzibichân
a galeria	the gallery	dhâ guélâri
a igreja	the church	dhâ tchârtch
o palácio	the palace	dhâ pélis
o zoológico	the zoo	dhâ zu:

Quando começa a visita?
When does the tour begin?
uén dâz dhâ tu:r biguin

É permitido tirar fotografia?
Is one allowed to take photographs?
iz uân âlaud tu teik foutâgrafs

Que *edifício (monumento)* é este?
What *building (monument)* is that?
uót bildinh (móniumént) iz dhét

Quem é o *pintor (escultor)*?
Who's the *painter (sculptor)*?
huz dhâ peintâr (skâlptâr)

De que *período (século)* data *este (esta)* ...?
What *period (century)* does this ... date from?
uót piriâd (séntchâri) dâz dhis ... deit fróm

Quando foi construído ...?
When was ... built?
uén uóz ... bilt

Quem construiu ...?
Who built ...?
hu bilt ...

Onde é ...?
Where is ...?
ué:r iz ...

Aquilo é ...?
Is that ...?
iz dhét ...

* ... *viveu (nasceu, morreu)* aqui.
... *lived (was born, died)* here.
... livd (uóz bórn, daid) hiâr

Na cidade · Vocabulário

achados e perdidos	lost-property office	lóst própârti ófis
aeroporto	airport	é:rpórt
agência de correio	post office	poust ófis
agência de viagens	travel agency	trévâl eidjânsi
aldeia	village	vilidj
área protegida	protected area	prâtéktid é:riâ
arranha-céu	tower-block; high-rise	tauâr blók; hai raiz
arredores	surroundings; environs	sâraundinhz; invairânz
avenida	avenue	éviniu
bairro	district; part of the town	distrikt; part óv dhâ taun
banheiro público	public convenience	pâblik kónviniâns
beco	lane; alley	lein; éli
– rua sem saída	cul-de-sac	kâl dâ sék
biblioteca	library	laibrâri
calçada	pavement	peivmént
câmara municipal	town hall; guildhall	taun hó:l; guildhó:l
caminho	path	pa*th*
capital	capital	képitâl
casa	house	haus
casa de fazenda	farmhouse	farm*h*aus
cascata	waterfall	uótârfó:l
castelo	castle	kassâl
caverna	cave	keiv
cemitério	cemetery; churchyard	sémâtri; tch*â*rtchiard
central elétrica	power station	pauâr steichân
centro da cidade	*city (town)* centre	siti (taun) séntâr
centro metropolitano	city centre	siti séntâr
centro velho	old town	ould taun
cidade	town; city	taun; siti
circuito turístico	sightseeing; tour	saitsiinh; tu:r
colina	hill	*h*il
consulado	consulate	kónsiulât
corpo de bombeiros	fire brigade	faiâr brigueid
edifício	building	bildinh
embaixada	embassy	émbâssi

Na cidade · Vocabulário

escavações	excavations	ékskâv<u>e</u>ichânz
escola	school	sku:l
esquina	corner	k<u>ó</u>rnâr
estação	station	st<u>e</u>ichân
estádio	stadium	st<u>e</u>idiâm
estrada principal	main road	m<u>e</u>in r<u>o</u>ud
estrada secundária	side road	s<u>a</u>id r<u>o</u>ud
excursão	excursion	iksk<u>â</u>rchân
exposição	exhibition	égzib<u>i</u>chân
fábrica	factory	f<u>é</u>ktâri
faixa de pedestres	*zebra (pedestrian) crossing*	z<u>i</u>brâ (pid<u>é</u>striân) kr<u>ó</u>ssinh
fonte	fountain	f<u>au</u>ntin
fosso	ditch; moat	ditch; m<u>ou</u>t
galeria	gallery	gu<u>é</u>lâri
guia	guide	g<u>ai</u>d
hospital	hospital	*h*<u>ó</u>spitâl
igreja	church	tch<u>â</u>rtch
jardim	garden	g<u>a</u>rdân
jardim botânico	botanical gardens	bât<u>é</u>nikâl g<u>a</u>rdânz
loja	shop	chóp
mercado	market	m<u>a</u>rkit
mercado coberto	covered market	k<u>â</u>vârd m<u>a</u>rkit
metrô	subway; underground; tube	s<u>â</u>buei; <u>â</u>ndârgraund; ti<u>u</u>b
ministério	ministry	m<u>i</u>nistri
montanha	mountain	m<u>au</u>ntân
monumento	monument; memorial	m<u>ó</u>niumént; mim<u>ó</u>riâl
muro	wall	u<u>ó</u>:l
museu	museum	miuz<u>i</u>âm
número da casa	house number	*h*<u>au</u>s n<u>â</u>mbâr
observatório	observatory	âbz<u>â</u>rvâtâri
ônibus	bus	bâs
ópera	opera house	<u>ó</u>pârâ *h*<u>au</u>s
palácio	palace	p<u>é</u>lis
parada	stop	st<u>ó</u>p
parque	park	p<u>a</u>rk
parque nacional	national park	n<u>é</u>chânâl p<u>a</u>rk
passagem	passageway	p<u>é</u>ssidjuei
passeio de barco	boat trip	b<u>ou</u>t trip

Na cidade · Vocabulário

pavilhão	pavilion	pâv<u>i</u>liân
pedestre	pedestrian	pid<u>é</u>striân
placa de trânsito	road sign	r<u>ou</u>d s<u>ai</u>n
polícia	police	pâl<u>i</u>s
policial	policeman	pâl<u>i</u>smén
ponte	bridge	bridj
ponto de táxi	taxi rank	t<u>é</u>ksi rénk
portal	gateway	gu<u>ei</u>tuei
porto	harbour	h<u>â</u>rbâr
posto policial	police station	pâl<u>i</u>s st<u>ei</u>chân
praça	square	sku<u>é</u>:r
pronto-socorro	first-aid post; casualty department	fârst <u>ei</u>d p<u>ou</u>st; k<u>é</u>jiuâlti dip<u>a</u>rtmânt
quartel	barracks	b<u>é</u>râks
região	district; region; area	d<u>i</u>strikt; r<u>i</u>djân; <u>é</u>:riâ
repartição pública	government office	gâv<u>â</u>rnmént <u>ó</u>fis
rio	river	r<u>i</u>vâr
rua	road; street	r<u>ou</u>d; strit
ruína	ruin	r<u>ui</u>n
semáforo	traffic lights *(pl)*	tr<u>é</u>fik l<u>ai</u>ts
shopping center	shopping centre	ch<u>ó</u>pinh s<u>é</u>ntâr
sinagoga	synagogue	s<u>i</u>nâg<u>ó</u>g
subúrbio	suburb	s<u>â</u>bârb
táxi	taxi	t<u>é</u>ksi
teatro	theatre	*th*i<u>â</u>târ
templo	temple	t<u>é</u>mpâl
terminal	terminus; terminal	t<u>â</u>rminâs; t<u>â</u>rminâl
torre	tower	t<u>au</u>âr
tráfego	traffic	tr<u>é</u>fik
trem expresso suburbano	suburban express train	sâb<u>â</u>rbân iksprés tr<u>ei</u>n
tribunal de justiça	law court	ló: kó:rt
trilha para pedestres	footpath	f<u>u</u>:tpa*th*
túmulo	grave; tomb	gr<u>ei</u>v; tum
universidade	university	iuniv<u>â</u>rsiti
vale	valley	v<u>é</u>li
zona rural	countryside	k<u>â</u>ntriss<u>ai</u>d
zoológico	zoo	zu:

Igrejas, ofícios

Onde é a igreja católica?
Where is the Catholic church?
ué:r iz dhâ kéthâlik tchârtch

Onde é a Igreja de St. Mary?
Where is St. Mary's church?
ué:r iz seint mériz tchârtch

A que horas é *o serviço (a missa)*?
What time is the *service (Mass)*?
uót taim iz dhâ sârvis (més)

Há algum *casamento (batizado)* hoje?
Is there a *wedding (christening)* today?
iz dhé:r â uédinh (krissâninh) tâdei

Quem está fazendo o sermão?
Who's preaching?
huz pri:tchinh

Há concertos na igreja?
Do they hold concerts in the church?
du dhei hould kónsârts in dhâ tchârtch

Esteve na igreja hoje?
Have you been to church today?
hév iu: bin tu tchãrtch tâdei

Poderia chamar um *clérigo (padre)*, por favor?
Would you fetch a *clergyman (priest)*, please?
uu:d iu: fétch â klârdjimén (pri:st), pli:z

Sou ...	I'm a ...	aim â ...
budista	Buddhist	budist
católico romano	(Roman) Catholic	(roumân) kéthâlik
cristão	Christian	kristchân
judeu	Jew	dju
maometano	Mohammedan	mouhémidân
metodista	Methodist	méthâdist
muçulmano	Moslem	mózlâm
protestante	Protestant	prótistânt

Igrejas, ofícios · Vocabulário

Não pertenço a nenhuma seita religiosa.
I don't belong to any religious body.
ai dount bilón(g) tu éni rilidjâs bódi

abadia	abbey	ébi
afresco	fresco	fréskou
altar	altar	óltâr
arco	arch	artch
barroco	Baroque	bérók
batizado	christening; baptism	krissâninh; béptizâm
capela	chapel	tchépâl
castiçal	candlestick	kéndâlstik
catedral	cathedral	kâthidrâl
católico (romano)	(Roman) Catholic	(roumân) kéthâlik
cemitério	cemetery; churchyard	sémâtri; tchârtchiard
claustro	cloister	klóistâr
clérigo	clergyman	klârdjimén
coluna	pillar	pilâr
comunhão (sagrada)	(Holy) Communion	(hóli) komiuniân
concerto na igreja	church concert	tchârtch kónsârt
confessar	to confess	tu kânfés
confissão	confession	kânféchân
convento	convent	kónvânt
coro	choir	kuair
cripta	crypt	kript
cristão	Christian	kristchân
cristianismo	Christianity	kristiéniti
Cristo	Christ	kraist
crucifixo	crucifix	krussifiks
cruz	cross	krós
cúpula	dome; cupola	doum; kiupâlâ
Deus	God	gód
estátua	statue	stétiu:
evangelho	Gospel	góspâl
gótico	Gothic	góthik
igreja	church	tchârtch

Igrejas, ofícios • Vocabulário

ir à confissão	to go to confession	tu gou tu kânféchân
mesquita	mosque	mósk
ministro	minister	mínistâr
missa	Mass	més
missa solene	High Mass	hai més
mosaico	mosaic	mouzeik
mosteiro	monastery	mónâstri
nave	nave	neiv
órgão	organ	órgân
padre	priest	pri:st
pároco	rector; vicar	réktâr; vikâr
pastor	pastor	pastâr
pia batismal	font	fónt
pilar	pillar	pilâr
portal	portal; gateway	pórtâl; gueituei
pórtico	vestibule	véstibiul
preces	prayers	pré:rz
procissão	procession	prâsséchân
profissão de fé	creed	krid
protestante	Protestant	prótistânt
púlpito	pulpit	pulpit
religião	religion	rilidjân
religioso	religious	rilidjâs
românico	Romanesque	roumânésk
rosário	rosary	rouzâri
sacristão	verger; sacristan	vârdjâr; sékristân
sacristia	vestry; sacristy	véstri; sékristi
sarcófago	sarcophagus	sarkófâgâs
seita	denomination; Church	dinómineichân; tchârtch
sermão	sermon	sârmân
serviço religioso	service	sârvis
sinagoga	synagogue	sinâgóg
sino	bell	bél
torre	tower	tauâr
túmulo	grave; tomb	greiv; tum

COMPRAS

Generalidades

Onde posso *comprar (obter)* ...?
Where can I *buy (get)* ...?
ué:r kén ai bai (guét) ...

Aqui há alguma loja de *artigos de couro (porcelana)*?
Is there a *leather (china)* shop here?
iz dhé:r â lédhâr (tchainâ) chóp hiâr

Vocês têm ...?	**Gostaria (Gostaríamos) de ...**
Have you got ...?	I (We) would like ...
hév iu: gót ...	ai (ui) uu:d laik ...
Por favor, poderia me mostrar ...?	**Preciso de ...**
Would you show me ..., please?	I need ...
uu:d iu: chou mi ..., pli:z	ai nid ...

Poderia me dar ..., por favor?
Would you give me ..., please?
uu:d iu: guiv mi ..., pli:z

alguns	a few	â fiu
uma caixa	a box	â bóks
cem gramas	a quarter *(cerca de 113,37 g)*	â kuórtâr
uma garrafa	a bottle	â bótâl
uma lata	a tin	â tin
um litro	a litre	â litâr
uma libra (1/2 quilo)	a pound *(cerca de 0,454 kg)*	â paund
um metro	a metre	â mitâr
um pacote	a packet	â pékit
um par	a pair	â pé:r
um pedaço	a piece	â pi:s
um quilo	a kilo	â kilou
um rolo	a roll	â roul
um saco	a bag	â bég
um tubo	a tube	â tiub
um vidro	a glass	â glas

É suficiente.	**Um pouco mais.**	**Mais ainda.**
That's enough.	A little more.	More still.
dhéts inâf	â litâl mór	mór stil

Generalidades

Daria para encomendar?
Can you order it?
kén iu: órdâr it

Quando irão receber?
When will you get it?
uén uil iu: guét it

Posso trocar?
Can I change it?
kén ai tcheindj it

Não gosto *do feitio (da cor)*.
I don't like the *shape (colour)*.
ai dount laik dhâ cheip (kâlâr)

É ... demais.
That's too ...
dhéts tu: ...

apertado	narrow	nérou
caro	expensive	ikspénsiv
claro	light; pale	lait; peil
escuro	dark	dark
grande	big	big
largo	wide	uaid
pequeno	small	smó:l

Tem alguma coisa *melhor (mais barata)*?
Have you got anything *better (cheaper)*?
hév iu: gót énithinh bétâr (tchi:pâr)

Gosto disto.
I like that.
ai laik dhét

Vou ficar com *ele (ela)*.
I'll take it.
ail teik it

Quanto custa isso?
How much is this?
rau mâtch iz dhis

Obrigado, é só isso!
That's all, thank you.
dhéts ó:l, thénk iu:

Poderia mandar-me as coisas para o hotel ...?
Could you send the things to the ... hotel for me?
ku:d iu: sénd dhâ thinhz tu dhâ ... houtél fór mi

Vocês aceitam cheques de viagem?
Do you take traveller's cheques?
du iu: teik trévâlârz tchéks

Lojas

açougue	butcher	bútchâr
agência de viagens	travel agency	trévâl eidjânsi
alfaiataria	tailor shop	teilâr chóp
antiquário	antique dealer	éntik di:lâr
armarinho	haberdashery	hébârdéchâri
armazém	store	stór
– vitrine	shop window	chóp uindou
armeiro	gunsmith	gânsmi*th*
banca de jornal	newsagent	niuzeidjânt
barbeiro	barber	barbâr
butique	boutique	butik
chapeleiro	hatter	hétâr
chapeleiro *(de chapéus de senhoras)*	milliner	milinâr
comerciante de vinhos	wine merchant	uain mârtchânt
confeitaria	sweet shop	suit chóp
confeiteiro	confectioner; pastry-cook	kânfékchânâr; peistri ku:k
costureira	dressmaker	drésmeikâr
farmácia	chemist	kémist
floricultura	flower shop	flauâr chóp
fotógrafo	photographer	fâtógrâfâr
imobiliária	estate agency	isteit eidjânsi
instituto de beleza	cosmetic *salon (shop)*	kózmétik sélór (chóp)
joalheria	jewellery shop	dju:âlri chóp
laticínio	dairy	dé:ri
lavanderia	cleaner; laundry	kli:nâr; ló:ndri
– lavagem a seco	dry cleaning	drai kli:ninh
livraria	bookshop	bu:kchóp
loja	shop	chóp
loja de artigos de couro	leather shop	lé*dh*âr chóp
loja de artigos esportivos	sports shop	spórts chóp
loja de artigos fotográficos	photo shop	foutou chóp
loja de artigos musicais	music shop	miuzik chóp

Lojas 129

loja de bebidas alcoólicas	off-licence	óf laissâns
loja de brinquedos	toy shop	tói chóp
loja de departamento	department store	dipartmânt stór
loja de discos	record shop	rékórd chóp
loja de eletrodomésticos	electrical-equipment shop	iléktrikâl ikuipmânt chóp
loja de ferragens	ironmonger	aiârnmângâr
loja de lâmpadas	lamp shop	lémp chóp
loja de lembranças	souvenir shop	su:vânir chóp
loja de lingerie	lingerie shop	lónjâri chóp
loja de móveis	furniture shop	fârnitchâr chóp
loja de porcelanas	china shop	tchainâ chóp
loja de roupas masculinas	outfitter	autfitâr
loja de tecidos	draper	dreipâr
marchand de arte	art dealer	art di:lâr
mercearia	grocer; food shop	groussâr; fu:d chóp
oculista	optician	óptichân
padaria	baker	beikâr
papelaria	stationer	steichânâr
peixaria	fishmonger	fichmângâr
peleteria	furrier	fâriâr
perfumaria	perfumery	pârfiumâri
quitanda de frutas	fruiterer	fru:târâr
quitanda de legumes	greengrocer	gringroussâr
relojoeiro	watchmaker	uótchmeikâr
salão de cabeleireiro	hairdresser	hé:rdréssâr
sapataria	shoe shop	chu: chóp
sapateiro	shoemaker	chu: meikâr
sebo	second-hand bookshop	sékând hénd bu:kchóp
self-service	self-service	sélf sârvis
supermercado	supermarket	siupârmarkit
tabacaria	tobacconist's	tâbékânists
tinturaria	dyer	daiâr
verdureiro	greengrocer	gringroussâr

Flores

buquê	bunch; bouquet	bântch; buk<u>ei</u>
cravo	carnation	karn<u>ei</u>chân
crisântemo	chrysanthemum	kriss<u>én</u>*th*âmâm
flores	flowers	fl<u>au</u>ârz
gladíolo	gladiolus	glédi<u>ou</u>lâs
lilás	lilac	l<u>ai</u>lâk
rosa	rose	r<u>ou</u>z
tulipa	tulip	ti<u>u</u>lip
vaso	pot	pót
violeta	violet	v<u>ai</u>âlit

Livros

biografia	biography	bai<u>ó</u>grâfi
brochura	paperback	p<u>ei</u>pârbék
catálogo	catalogue	k<u>é</u>tâlóg
dicionário	dictionary	d<u>i</u>kchânâri
disco	(gramophone) record	(grémâfoun) rékórd
folheto	brochure	br<u>ou</u>châr
guia de conversação	phrase book	fr<u>ei</u>z bu:k
guia turístico	guidebook	g<u>ai</u>dbu:k
leitura de viagem	journey reading	dj<u>â</u>rni r<u>i</u>:dinh
livro	book	bu:k
livro de contos de fadas	book of fairy tales	bu:k óv f<u>é</u>:ri t<u>ei</u>lz
livro de poesia	book of *poems* (*poetry, verse*)	bu:k óv p<u>ou</u>imz (p<u>ou</u>itri, vârs)
livro infantil	children's book	tch<u>i</u>ldrânz bu:k
manual	textbook	t<u>é</u>kstbu:k
mapa	map	mép
mapa rodoviário	road map	r<u>ou</u>d mép
planta da cidade	town plan; map of the *city (town)*	t<u>au</u>n plén; mép óv *dh*â s<u>i</u>ti (t<u>au</u>n)
romance	novel	n<u>ó</u>vâl
romance policial	detective story; thriller	dit<u>é</u>ktiv st<u>ó</u>ri; *th*r<u>i</u>lâr
tradução	translation	trénsl<u>ei</u>chân
volume	volume	v<u>ó</u>lium

Artigos de fotografia

Poderia revelar este filme para mim, por favor?
Could you develop this film for me, please?
ku:d iu: divélâp *dh*is film fór mi, pli:z

Uma *cópia (ampliação)* de cada negativo, por favor.
A print (An enlargement) of every negative, please.
â print (én inl<u>a</u>rdjmânt) óv évri négâtiv, pli:z

– três por quatro polegadas.
– three by four inches.
– *th*ri b<u>a</u>i fó:r <u>i</u>ntchiz

1 inch *(polegada)* = 2,52 cm

– três e meia por três e meia polegadas.
– three and a half by three and a half inches.
– *th*ri énd â *h*af b<u>a</u>i *th*ri énd â *h*af <u>i</u>ntchiz

– três e meia por cinco polegadas.
– three and a half by five inches.
– *th*ri énd â *h*af b<u>a</u>i f<u>ai</u>v <u>i</u>ntchiz

Poderia retocar isto um pouco?
Could you touch that up a little?
ku:d iu: tâtch *dh*ét âp â lit̂âl

Gostaria de ...
I'd like ...
<u>ai</u>d l<u>ai</u>k ...

– um rolo de filme.
– a cartridge.
– â k<u>a</u>rtridj

– um filme Super-8 colorido.
– a super eight colour film.
– â si<u>u</u>pâr <u>ei</u>t k<u>â</u>lâr film

– um filme colorido de 16 milímetros.
– a sixteen millimetre colour film.
– â sikst<u>i</u>n m<u>i</u>limitâr k<u>â</u>lâr film

– um filme preto-e-branco.
– a black-and-white film.
– â blék énd u<u>a</u>it film

– um filme de trinta e cinco milímetros.
– a thirty five millimetre film.
– â *th*<u>â</u>rti f<u>ai</u>v m<u>i</u>limitâr film

– um filme colorido para diapositivo.
– a colour-slide film.
– â k<u>â</u>lâr sl<u>ai</u>d film

– um filme de *trinta e seis (vinte)* poses.
– a *thirty six (twenty)* exposure film.
– â *th*<u>â</u>rti siks (tu<u>é</u>nti) ikspou̯jâr film

Artigos de fotografia

Poderia colocar o filme para mim, por favor?
Would you put the film in for me, please?
u̱u:d i̱u: put *dh*â film in fór mi, pli:z

ampliação	enlargement	inla̱rdjmânt
cópia	print	print
– cópia colorida	colour print	kâ̱lâr print
diafragma	diaphragm; stop	da̱iâfrém; stóp
diapositivo	slide	sla̱id
disparador	shutter release	châtâr ri̱li:s
– disparador automático	automatic shutter-release	ó:tâmétik châtâr ri̱li:s
expor	to expose	tu ékspo̱uz
filmadora	cine camera	si̱ni kémârâ
filmar	to film	tu film
filme	film	film
filme colorido	colour film	kâ̱lâr film
filme colorido para luz natural	daylight colour film	de̱ilait kâ̱lâr film
filme em rolo	roll film	ro̱ul film
filme negativo colorido	colour negative film	kâ̱lâr négâtiv film
filme preto-e-branco	black-and-white film	blék énd ua̱it film
filme reversível	reversal film	rivâ̱rsâl film
filtro amarelo	yellow filter	ié̱lou fi̱ltâr
flash	flashbulb; flashcube	fle̱chbâlb; fle̱chkiub
fotografar	to photograph	tu fo̱utâgraf
fotografia	picture; photo; snap	pi̱ktchâr; fo̱utou; snép
fotômetro	exposure meter	ékspo̱ujâr mi̱târ
lente	lens	lénz
moldura de diapositivo	slide frame	sla̱id fre̱im
negativo	negative	négâtiv
obturador	shutter	châtâr
papel	paper	pe̱ipâr
– brilhante	glossy	gló̱ssi
– fosco	matt	mét
revelação	development	divé̱lâpmânt
revelar	to develop	tu divé̱lâp
tripé	tripod	tra̱ipód
visor	viewfinder	vi̱ufaindâr

Joias

abotoaduras	cufflinks	kâflinks
adereço	jewellery	dju:âlri
aliança	wedding ring	uédinh rinh
âmbar	amber	émbâr
anel	ring	rinh
bijuteria	costume jewellery	kóstium dju:âlri
brinco	earring	iârinh
brinco de pressão	ear clip	iâr klip
broche	brooch	broutch
colar	necklace	néklis
diamante	diamond	daiâmând
dourado	gold-plated; gilded	gould pleitid; guildid
ouro	gold	gould
pérola	pearl	pârl
pingente	pendant	péndânt
prata	silver	silvâr
prateado	silver-plated	silvâr pleitid
pulseira	bracelet	breisslit

Roupas

Posso experimentar?
Can I try on?
kén ai trai ón

Meu tamanho é ...
I take a ...
ai teik â ...

É ... demais.
That's too ...
dhéts tu: ...

apertado	tight	tait
comprido	long	lón(g)
curto	short	chórt
largo	wide	uaid

Pode ser ajustado?
Can it be altered?
kén it bi óltârd

... não me cai (me cai muito) bem.
... doesn't fit me (fits me very well).
... dâzânt fit mi (fits mi véri uél)

Roupas

anoraque	anorak	énârék
avental	apron	eiprân
biquíni	bikini	bikíni
blusa	blouse	blauz
blusão	jumper	djâmpâr
boné	cap	kép
cachecol	scarf	skarf
calça	trousers (pl)	trauzârz
calça de esqui	ski trousers (pl)	ski trauzârz
calça jeans	blue jeans	blu: dji:nz
calção de banho	bathing trunks (pl)	beidhinh trânks
calcinha	panties (pl); knickers (pl); briefs (pl)	péntiz; nikârz; bri:fs
camisa	shirt	chârt
– camisa que não amassa	drip-dry	drip drai
– camisa de mangas	short-sleeved shirt	chórt slivd châr
camisa esporte	sports shirt	spórts chârt
camiseta de baixo	vest	vést
camisola	nightdress	nait drés
– camisa de dormir (para homens)	nightshirt	nait chârt
capa de chuva	raincoat	rein kout
capa impermeável	mackintosh	mékintóch
cardigã	cardigan; knitted jacket	kardigán; nitâd djékit
casaco	jacket	djékit
casaco de camurça	suede coat (jacket)	sueid kout (djékit)
casaco de couro	leather coat	lédhâr kout
casaco de pele	fur coat	fâr kout
chapéu	hat	hét
– chapéu de palha	straw hat	stró: hét
cinta	suspender belt	sâspéndâr bélt
cinta-liga	suspender belt	sâspéndâr bélt
cinto	belt	bélt
colante	tights (pl)	taits
colete	waistcoat	ueistkout
combinação	slip; petticoat	slip; pétikout

conjunto de calça e		
paletó *(feminino)*	trouser suit	tra<u>u</u>zâr si<u>u</u>t
cueca	underpants *(pl)*;	<u>â</u>ndârpénts;
	briefs *(pl)*	bri:fs
echarpe	scarf	skarf
espartilho	corset	k<u>ó</u>rsit
estola	stole	sto<u>u</u>l
gravata	tie	ta<u>i</u>
jaqueta	jacket	dj<u>é</u>kit
jaqueta de camurça	suede jacket	su<u>e</u>id dj<u>é</u>kit
jaqueta de couro	leather jacket	l<u>é</u>*dh*âr dj<u>é</u>kit
jaqueta de pele	fur jacket	fâr dj<u>é</u>kit
lenço	handkerchief	*h*<u>é</u>nkârtchi:f
luvas	gloves	glâvz
maiô *(de mulher)*	swimsuit	su<u>i</u>msiut
meia	stocking; sock	st<u>ó</u>kinh; s<u>ó</u>k
meia três-quartos	knee sock	ni s<u>ó</u>k
paletó	jacket	dj<u>é</u>kit
pulôver	pullover	p<u>u</u>louvâr
roupa de baixo	underwear	<u>â</u>ndâr u<u>é</u>:r
roupa de baixo		
(de mulher)	lingerie	l<u>ó</u>njâri
roupão	dressing gown	dr<u>é</u>ssinh ga<u>u</u>n
roupão de banho	bathrobe	ba*th*roub
saia	skirt	skârt
short	shorts *(pl)*	ch<u>ó</u>rts
sobretudo	coat	ko<u>u</u>t
suéter	sweater	su<u>é</u>:târ
sutiã	brassiere; bra	br<u>é</u>ssiâr; bra
tailleur	dress and jacket;	drés énd dj<u>é</u>kit;
	two-piece; suit;	tu: pi:s; si<u>u</u>t;
	costume	k<u>ó</u>stium
terno	suit	si<u>u</u>t
touca de banho	bathing cap	be<u>i</u>*dh*inh kép
training	tracksuit	tr<u>é</u>ksiut
vestido	dress	drés
vestido de verão	summer dress	s<u>â</u>mâr drés

Armarinho, acessórios

acessórios	accessories	âks_é_ssâriz
agulha	needle	n_i_dâl
alfinete	pin	pin
alfinete de segurança	safety pin	s_ei_fti pin
armarinho	haberdashery	_h_ébârdéchâri
botão	button	b_â_tân
botão de pressão	press stud	prés stâd
casa de botão	bottonhole	b_â_tân/houl
cinto	belt	b_é_lt
colchete	hook and eye	_h_u:k énd _ai_
dedal	thimble	_th_i_mbâl
elástico	elastic	il_é_stik
fita	ribbon; tape	r_i_bân; t_ei_p
fita métrica	tape measure	t_ei_p méjâr
fivela *(de cinto)*	buckle	b_â_kâl
forro	lining	l_ai_ninh
lã	wool	u_u_:l
lã de cerzir	darning wool	d_a_rninh u_u_:l
liga *(de meia)*	suspender	sásp_é_ndâr
linha	thread	_th_ré:d
linha de seda	sewing silk	s_ou_inh silk
linha de algodão	cotton	k_ó_tân
linha de cerzir	darning cotton	d_a_rninh k_ó_tân
linha sintética	synthetic thread	sin_th_étik _th_ré:d
suspensório	braces *(pl)*	br_ei_ssâs
tesoura	scissors *(pl)*	s_i_zârz
zíper	zip (fastener)	zip (f_a_ssânâr)

Tecidos

algodão	cotton	k_ó_tân
fibra sintética	synthetic fibre	sin_th_étik f_ai_bâr
flanela	flannel	fl_é_nâl
jérsei	jersey	dj_â_rzi
lã	wool	u_u_:l
– lã pura	pure wool	pi_u_r u_u_:l

– lã cardada	worsted	uústid
linho	linen	línin
náilon	nylon	náilón
pano	cloth	klóth
seda	silk	silk
– seda artificial	artificial silk	artifichâl silk
tecido	material	mâtíriâl
– colorido	colourful	kâlârful
– estampado	patterned	pétârnd
– listrado	striped	straipt
– unicolor	self-coloured	sélf kâlârd
– xadrez	checked	tchékt
veludo	velvet	vélvit
veludo cotelê	corduroy	kórdârói

Lavanderia, consertos

Eu queria mandar lavar este *vestido (terno)*.
I'd like to have this *dress (suit)* cleaned.
aid laik tu hév dhis drés (siut) kli:nd

Eu queria mandar lavar esta roupa.
I'd like to have these clothes laundered.
aid laik tu hév dhi:z kloudhz ló:ndârd

Daria para *passar isto a ferro (tirar esta mancha)*?
Could you *press this (remove this stain)*?
ku:d iu: prés dhis (rimuv dhis stein)

Daria para *cerzir isto (pregar este botão)*?
Could you *mend this (sew on this botton)*?
ku:d iu: ménd dhis (sou ón dhis bâtân)

Daria para cerzir esta desfiadura para mim?
Would you mend this ladder for me?
u:d iu: ménd dhis lédâr fór mi

Daria para *encompridar (encurtar)* isto?
Could you *lengthen (shorten)* this?
ku:d iu: lénhthân (chórtân) dhis

Ótica

Vocês podem consertar estes óculos?
Can you repair these *glasses (spectacles)*?
kén iu: ripé:r *dh*i:z glassiz (spéktâkâlz)

Preciso de lentes com ... dioptrias.
I need lenses of ... diopters.
ai nid lénziz óv ... daióptârz

Sou *míope (presbíope)*.
I'm *short-sighted (long-sighted)*.
aim chórt saitid (lón(g) saitid)

armação	frame	freim
binóculo	binoculars *(pl)*	binókiulârz
bússola	compass	kâmpâs
estojo de óculos	spectacle-case	spéktâkâl keis
lente de aumento	magnifying glass	mégnifaiinh glas
lente de contato	contact lenses	kóntékt lénziz
óculos	glasses; spectacles	glassiz; spéktâkâlz
óculos escuros	sunglasses	sânglassiz

Papelaria

bloco de anotações	scribbling block	skriblinh blók
bloco de desenho	*drawing (sketch) block*	dró:inh (skétch) blók
borracha	(india) rubber	(indiâ) râbâr
caneta esferográfica	ballpoint (pen)	bó:lpóint (pén)
– carga de caneta esferográfica	ballpoint refill	bó:lpóint rifil
caneta-tinteiro	fountain pen	fauntin pén
cola	glue	glu:
envelope	envelope	énvâloup
lápis	pencil	pénsâl
lápis de cor	crayon	kreiân
papel	paper	peipâr
– papel carbono	carbon paper	kârbân peipâr
– papel de carta	writing paper	raitinh peipâr
– papel de seda	tissue paper	tissu: peipâr
– papel pardo	brown paper	braun peipâr
tinta	ink	ink

Sapatos

Calço tamanho ...	Gostaria de um par de ...
I take size ...	I'd like a pair of ...
ai teik saiz ...	aid laik â pé:r óv ...

botas	boots	bu:ts
botas de borracha	rubber boots;	râbâr bu:ts;
	wellingtons	uélinh(g)tânz
calçados de ginástica	gym shoes	djim chu:z
calçados femininos	ladies' shoes	leidis chu:z
calçados infantis	children's shoes	tchildrânz chu:z
chinelos	slippers	slipârz
sandálias	sandals	séndâlz
sandálias de praia	beach shoes	bi:tch chu:z
sapatos de salto baixo	low-heeled shoes	lou hild chu:z

Estão *estreitos (largos)* demais.	Estão apertando aqui.
They're too *narrow (wide)*.	They pinch me here.
dheiâr tu: nérou (uaid)	dhei pintch mi hiâr

Poderia consertar estes sapatos para mim?
Could you repair these shoes for me?
cu:d iu: ripé:r dhi:z chu:z fór mi

cadarço	shoelace	chu:leis
calçadeira	shoehorn	chu:hórn
camurça	suede	sueid
couro	leather	lédhâr
graxa de sapato	shoe polish	chu: pólich
palmilha	insole	insoul
salto	heel	hil
– alto	high	hai
– baixo	flat; low	flét; lou
sola	sole	soul
sola de couro	leather sole	lédhâr soul
sola de crepe	crepe sole	kreip soul
solar	to sole	tu soul

Tabacaria

Um *maço de cigarros (pacote de fumo)* ...
A packet of ... *cigarettes (tobacco)*.
â pékit óv ... sigâréts (tâbékou)

Vinte charutos, por favor.
Twenty cigars, please.
tuénti sigarz, pli:z

Eu queria um isqueiro, por favor.
I'd like a lighter, please.
aid laik â laitâr, pli:z

Uma caixa de fósforos, por favor.
A box of matches, please.
â bóks óv métchiz, pli:z

Por favor, você tem fogo?
Could you give me a light, please?
ku:d iu: guiv mi â lait, pli:z

cachimbo	pipe	paip
– limpador de cachimbo	pipe cleaner	paip kli:nâr
cigarrilha	small cigar	smó:l sigar
cigarro	cigarette	sigârét
– sem filtro	without filter	uidhaut filtâr
– cigarro com filtro	filter-tipped cigarette	filtâr tipt sigârét
fósforos	matches	métchiz
fumo	tobacco	tâbékou
isqueiro	lighter	laitâr
– fluido de isqueiro	lighter fuel	laitâr fiuâl
– isqueiro a gás	gas lighter	gués laitâr
– pedra de isqueiro	flint	flint

Artigos de toalete

absorvente higiênico	sanitary towel	sénitâri tauâl
adstringente bucal	mouthwash	mauthuóch
água de colônia	eau de cologne	ou dâ kâloun
aparelho de barbear	safety razor	seifti reizâr

Artigos de toalete 141

artigos de higiene	toilet articles	tóilit artikâlz
barbeador elétrico	electric razor	iléktrik reizâr
batom	lipstick	lipstik
bigudi	curler	kârlâr
creme	cream	kri:m
creme bronzeador	suntan cream	sântén kri:m
creme de barbear	shaving cream	cheivinh kri:m
creme facial	face cream	feis kri:m
delineador	eyeliner	ailainâr
desodorante	deodorant	dioudârânt
escova	brush	brâch
escova de cabelo	hairbrush	hé:rbrâch
escova de dentes	toothbrush	tu:*th*brâch
escova de roupas	clothes brush	klou*dhz* brâch
esmalte de unha	nail varnish	neil varnich
espelho	mirror	mirâr
esponja	sponge	spândj
estojo de pó-de-arroz	powder compact	paudâr kómpékt
fixador	setting lotion	sétinh louchân
fixador de tintura	*coloured (tinted)* setting lotion	kâlârd (tintid) sétinh louchân
grampo de cabelo	hairpin	hé:rpin
lâmina de barbear	razor blade	reizâr bleid
lápis de sobrancelha	eyebrow pencil	aibrau pénsâl
lenço de papel	paper handkerchief	peipâr hénkârtchi:f
lixa de unha	nail file; emery board	neil fail; émâri bó:rd
loção capilar	hair lotion	hé:r louchân
loção de barba	shaving lotion	cheivinh louchân
– loção pós-barba	aftershave (lotion)	âftârcheiv (louchân)
navalha	razor	reizâr
nécessaire	toilet case	tóilit keis
óleo bronzeador	suntan oil	sântén óil
paninho de rosto	face *cloth (flannel)*	feis kló*th* (flénâl)
papel higiênico	toilet paper	tóilit peipâr
pasta de dente	toothpaste	tu:*th*peist
pauzinho de laranjeira	orange stick	órindj stik
pente	comb	koum

perfume	perfume; scent	p<u>a</u>rfium; sént
pinça	tweezers *(pl)*	tu<u>i</u>zârz
pincel de barba	shaving brush	ch<u>ei</u>vinh brâch
pó-de-arroz	face powder	f<u>ei</u>s p<u>au</u>dâr
pompom	powder puff	p<u>au</u>dâr pâf
presilha de cabelo	hair-grip	h<u>é</u>:r grip
rede de cabelo	hairnet	h<u>é</u>:rnét
removedor de esmalte	nail-varnish remover	n<u>ei</u>l v<u>a</u>rnich rim<u>u</u>vâr
rímel	mascara	mésk<u>a</u>râ
ruge	rouge	ru:j
sabão	soap	s<u>ou</u>p
sabão de barba	shaving soap	ch<u>ei</u>vinh s<u>ou</u>p
sais de banho	bath salts	ba<i>th</i> sólts
sombra	eye-shadow	<u>ai</u> ch<u>é</u>dou
spray de cabelo	hair spray	h<u>é</u>:r spr<u>ei</u>
talco	talcum powder	t<u>é</u>lkâm p<u>au</u>dâr
tampão	tampon	t<u>é</u>mpón
tesoura	scissors *(pl)*	s<u>i</u>zârz
tesoura de unha	nail scissors *(pl)*	n<u>ei</u>l s<u>i</u>zârz
tintura	dye	d<u>ai</u>
toalha	towel	t<u>au</u>âl
tônico capilar	hair tonic	h<u>é</u>:r t<u>ó</u>nik
travessa	hair slide	h<u>é</u>:r sl<u>ai</u>d
xampu	shampoo	chémp<u>u</u>:
– suave	mild	m<u>ai</u>ld
xampu de cabelo	hair shampoo	h<u>é</u>:r chémp<u>u</u>:

Relojoaria

Poderia consertar este *relógio (relógio de pulso)*?
Can you mend this *clock (watch)*?
kén i<u>u</u>: ménd *dh*is clók (u<u>ó</u>tch)

Ele está *adiantado (atrasado)*.
It is *fast (slow)*.
it iz fast (sl<u>ou</u>)

Quanto custará o conserto?
How much will the repair cost?
h<u>au</u> mâtch u<u>i</u>l *dh*â ripé:r kóst

corda	spring	sprinh
cronômetro	stopwatch	stópuótch
despertador	alarm clock	âlarm klók
mostrador	face	feis
ponteiro	hand	hénd
pulseira de relógio	watchstrap	uótchstrép
relógio	clock	klók
relógio (*de pulso ou de bolso*)	watch	uótch
relógio de pulso	wrist watch	rist uótch
vidro	glass	glas

Armas

calibre	calibre; bore	kélibâr; bór
cartucho	cartridge	kartridj
espingarda de caça	sporting *rifle (gun)*; shotgun	spórtinh raifâl (gân); chótgân
espingarda de pequeno calibre	small-bore rifle	smó:l bór raifâl
fuzil	gun	gân
munição	ammunition	émiunichân
pistola	pistol	pistâl
rifle	rifle	raifâl

Diversos

abridor de garrafa	bottle-opener	bótâl oupânâr
abridor de latas	tin opener	tin oupânâr
baralho	playing cards	pleiinh kardz
barbante	string	strinh
bola	ball	bó:l
bolsa	bag	bég
bombons	sweets	suits
boneca	doll	dól
bordado	fancy work	fénsi uârk
brinquedo	toy	tói
brinquedo de pelúcia	soft toy	sóft tói
canivete	pocket knife; penknife	pókit naif; pén naif

144 Diversos

carteira	wallet	uó:lit
castiçal	candlestick	kéndâlstik
cerâmica	ceramics	sirémiks
cesta	basket	baskit
cinzeiro	ashtray	échtrei
comida enlatada	tinned food	tind fu:d
corda	cord; rope	kórd; roup
descanso de prato	*table (beer) mat*	teibâl (biâr) mét
disco	(gramophone) record	(grémâfoun) rékórd
escultura em madeira	wood-carving	uu:d karvinh
espiriteira	spirit stove	spirit stouv
etiqueta	label	leibâl
garrafa térmica	Thermos (flask)	*th*ârmâs (flask)
gravador	tape recorder	teip rikórdâr
guarda-chuva	umbrella	âmbrélâ
guardanapo de papel	paper napkin	peipâr népkin
lanterna	torch	tórtch
lenço de cabeça	headscarf	*h*é:dskarf
mala	case	keis
mochila	rucksack	râksék
pasta	briefcase	bri:fkeis
pilha	battery	bétri
porcelana	china	tchainâ
porta-níqueis	purse	pârs
quadro	picture	piktchâr
rede	hammock	*h*émâk
sabão em pó	washing powder	uóchinh paudâr
saca-rolhas	corkscrew	kórkskru:
saco plástico	plastic bag	pléstik bég
sacola de praia	beach bag	bi:tch bég
termômetro	thermometer	*th*ârmómitâr
tira-manchas	stain remover	stein rimuvâr
trela	(dog's) lead	(dógz) li:d
trenó	sledge	slédj
vaso	vase	veiz
vela	candle	kéndâl

CORREIO, TELEGRAMA, TELEFONE

Agência de correio

Onde é a agência de correio?
Where is the post office?
ué:r iz dhâ poust ófis

Onde há uma caixa de correio?
Where is there a *letterbox (pillar box)*?
ué:r iz dhé:r â létârbóks (pilâr bóks)

Quanto custa para mandar *esta carta (este cartão)*?
What does this *letter (card)* cost?
uót dâz dhis létâr (kard) kóst

– para o Brasil.
– to Brazil.
– tu brâzil

– para Portugal.
– to Portugal.
– tu pórtiugâl

– para Moçambique.
– to Mozambique.
– tu mouzâmbik

Quanto é o porte de ...
What's the postage on ...
uóts dhâ poustidj ón ...

uma carta expressa	an express letter	én iksprés létâr
esta carta aérea	this air-mail letter	dhis é:r meil létâr
uma carta nacional	an inland letter	én inlând létâr
esta carta para o exterior	this letter for abroad	dhis létâr fór âbró:d
uma carta registrada	a registered letter	â rédjistârd létâr
um cartão de felicitação...	a greetings card	â gritinhz kard
um cartão nacional	an inland card	én inlând kard
um cartão postal	a (picture) postcard	â (piktchâr) poustkard
este impresso	this printed matter	dhis printid métâr
este pacote postal	this parcel	dhis parsâl
este pequeno pacote postal	this small parcel	dhis smó:l parsâl

Cinco selos de vinte pence, por favor.
Five twenty pence stamps, please.
faiv tuénti péns stémps, pli:z

Vocês têm selos especiais?
Have you got any special-issue stamps?
hév iu: gót éni spéchâl ichiu: stémps

Dois de cada, por favor.
Two of each, please.
tu: óv i:tch, pli:z

Agência de correio

Esta série de selos, por favor.
This set of stamps, please.
*dh*is sét óv stémps, pli:z

Quero mandar esta carta *registrada (expressa)*, por favor.
I want to *register (express)* this letter, please.
ai uónt tu rédjistâr (iksprés) *dh*is létâr, pli:z

Quanto tempo leva para chegar *uma carta (um pacote postal)* para ...?
How long does a *letter (parcel)* to ... take?
*h*au lón(g) dâz â létâr (pârsâl) tu ... teik

Um vale postal, por favor.
A *postal order (money order)*, please.
â poustâl órdâr (mâni órdâr), pli:z

Posso retirar dinheiro da minha caderneta da caixa econômica?
Can I draw money from my savings-bank book?
kén ai dró: mâni fróm mai seivinhz bénk bu:k

Há alguma carta para mim? **Meu nome é ...**
Is there any letter for me? My name is ...
iz *dh*é:r éni létâr fór mi   mai neim iz ...

Onde posso *despachar (retirar)* um pacote?
Where can I *send off (collect)* a parcel?
ué:r kén ai sénd óf (kâlékt) â pârsâl

Preciso de uma declaração alfandegária?
Do I need a customs declaration?
du ai nid â kâstâmz déklâreichân

Gostaria de mandar expedir minha correspondência.
I would like to have my mail forwarded.
ai uu:d laik tu hév mai meil fóruârdid

Este é meu novo endereço. ***Assine aqui, por favor.**
This is my new address. Sign here, please.
*dh*is iz mai niu âdrés   sain *h*iâr, pli:z

Postal savings-bank [poustal seivinhz bénk] *é um tipo de caixa econômica que opera através do correio.*
Postal order [poustâl órdâr] *é um papel de um certo valor adquirido no correio, utilizado para se enviar dinheiro para outra pessoa, num sistema semelhante ao do vale postal. Quantias maiores são enviadas através de* money-order [mâni órdâr].

Telegrama

Um formulário de telegrama, por favor.
A telegram form, please.
â télígrém fórm, pli:z

Quero enviar ...
I want to send ...
ai uónt tu sénd ...

um telegrama	a telegram	â télígrém
um telegrama com resposta paga	a reply-paid telegram	â riplái peid télígrém
um telegrama de felicitações	a greetings telegram	â grítinhz télígrém
um telegrama noturno	an overnight telegram	én ouvârnait télígrém
um telegrama urgente	a priority telegram	â praióriti télígrém

Quanto custam dez palavras para ...?
What do ten words to ... cost?
uót du tén uârdz tu ... kóst

Quando ele chegará *a (em)* ...?
When will it arrive in ...?
uén uil it âraiv in ...

O telegrama chegará hoje em ...?
Will the telegram get to ... today?
uil *dh*â télígrém guét tu ... tâdei

Telefone

Onde é a cabine telefônica mais próxima?
Where is the nearest call box?
ué:r iz *dh*â ni:rist kó:l bóks

Onde posso telefonar?
Where can I make a telephone call?
ué:r kén ai meik â télífoun kó:l

Posso usar seu telefone?
May I use your *phone (telephone)*?
mei ai iuz ió:r foun (télifoun)

A lista telefônica, por favor.
The telephone directory, please.
*dh*â télifoun diréktâri, pli:z

Pode-se ligar para ... por discagem direta?
Can one dial straight to ...?
kén uân dail streit tu ...

Qual é o código de acesso para ...?
What number do I dial for ...?
uót nâmbâr du ai dail fór ...

cinco – seis – zero – cinco
five – six – o – five
faiv – siks – ou – faiv

Telefone

Uma ligação interurbana para ..., por favor.
A *trunk (long-distance)* call to ..., please.
â trânk (lón(g) di̱stâns) kó:l tu ..., pli:z

Quanto demora?
How long it will be?
ha̱u lón(g) it ui̱l bi

Vocês têm moedas para a cabine telefônica?
Have you got any coins for the *telephone (call)* box?
hév iu̱: gót éni kói̱nz fór *dh*â télifoun (kó:l) bóks

Quanto custa uma *chamada local (ligação para ...)*?
What does a *local call (call for ...)* cost?
uót dâz â ló̱ukâl kó:l (kó:l fór ...) kóst

A que horas começa a tarifa reduzida?
What time does the cheap rate begin?
uót ta̱im dâz *dh*â tchi̱:p re̱it bigui̱n

*Sua ligação está na cabine quatro.
Your call is in box four.
ió:r kó:l iz in bóks fó:r

*Qual é seu número?
What's your number?
uóts ió:r nâ̱mbâr

Poderia me ligar para ..., por favor?
Would you give me ..., please?
uu̱:d iu̱: guiv mi ..., pli:z

A linha está *ocupada (com defeito)*.
The line's *engaged (out of order)*.
*dh*â la̱inz ingueidjd (a̱ut óv ó̱rdâr)

É engano!
Wrong number!
rón nâ̱mbâr

Ninguém responde (neste número).
There's no reply (from this number).
*dh*é:rz no̱u ripla̱i (fróm *dh*is nâ̱mbâr)

Por favor, posso falar com *o senhor (a senhora, a senhorita)* ...?
May I speak to *Mr. (Mrs., Miss)* ..., please?
me̱i a̱i spi:k tu mi̱stâr (mi̱ssiz, mis) ..., pli:z

Aqui é ... falando.
This is ... speaking.
*dh*is iz ... spi̱:kinh

Quem fala?
Who's speaking?
*h*uz spi̱:kinh

Um momento, por favor!
Hold the line, please!
ho̱uld *dh*â la̱in, pli:z

Por favor, cancele a ligação.
Will you cancel the call, please?
ui̱l iu̱: ké̱nsâl *dh*â kó:l, pli:z

central telefônica .... telephone exchange ..... télifoun ikstche̱indj

Tabela para soletrar

A Andrew [éndru:]
B Benjamin [béndjâmin]
C Charlie [tcharli]
D David [deivid]
E Edward [éduârd]
F Frederick [frédrik]
G George [djó:rdj]
H Harry [héri]
I Isaac [aizâk]
J Jack [djék]
K King [kinh]
L Lucy [lussi]
M Mary [mé:ri]
N Nellie [néli]
O Oliver [ólivâr]
P Peter [pitâr]
Q Queen [kuin]
R Robert [róbârt]
S Sugar [chugâr]
T Tommy [tómi]
U Uncle [ânkâl]
V Victor [viktâr]
W William [uiliâm]
X Xmas [éksmâs]
Y Yellow [iélou]
Z Zebra [zibrâ]

Telefone público

Separe moedas de 5 ou de 10 pence.
Tire o fone do gancho.
Espere até ouvir um ruído contínuo.
Disque o número ou o código e o número.
Quando ouvir sinais intermitentes rápidos, introduza a moeda.
Para continuar a ligação, introduza mais moedas durante a conversa ou quando voltar a ouvir sinais intermitentes rápidos.
Para ligar para um número de Londres que comece por 01-, disque somente os sete últimos algarismos, os que vêm depois do hífen (por exemplo, para 01-992 4321 disque 992 4321).
Sinal de ocupado (sinais intermitentes lentos: volte a tentar mais tarde.
Após discar o número, o telefone não chama (ruído contínuo): verifique o número e disque novamente.

Have money ready 5p or 10p.

Lift receiver.
Listen for continuous purring.

Dial number or code and number.

When you hear rapid pips, press in coin.
To continue a dialled call put in more money during conversation or when you hear rapid pips again.
To call a London all-figure number, that is one beginning 01-, dial only the last seven figures, those after the hyphen (e.g. for 01-992 4321 dial 992 4321).

Engaged tone (slow pips): try again later.

Number unobtainable tone (steady note): check number and redial.

150 Correio · Vocabulário

agência de correio	post office	p<u>ou</u>st <u>ó</u>fis
balcão	counter	k<u>au</u>ntâr
caixa de correio	letterbox; pillar box	l<u>é</u>târbóks; p<u>i</u>lâr bóks
caixa postal	post-office box (*abrev*. P.O.B.)	p<u>ou</u>st <u>ó</u>fis bóks (pi <u>ou</u> bi)
carta	letter	l<u>é</u>târ
carta expressa	express letter	ikspr<u>é</u>s l<u>é</u>târ
cartão-postal	(picture) postcard	(p<u>i</u>ktchâr) p<u>ou</u>stkard
carteiro	postman	p<u>ou</u>stmén
comprovante de expedição	dispatch note	disp<u>é</u>tch n<u>ou</u>t
correio aéreo	air mail	é:r m<u>ei</u>l
declaração alfandegária	customs declaration	k<u>â</u>stâmz dêklâr<u>ei</u>chân
declaração de valores	declaration of value	dêklâr<u>ei</u>chân óv v<u>é</u>liu
destinação	destination	déstin<u>ei</u>chân
destinatário	addressee	édréss<u>i</u>
endereço	address	<u>â</u>drés
impresso	printed matter	pr<u>i</u>ntid m<u>é</u>târ
máquina de selos	stamp machine	stémp mâch<u>i</u>n
não franqueado	unstamped	ânst<u>é</u>mpt
pacote postal	parcel	p<u>a</u>rsâl
pacote postal registrado com valor declarado	registered parcel with declared value	r<u>é</u>djistârd p<u>a</u>rsâl ui*th* dikl<u>é</u>rd v<u>é</u>liu
pagamento contra entrega	cash on delivery (*abrev*. c.o.d.)	kéch ón dil<u>i</u>vâri si <u>ou</u> di)
pequeno pacote postal	small parcel	smó:l p<u>a</u>rsâl
porte	charge; fee	tchardj; fi
porte de resposta	return postage	rit<u>â</u>rn p<u>ou</u>stidj
posta-restante	poste restante	p<u>ou</u>st rést<u>a</u>nt
registrar	to register	tu r<u>é</u>djistâr
remetente	sender	s<u>é</u>ndâr
selar	to stamp	tu stémp
selo	stamp	stémp
selo especial	special-issue stamp	spéch<u>â</u>l <u>i</u>chiu: stémp
telefone	telephone	t<u>é</u>lifoun
telegrama	telegram	t<u>é</u>ligrém
trocador de moeda	coin changer	k<u>ó</u>in tch<u>ei</u>ndjâr

BANCO, CÂMBIO

Sistema monetário da Grã-Bretanha

unidade monetária: **pound** [p<u>au</u>nd], *abrev.* £ — libra
fração: **penny** [p<u>e</u>ni], *abrev.* p, *pl.* **pence** [p<u>e</u>ns] — pêni

£ 1 (one pound) = 100 p (one hundred pence)

Ainda estão em circulação moedas de **shilling** [ch<u>i</u>linh] —
xelim —, *unidade do sistema monetário britânico vigente até 1971.*

1 shilling = 5 pence
1 pound = 20 shilling

Sistema monetário dos Estados Unidos

unidade monetária: **dollar** [d<u>ó</u>lâr], *abrev.* US$ — dólar
fração: **cent** [sént], *abrev.* c. *ou* ct. — cêntimo

US$ 1 (one dollar) = 100 ct. (one hundred cents)

Onde posso trocar dinheiro?
Where can I change money?
u<u>é</u>:r kén <u>ai</u> tch<u>ei</u>ndj m<u>â</u>ni

Onde é o banco?
Where is the bank?
u<u>é</u>:r iz *dh*â bénk

Eu gostaria de trocar cem dólares por libras.
I'd like to change a hundred dollars into pounds.
<u>a</u>id l<u>ai</u>k tu tch<u>ei</u>ndj â *h*ândrâd d<u>ó</u>lârs <u>i</u>ntu p<u>au</u>nds

Quanto recebo por ...?
How much do I get for ...?
h<u>au</u> mâtch du <u>ai</u> guét fór ...

Qual é a taxa de câmbio?
What's the rate of exchange?
u<u>ó</u>ts *dh*â r<u>ei</u>t óv ikstch<u>ei</u>ndj

Pode me trocar ... por dólares?
Can you change ... into dollars for me?
kén i<u>u</u>: tch<u>ei</u>ndj ... <u>i</u>ntu d<u>ó</u>lârs fór mi

Dê-me também algum trocado, por favor.
Some small change too, please.
sâm smó:l tch<u>ei</u>ndj tu:, pli:z

Pode me dar troco?
Can you give me change?
kén i<u>u</u>: guiv mi tch<u>ei</u>ndj

Eu gostaria de descontar este *cheque (cheque de viagem)*.
I'd like to cash this *cheque (traveller's cheque)*.
<u>a</u>id l<u>ai</u>k tu kéch *dh*is tchék (tr<u>é</u>vâlârz tchék)

Banco, câmbio · Vocabulário

Foi creditado algum dinheiro para mim?
Has any money been paid in for me?
héz éni máni bin peid in fór mi

Português	English	Pronúncia
à vista	cash	kéch
ação	share	chér
assinatura	signature	signâtchâr
banco	bank	bénk
caderneta de poupança	savings book	seivinhz bu:k
caixa econômica	savings bank	seivinhz bénk
câmbio	exchange	ikstcheindj
carta de crédito	letter of credit	létâr óv krédit
cartão do cheque	cheque card	tchék kard
cheque	cheque	tchék
cheque de viagem	traveller's cheque	trévâlârz tchék
conta-corrente	bank account	bénk âkaunt
cotação cambial	rate of exchange	reit óv ikstcheindj
creditar	to pay in	tu pei in
crédito	credit	krédit
– pedir um empréstimo	to raise a loan	tu reiz â loun
dinheiro	money	máni
– dólar	dollar	dólâr
– libra esterlina	pound	paund
em dinheiro	cash	kéch
formulário	form	fórm
moeda	coin	kóin
moeda corrente	currency	kârânsi
moeda estrangeira	foreign currency	fórân kârânsi
montante	amount	âmaunt
nota *(de dinheiro)*	bank note	bénk nout
ordem de pagamento	banker's order	bénkârz órdâr
pagamento	payment	peimânt
pagar	to pay	tu pei
recibo	receipt	rissi:t
remessa	remittance	rimitâns
taxa bancária	bank charge	bénk tchardj
taxa de câmbio	rate of exchange	reit óv ikstcheindj
título bancário	security	sikiuriti
transferência	transfer	trénsfâr

POLÍCIA

Queixa

Quero dar queixa a respeito de ...
I want to complain about ...
ai uónt tu câmplein âbaut ...

um acidente	an accident	én éksidânt
uma agressão	an attack	én âték
uma perda	a loss	â lós
um roubo	a theft	â théft
uma tentativa de chantagem	an attempt at blackmail	én âtémpt ét blékmeil

Meu (Minha) ... foi *roubado (roubada)*.
My ... has been stolen.
mai ... héz bin stoulân

Perdi *meu (minha)* ...
I have lost my ...
ai hév lóst mai ...

anel	ring	rinh
bolsa	bag; handbag	bég; héndbég
carteira	wallet	uó:lit
chave	key	ki:
chave do carro	car key	kar ki:
colar	necklace	néklis
dinheiro	money	mâni
guarda-chuva	umbrella	âmbrélâ
mala	case	keis
máquina fotográfica	camera	kémârâ
pasta	briefcase	bri:fkeis
porta-níqueis	purse	pârs
pulseira	bracelet	breisslit
relógio	watch	uótch
relógio de pulso	wrist watch	rist uótch

Quero falar com *um advogado (o consulado)*.
I want to speak to *a solicitor (the consulate)*.
ai uónt tu spi:k tu â sâlissitâr (dhâ kónsiulât)

154 Polícia · Vocabulário

Não tenho nada com *isso (o assunto)*.
I have nothing to do with *it (the affair)*.
ai hév nâ*th*inh tu du ui*th* it (*dh*i âfé:r)

Sou inocente.
I am innocent.
ai ém inâssânt

Não fiz *isso (aquilo)*.
I didn't do *it (that)*.
ai didânt du it (*dh*ét)

Quanto tempo tenho que ficar aqui?
How long do I have to stay here?
hau lón(g) du ai hév tu stei hiâr

Este homem está me *molestando (seguindo)*.
This man is *molesting (following)* me.
*dh*is mén iz mâléstinh (fólouinh) mi

advogado	solicitor; barrister	sâlissitâr; béristâr
agressão	attack	âték
confiscar	to confiscate	tu kónfiskeit
contrabando	smuggling	smâglinh
crime	crime	kraim
criminoso	criminal	kriminâl
culpa	guilt	guilt
departamento de investigação criminal	Criminal Investigation Department (*abrev*. C.I.D.)	kriminâl invéstigueichân dipartmânt (si ai di)
detenção	custody	kâstâdi
juiz	judge	djâdj
julgamento	judgement	djâdjmânt
ladrão	thief	*th*i:f
narcótico	drug; narcotic	drâg; narkótik
polícia	police	pâlis
policial	policeman	pâlismén
policial à paisana	plain-clothes policeman	plein klou*dh*z pâlismén
posto policial	police station	pâlis steichân
prender	to arrest	tu ârést
prisão	prison	prizân
prisão (*ato*)	arrest	ârést
prisão preventiva	preventive detention	privéntiv diténchân
tribunal	court	kó:rt
viatura policial	police car	pâlis kar

CABELEIREIRO

Cabeleireiro feminino

Posso marcar uma hora para sábado?
Can I make an appointment for Saturday?
kén ai meik én âpóintmént fór sétârdei

Posso marcar hora para fazer uma permanente?
Can I make an appointment for a perm?
kén ai meik én âpóintmént fór â pârm

Para amanhã?
For tomorrow?
fór tâmórou

Terei que esperar?
Will I have to wait?
uil ai hév tu ueit

Vai demorar muito?
Will it take long?
uil it teik lón(g)

Lavagem e mise-en-plis, por favor.
A shampoo and set, please.
â chémpu: énd sét, pli:z

Quero fazer uma *permanente (mise-en-plis)*, por favor.
I want a *perm (set)*, please.
ai uónt â pârm (sét), pli:z

Gostaria de fazer um penteado para noite.
I'd like a hairdo for the evening.
aid laik â hé:rdu fór dhi ivninh

Por favor, gostaria de tingir meu cabelo de ...
I'd like my hair *dyed (tinted)* ..., please.
aid laik mai hé:r daid (tintid) ..., pli:z

Poderia cortar um pouco mais curto, por favor?
Could you cut it a bit shorter, please?
ku:d iu: kât it â bit chórtâr, pli:z

Apare só as pontas, por favor.
Just trim the ends, please.
djâst trim dhi éndz, pli:z

Poderia cortá-lo molhado, por favor?
Would you cut it wet, please?
uu:d iu: kât it uét, pli:z

156 Cabeleireiro feminino

Poderia prendê-lo, por favor?
Would you pin it up, please?
uu:d iu: pin it âp, pli:z

Poderia encrespá-lo um pouco *em cima (dos lados)*, por favor?
Would you back-comb it a bit *on top (at the sides)*, please?
uu:d iu: bék koum it â bit ón tóp (ét dhâ saidz), pli:z

O secador está quente demais.
The drier's too hot.
dhâ draiârz tu: hót

Sem *fixador (spray de cabelo)*, por favor.
No *setting lotion (hair spray)*, please.
nou sétinh louchân (hé:r sprei), pli:z

Pode fazer minhas unhas *das mãos (dos pés)*?
Can you give me a *manicure (pedicure)*?
kén iu: guiv mi â ménikiur (pédikiur)

Gostaria das unhas *pontiagudas (arredondadas)*, por favor.
I'd like the nails *sharp-pointed (rounded)*, please.
aid laik dhâ neilz charp póintid (raundid), pli:z

Quero polir minhas unhas, por favor.   ***Com (Sem) esmalte.***
I want to polish my nails, please.   *With (Without) nail varnish.*
ai uónt tu pólich mai neilz, pli:z   uith (uidhaut) neil varnich

Poderia *delinear (depilar)* minhas sobrancelhas, por favor?
Could you *tidy up (shave)* my eyebrows, please?
ku:d iu: taidi âp (cheiv) mai aibrauz, pli:z

Uma *máscara (massagem)* facial, por favor.
A *face pack (facial massage)*, please.
â feis pék (feichâl méssadj), pli:z

Poderia colocar esta *cabeleira postiça (peruca)* em mim, por favor?
Would you put this *hairpiece (wig)* on for me, please?
uu:d iu: put dhis hé:rpi:s (uig) ón fór mi, pli:z

Sim, obrigada, está ótimo.   **Está muito bonito!**
Yes, thank you, that's fine.   That's very nice!
iés, thénk iu:, dhéts fain   dhéts véri nais

Cabeleireiro masculino

Um corte de cabelo (e barba), por favor!
A haircut (and a shave), please!
â hé:rkât (énd â cheiv), pli:z

Não muito curto, por favor.
Not too short, please.
nót tu: chórt, pli:z

(Bem) Curto, por favor.
(Very) Short, please.
véri chórt, pli:z

– atrás.	– em cima.	– na frente.	– dos lados.
– at the back.	– on top.	– in front.	– at the sides.
– ét *d*hâ bék	– ón tóp	– in frânt	– ét *d*hâ saidz

Um corte a navalha, por favor.
A razor cut, please.
â reizâr kât

(Sem) Com risca, por favor.
(No) A parting, please.
(nou) â partinh, pli:z

A risca à *esquerda (direita)*, por favor.
The parting on the *left (right)*, please.
*d*hâ partinh ón *d*hâ léft (rait), pli:z

Poderia também lavar minha cabeça, por favor?
Will you shampoo it as well, please?
uil iu: chémpu: it éz uél, pli:z

Uma massagem capilar, por favor.
A scalp massage, please.
â skélp méssadj, pli:z

Poderia aparar um pouco *minha barba (meu bigode)*, por favor?
Would you trim my *beard (moustache)* a bit, please?
uu:d iu: trim mai bi:rd (mâstach) â bit, pli:z

Somente barba, por favor.
Just a shave, please.
djâst â cheiv, pli:z

Não escanhoe, por favor.
Don't shave closely, please.
dount cheiv klousli, pli:z

Um pouco de *loção capilar (brilhantina)*, por favor.
Some hair lotion (A little brilliantine), please.
sâm hé:r louchân (â litâl briliântin), pli:z

Deixe-o seco, por favor.
Leave it dry, please.
li:v it drai, pli:z

Sim, obrigado, está ótimo.
Yes, thank you, that's fine.
iés, *th*énk iu:, *d*héts fain

Cabeleireiro · Vocabulário

barba	beard	bi:rd
barbeiro	barber	bárbâr
bigode	moustache	mâstach
brilhantina	brilliantine	briliântin
cabeleira postiça	hairpiece	hé:rpi:s
cabeleireiro	hairdresser	hé:rdréssâr
cabeleireiro feminino	ladies' hairdresser	leidiz hé:rdréssâr
cabeleireiro masculino	gentlemen's hairdresser	djéntâlmânz hé:rdréssâr
cabelo	hair	hé:r
– oleoso	greasy	gri:zi
– seco	dry	drai
cacho	curl	kârl
caspa	dandruff	déndrâf
cortar	to cut	tu kât
cortar o cabelo de alguém	to do a person's hair	tu du â pârsânz hé:r
corte de cabelo	haircut	hé:rkât
costeletas	sideburns	saidbârnz
encrespar	to back-comb	tu bék koum
fazer a barba	to shave	tu cheiv
fazer as unhas da mão	to give a manicure	tu guiv â ménikiur
fazer as unhas do pé	to give a pedicure	tu guiv â pédikiur
fazer mise-en-plis	to set	tu sét
fio de cabelo	strand; wisp	strénd; uisp
franja	fringe	frindj
lavar	to wash	tu uóch
massagem capilar	scalp massage	skélp méssadj
mise-en-plis	set	sét
penteado	hairstyle	hé:rstail
pentear	to comb	tu koum
permanente	perm	pârm
peruca	wig	uig
queda de cabelo	loss of hair	lós óv hé:r
risca	parting	partinh
salão de beleza	beauty salon	biu:ti sélón
secador de cabelo	hairdrier	hé:rdraiâr
tingir	to dye; to tint	tu dai; tu tint

Ver também "Artigos de toalete", p. 140.

SAÚDE

Farmácia

Onde é a farmácia mais próxima?
Where is the nearest chemist?
ué:r iz *dh*â ní:rist kémist

Há alguma farmácia aberta à noite?
Is there a chemist open at night?
iz *dh*é:r â kémist oupân ét nait

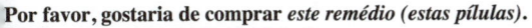

Por favor, gostaria de comprar *este remédio (estas pílulas)*.
I'd like *this medicine (these pills)*, please.
aid laik *dh*is médsin (*dh*i:z pilz), pli:z

Gostaria de ...	**Pode me dar alguma coisa para ...?**
i'd like ...	Can you give me something for ...?
aid laik ...	kén iu: guiv mi sâm*th*inh fór ...

Preciso de uma prescrição médica para comprar o remédio?
Do I need a prescription for the medicine?
du ai nid â prâskripchân fór *dh*â médsin

Vocês podem arranjar *este remédio (estas pílulas)* para mim?
Can you get *this medicine (these pills)* for me?
kén iu: guét *dh*is médsin (*dh*i:z pilz) fór mi

Quando posso vir buscá-lo?	**Posso esperar?**
When can I collect it?	Can I wait?
uén kén ai kolékt it	kén ai ueit

uso externo	for external use
uso interno	for internal use
antes das refeições	before meals
depois das refeições	after meals
três vezes por dia	three times a day
conforme prescrição médica ...	according to doctor's instruction
em jejum	on an empty stomach

Remédios e curativos

Português	Inglês	Pronúncia
absorvente higiênico	sanitary towel	sénitâri tauál
ácido bórico	boric acid	bórik éssid
adstringente bucal	mouthwash	mauthuóch
água oxigenada	hydrogen peroxide	haidrâdjân pâróksaid
álcool	alcohol	élkouhól
algodão em rama	cotton wool	kótân uu:l
ampola	ampoule	émpiul
analgésico	anodyne; painkiller	énoudain; peinkilâr
antídoto	antidote	éntidout
aspirina	aspirin	éspirin
atadura	bandage	béndidj
bicarbonato de sódio	bicarbonate of soda	baikarbâneit óv soudâ
calmante	tranquilizer	trénkuilaizâr
chá de camomila	camomile tea	kémâmail ti:
colírio	eye drops	ai dróps
comprimido	tablet; pill	téblit; pil
comprimido contra dor de cabeça	headache pill	hédeik pil
comprimido de carvão	(medicinal) charcoal tablet	(médissinâl) tcharkoul téblit
comprimido de vitamina	vitamin pill	vitâmin pil
comprimido digestivo	digestive tablet	daidjéstiv téblit
curativo adesivo	adhesive dressing	âdhissiv dréssinh
desinfetante	disinfectant	dissinféktânt
emético	emetic	imétik
emplastro	adhesive plaster	âdhissiv plastâr
emplastro para calos	corn plaster	kórn plastâr
estojo de primeiros socorros	first-aid kit	fârst eid kit
faixa de gaze	gauze bandage	gó:z béndidj
faixa elástica	elastic bandage	iléstik béndidj
febrífugo	antipyretic	entipairétik
gargarejo	gargle	gargâl
glicerina	glycerine	glissârin

Remédios e curativos 161

glicose	glucose	gl<u>u</u>kous
gotas	drops	dr<u>ó</u>ps
hemostático	hemostatic	*h*émâst<u>é</u>tik
hortelã-pimenta	peppermint	p<u>é</u>pârmint
injeção	injection	indj<u>é</u>kchân
lavagem intestinal	enema	<u>é</u>nimâ
laxante	laxative	l<u>é</u>ksâtiv
linimento	liniment	l<u>i</u>nimânt
meia elástica	elastic stocking	il<u>é</u>stik st<u>ó</u>kinh
óleo de rícino	castor oil	k<u>a</u>stâr <u>ó</u>il
pílula	pill	pil
pílula anticoncepcional	contraceptive pill	kóntrâss<u>é</u>ptiv pil
pó	powder	p<u>a</u>udâr
pomada	ointment	<u>ó</u>intmânt
pomada cicatrizante	ointment for a cut (graze)	<u>ó</u>intmânt fór â kât (gr<u>e</u>iz)
pomada contra queimaduras	burn ointment	bârn <u>ó</u>intmânt
pomada oftálmica	eye ointment	<u>a</u>i <u>ó</u>intmânt
preservativo	condom	k<u>ó</u>ndâm
quinino	quinine	ku<u>i</u>n<u>i</u>n
remédio	remedy; medicine	r<u>é</u>mâdi; m<u>é</u>dsin
remédio contra dor de ouvido	ear drop	i<u>a</u>r dr<u>ó</u>p
repelente de insetos	insect repellent	<u>i</u>nsékt rip<u>é</u>lânt
sonífero	sleeping pill	sl<u>i</u>pinh pil
sudorífero	diaphoretic	daiâfâr<u>é</u>tik
supositório	suppository	sâp<u>ó</u>zitâri
talco	talcum powder	t<u>é</u>lkâm p<u>a</u>udâr
termômetro (clínico)	(clinical) thermometer	(kl<u>i</u>nikâl) *th*ârm<u>ó</u>mitâr
tintura	tincture	t<u>i</u>nktchâr
tintura de iodo	tincture of iodine	t<u>i</u>nktchâr óv <u>a</u>iâdin
tônico	tonic	t<u>ó</u>nik
tônico digestivo	digestive tonic	daidj<u>é</u>stiv t<u>ó</u>nik
valeriana	valerian	v<u>â</u>liriân
vaselina	vaseline	v<u>é</u>ssilin
xarope contra tosse	cough mixture	kóf m<u>i</u>kstchâr

No médico

Traga um médico depressa, por favor!
Please, get a doctor quickly!
pli:z, guét â dóktâr kuikli

Há algum médico no hotel?
Is there a doctor in the hotel?
iz dhé:r â dóktâr in dhâ houtél

Chame um médico, por favor.
Please, fetch a doctor.
pli:z, fétch â dóktâr

Onde há um médico?
Where is there a doctor?
ué:r iz dhé:r â dóktâr

Ele pode vir aqui?
Can he come here?
kén hi kâm hiâr

Onde há um hospital?
Where is there a hospital?
ué:r iz dhé:r â hóspitâl

Quando o médico dá consulta?
What time does the doctor have his *surgery (consulting hours)*?
uót taim dâz dhâ dóktâr hév hiz sârjâri (kânsâltinh auârz)

O senhor poderia vir *ao (à)* ...?
Could you come to the ...?
ku:d iu: kâm tu dhâ ...

Estou doente.
I am ill.
ai ém il

***Meu marido (Minha mulher, Nosso filho)* está doente.**
My husband (My wife, Our child) is ill.
mai hâzbând (mai uaif, auâr tchaild) iz il

Estrangeiros em território inglês são atendidos gratuitamente através do National Health Service.

---

cirurgião	surgeon	sârdjân
clínico geral	general practitioner	djénârâl préktichânâr
dermatologista	dermatologist	dârmâtólâdjist
especialista	specialist	spéchâlist
ginecologista	gynaecologist	gainâkólâdjist
internista	specialist for internal diseases	spéchâlist fór intârnâl dizi:zâ
médico	doctor	dóktâr
neurologista	neurologist	niurólâdjist

No médico 163

oculista	oculist	ókiulist
otorrinolaringologista ...	ear, nose and throat specialist	íâr, nouz énd throut spéchâlist
pediatra	paediatrician	pi:diâtrichân
urologista	urologist	iurólâdjist
consultório	surgery	sârdjâri
horas de consulta	surgery; consulting hours	sârdjâri; kânsâltinh auârz
laboratório	laboratory	lâbórâtâri
sala de espera	waiting-room	ueitinh ru:m

Não tenho me sentido bem há alguns dias.
I haven't felt well for some days.
ai hévânt félt uél fór sâm deiz

Estou com *dor de cabeça (dor de barriga, dor de garganta).*
I have a *headache (bellyache, sore throat).*
ai hév â hédeik (bélieik, sór throut).

Estou com *(uma)* dor *(intensa, lancinante)* aqui.	**Está doendo aqui.**
I have a *(severe, stabbing)* pain here.	It hurts here.
ai hév â (sivir, stébinh) pein hiâr	it hârts hiâr

Estou com febre (alta).	**Peguei um resfriado.**
I have a (high) temperature.	I've caught a cold.
ai hév â (hai) témprâtchâr	aiv kó:t â kould

O calor (A comida) não me faz bem.
The heat (food) doesn't agree with me.
Thâ hi:t (fu:d) dâzânt âgri uith mi

Meu estômago está desarranjado.	**Comi ...**
My stomach is out of order.	I ate ...
mai stâmâk iz aut óv órdâr	ai eit ...

Vomitei.	**Estou com enjoo.**
I was sick.	I feel sick.
ai uóz sik	ai fil sik

Estou *sem apetite (com diarreia).*	**Estou com prisão de ventre.**
I have *no appetite (diarrhoea).*	I am constipated.
ai hév nou épâtait (daiâriâ)	ai ém kónstipeitid

Meus olhos estão doendo.
My eyes hurt.
mai aiz hârt

Não consigo dormir.
I can't sleep.
aiként slip

Tenho calafrios.
I have the shivers.
ai hév dhâ chivârz

Sou diabético.
I am a diabetic.
ai ém â daiâbétik

Levei um tombo.
I fell down.
ai fél daun

... está inchado (estão inchados).
... is (are) swollen.
... iz (ar) suoulân

Estou com dor de ouvido.
I've got earache.
aiv gót iâr eik

Tenho enjoo com frequência.
I often feel sick.
ai ófân fil sik

Não consigo me mexer ...
I can't move ...
aiként muv ...

Estou grávida.
I'm expecting a baby.
aim ikspéktinh â beibi

Torci meu tornozelo.
I've sprained my ankle.
aiv spreind mai énkâl

É grave?
Is it serious?
iz it siriâs

Sinto-me *um pouco (muito)* melhor.
I feel *a bit (much)* better.
ai fil â bit (mâtch) bétâr

O senhor poderia me receitar ...?
Could you prescribe ... for me?
ku:d iu: priskraib ... fór mi

O senhor poderia me dar um atestado médico?
Could you give me a doctor's certificate?
ku:d iu: guiv mi â dóktârz sârtifikât

Eu gostaria de ser imunizado contra ...
I'd like to be immunized against ...
aid laik tu bi imiunaizd âguénst ...

No médico

O médico lhe dirá:

Poderia despir-se, por favor?
Would you get undressed, please.
uu:d iu: guét ândrést, pli:z

Respire fundo.
Breathe deeply.
bri:*th* dipli

Dói?
Does it hurt?
dâz it hârt

Abra a boca.
Open your mouth.
oupân ió:r mau*th*

Mostre a língua.
Put out your tongue.
put aut ió:r tân(g)

Tussa.
Cough.
kóf

O que andou comendo?
What have you been eating?
uót hév iu: bin i:tinh

Desde quando está doente?
Since when have you been ill?
sins uén hév iu: bin il

Será preciso fazer um exame de *sangue (urina)*.
We shall have to do a *blood (urine)* test.
ui chél hév tu du â blâd (iurin) tést

Terá que fazer uma operação.
You will have to have an operation.
iu: uil hév tu hév én ópâreichân

Vou encaminhá-lo *ao (à)* ...
I'm going to send you to ...
aim gouinh tu sénd iu: tu ...

Não deve *fumar (beber)*.
You mustn't *smoke (drink)*.
iu: mâssânt smouk (drink)

Deverá *ficar de cama (seguir um regime rigoroso)*.
You will have to *stay in bed (keep to a strict diet)*.
iu: uil hév tu stei in béd (kip tu â strikt daiât)

Fique alguns dias de cama.
Stay in bed for a few days.
stei in béd fór â fiu deiz

Tome *dois comprimidos (dez gotas)* três vezes por dia.
Take *two tablets (ten drops)* three times a day.
teik tu: téblits (tén dróps) *th*ri taimz â dei

Não é nada grave.
It's nothing serious.
its nâ*th*inh siriâs

Volte em uma semana.
Come back in a week('s time).
kâm bék in â uik(s taim)

Partes do corpo e funções

abdômen	abdomen	ébdâmân
amígdalas	tonsils	tónsâlz
apêndice	appendix	âpêndiks
artéria	artery	artâri
articulação	joint	djóint
axila	armpit	armpit
bacia	pelvis	pélvis
baço	spleen	splin
barriga	belly	béli
barriga da perna	calf	kaf
bexiga	bladder	blédâr
boca	mouth	mau*th*
bochecha	cheek	tchik
braço	arm	arm
cabeça	head	*h*éd
cabelo	hair	*h*é:r
calcanhar	heel	*h*il
cérebro	brain	brein
circulação	circulation	sârkiuleichân
clavícula	collarbone	kólârboun
coluna vertebral	spine; vertebral column	spain; vârtibrâl kólâm
coração	heart	*h*art
corpo	body	bódi
costas	back *(sing)*	bék
costela	rib	rib
cotovelo	elbow	élbou
coxa	thigh	*th*ai
crânio	skull	skâl
dedo	finger	fi̱nh(g)âr
– anular	*ring (third)* finger	rinh (*th*ârd) fi̱nh(g)âr
– dedo médio	middle finger	mi̱dâl fi̱nh(g)âr
– dedo mínimo	little finger	li̱tâl fi̱nh(g)âr
– indicador	forefinger	fórfinh(g)âr
– polegar	thumb	*th*âm
dedo do pé	toe	tou
dente	tooth	tu:*th*

digestão	digestion	didjéstchân
disco vertebral	vertebral disc	vârtibrâl disk
espinha	spine	spain
estômago	stomach	stâmâk
evacuação	bowel movement	bauâl muvmânt
fígado	liver	livâr
garganta	throat	*th*rout
glândula	gland	glénd
gravidez	pregnancy	prégnânsi
intestino	intestine	intéstin
joelho	knee	ni
lábio	lip	lip
laringe	larynx	lérinks
língua	tongue	tân(g)
mão	hand	*h*énd
maxilar	jaw	djó:
– mandíbula	lower jaw	louâr djó:
– maxilar superior	upper jaw	âpâr djó:
medula espinhal	spinal cord	spainâl kórd
membrana mucosa	mucous membrane	miukâs mémbrein
membros	limbs	limz
menstruação	menstruation	ménstrueichân
metabolismo	metabolism	mitébâlizâm
músculo	muscle	mâssâl
nariz	nose	nouz
nervo	nerve	nârv
nuca	nape (of the neck)	neip (óv *dh*â nék)
olho	eye	ai
ombro	shoulder	chouldâr
omoplata	shoulder blade	chouldâr bleid
orelha	ear	iâr
órgãos genitais	sex organs; genitals	séks órgânz; djénitâlz
osso	bone	boun
ouvido	ear	iâr
palato	palate	pélât
pálpebra	eyelid	ailid
pé	foot	fu:t

peito	breast; chest	brést; tchést
peito do pé	instep	i̱nstép
pele	skin	skin
perna	leg	lég
pescoço	neck	nék
pressão arterial	blood pressure	blâd pre̱chârr
pulmão	lung	lân(g)
pulso	wrist	rist
quadril	hip	*h*ip
queixo	chin	tchin
respiração	breathing; respiration	bri:*th*inh; résparêichân
rim	kidney	ki̱dni
rosto	face	fe̱is
rótula	kneecap	ni̱kép
sangue	blood	blâd
seio frontal	frontal *cavity (sinus)*	frâ̱ntâl ke̱vâti (sa̱inâs)
seio maxilar	maxillary sinus	méksi̱lâri sa̱inâs
sola do pé	sole of the foot	so̱ul óv *dh*â fu:t
têmpora	temple	témpâl
tendão	tendon; sinew	ténde̱n; si̱niu
testa	forehead	fo̱rid
tíbia	tibia; shin	ti̱biâ; chin
tímpano	eardrum	i̱ârdrâm
tórax	thorax	*th*óréks
tornozelo	ankle	e̱nkâl
unha	(finger)nail	(fi̱nh(g)âr)neil
urina	urin	iurin
veia	vein	ve̱in
vesícula biliar	gall bladder	gó:l blédâr

Doenças

abscesso	abscess	e̱bsés
afecção cardíaca	heart disease	*h*art dizi̱:z
alergia	allergy	e̱lârdji
amigdalite	tonsillitis	tónsila̱itis
anemia	anaemia	âni̱miâ

Doenças

apendicite	appendicitis	âpêndissaitis
apoplexia	stroke	strouk
artrite	arthritis	ar*th*raitis
asma	asthma	ésmâ
ataque	attack; fit	âték; fit
ataque cardíaco	heart attack	hart âték
azia	heartburn	hartbârn
bronquite	bronchitis	brónkaitis
cãibra	cramp	krémp
calafrio	shivering fit	chivârinh fit
cálculo biliar	gallstone	gó:lstoun
cálculo renal	kidney stone	kidni stoun
câncer	cancer	kénsâr
catapora	chickenpox	tchikinpóks
caxumba	mumps	mâmps
choque	shock	chók
ciática	sciatica	saiétikâ
cólera	cholera	kólârâ
cólica	colic	kólik
concussão	concussion	kânkâchân
conjuntivite	conjunctivitis	kândjânktivaitis
contusão	bruise	bru:z
coqueluche	whooping cough	hu:pinh kóf
desmaio	faint	feint
diabetes	diabetes	daiâbitiz
diarreia	diarrhoea	daiâriâ
difteria	diphtheria	dif*th*iriâ
disenteria	dysentery	dissântri
distensão do tendão	pulled tendon	puld téndân
distúrbio circulatório	circulatory disturbance	sârkiulâtâri distârbâns
distúrbio respiratório	difficulty in breathing	difikâlti in bri:*th*inh
doença	illness; disease	ilnis; dizi:z
- doença contagiosa	infectious disease	infékchâs dizi:z
doença de pele	skin disease	skin dizi:z
doença venérea	venereal disease	vâniriâl dizi:z
dor	pain	pein
dor de barriga	bellyache	bélieik

Doenças

dor de cabeça	headache	h_é_deik
dor de estômago	stomach pains	st_â_mâk p_ei_nz
dor de garganta	sore throat	sór *th*r_ou_t
dor nas costas	backache	b_é_keik
enjoo	air sickness; seasickness; sickness; nausea	é:r s_i_knâs; s_i_:ssiknâs; s_i_knâs; n_ó_:ziâ
enterite	enteritis	ént_â_r_ai_tis
entorse	sprain	spr_ei_n
envenenamento	poisoning	p_ó_izâninh
enxaqueca	migraine	m_i_grein
erupção	rash	réch
escarlatina	scarlet fever	sk_a_rlit f_i_vâr
esfoladura	graze	gr_ei_z
febre	fever; temperature	f_i_vâr; t_é_mprâtchâr
febre de feno	hay fever	h_ei_ f_i_vâr
ferida	wound	u_u_:nd
– corte	cut	kât
ferimento	injury	_i_ndjâri
flatulência	wind; flatulence	u_i_nd; fl_é_tiulâns
fratura	fracture	fr_é_ktchâr
frieira	frostbite	fr_ó_stbait
furúnculo	boil	b_ói_l
gripe	influenza; flu	influ_é_nzâ; flu
hemorragia	haemorrhage; bleeding	h_é_mârridj; bl_i_dinh
hemorragia nasal	nosebleed	n_ou_zblid
hemorroidas	haemorrhoids; piles	h_é_mâróidz; pailz
hepatite	hepatitis	h_é_pâta_i_tis
icterícia	jaundice	dj_ó_:ndis
inchaço	swelling	su_é_linh
indigestão	indigestion	indidj_é_stchân
infarto do miocárdio	cardiac infarction	k_a_rdiék inf_a_rkchân
inflamação	inflammation	inflâm_ei_chân
inflamação do olho	inflammation of the eye	inflâm_ei_chân óv *dh*i _ai_
insolação	sunstroke	s_â_nstrouk

Doenças

insônia	insomnia	insómniâ
intoxicação alimentar	food poisoning	fu:d póizâninh
leucemia	leukaemia	lu:ki:miâ
lumbago	lumbago	lâmbeigou
luxação	dislocating	dislâkeitinh
náusea	nausea; sickness	nó:ziâ; siknâs
nefrite	nephritis	nifraitis
nevralgia	neuralgia	niuréldjâ
otite média	inflammation of the middle ear	inflâmeichân óv dhâ midâl iâr
paralisia	paralysis	pârélissis
pleurisia	pleurisy	plu:rissi
pneumonia	pneumonia	niumouniâ
poliomielite	poliomyelitis; polio	poulioumaiâlaits; pouliou
pontada	stitch	stitch
pressão arterial	blood pressure	blâd préchâr
– alta	high	hai
– baixa	low	lou
prisão de ventre	constipation	kónstipeichân
queimadura	burn	bârn
queimadura de sol	sunburn	sânbârn
resfriado	cold; chill	kould; tchil
reumatismo	rheumatism	ru:mâtizâm
rouquidão	hoarseness	hó:rsnâs
rubéola	German measles	djârmân mi:zâlz
sarampo	measles	mi:zâlz
septicemia	blood poisoning	blâd póizâninh
supuração	suppuration	sâpiureichân
tétano	tetanus	tétânâs
tifo	typhoid	taifóid
tosse	cough	kóf
trismo	lock jaw	lók djó:
tuberculose	tuberculosis	tiubârkiuloussis
tumor	tumour	tiumâr
úlcera	ulcer	âlsâr
úlcera péptica	peptic ulcer	péptik âlsâr
varíola	smallpox	smó:lpóks
vertigem	dizziness	dizinâs
vômito	vomiting	vómitinh

No hospital

anestésico	anaesthetic	énâs*th*étik
boletim de alta	certificate of discharge	sârtifikât óv distchardj
cama	bed	béd
contagem de glóbulos	blood count	blâd kaunt
curva de temperatura	temperature chart	témprâtchâr tchart
dar alta	to discharge	tu distchardj
diagnóstico	diagnosis	daiâgnoussis
enfermaria	ward	uórd
enfermeira-chefe	matron; sister	meitrân; sistâr
enfermeira noturna	night nurse	nait nârs
enfermeiro, enfermeira	nurse	nârs
exame	examination	igzémineichân
exame de sangue	blood test	blâd tést
examinar	to examine	tu igzémin
horário de visita	visiting hours	vizitinh auârz
hospital	hospital	hóspitâl
injeção	injection	indjékchân
médico	doctor	dóktâr
médico-chefe	medical superintendent	médikâl siupârinténdânt
operação	operation	ópâreichân
operar	to operate	tu ópâreit
paciente	patient	peichân
radiografar	to X-ray	tu éks rei
radiografia	X-ray	éks rei
sala de cirurgia	operating theatre	ópâreitinh *th*iâtâr
temperatura	temperature	témprâtchâr
transfusão de sangue	blood transfusion	blâd trénsfiujân
urinol	bedpan	bédpén

Enfermeira, poderia me dar alguma coisa *contra dor (para dormir)*?
Nurse, could I have something *for the pain (to make me sleep)*?
nârs, ku:d ai hév sâm*th*inh fór *dh*â pein (tu meik mi slip)

Quando poderei levantar-me?
When may I get up?
uén mei ai guét âp

Qual é o diagnóstico?
What's the diagnosis?
uóts *dh*â daiâgnoussis

No dentista

Onde há um dentista?
Whereabouts is there a dentist?
u**é**:râbauts iz *dh***é**:r â d**é**ntist

Gostaria de marcar uma hora.
I'd like to make an appointment.
aid l**ai**k tu m**ei**k én âp**ó**intmént

Estou com dor de dente.
I've got a toothache.
aiv gót â tu:*th*eik

Está doendo aqui.
It hurts here.
it *h*ârts *h*iâr

Este dente está doendo.
This tooth hurts.
*dh*is tu:*th h*ârts

– aqui em cima (os dentes de cima).
– up here (the top teeth).
– âp *h*iâr (*dh*â tóp ti*th*)

– aqui embaixo (os dentes de baixo).
– down here (the bottom teeth).
– d**au**n *h*iâr (*dh*â b**ó**tâm ti*th*)

Caiu uma obturação.
A filling has fallen out.
â f**i**linh héz f**ó**:lân **au**t

O dente está mole.
The tooth is loose.
*dh*â tu:*th* iz lu:s

Terei que arrancar o dente?
Will I have to have the tooth pulled out?
u**i**l **ai** hév tu hév *dh*â tu:*th* puld **au**t

... quebrou.
... has broken off.
... héz br**ou**kân óf

Poderia fazer um serviço provisório no dente?
Could you do a temporary job on the tooth?
ku:d i**u**: du â t**é**mpârâri djób ón *dh*â tu:*th*

Poderia consertar esta dentadura?
Could you repair these dentures?
ku:d i**u**: rip**é**:r *dh*i:z d**é**ntchârz

No dentista

*Não *coma nada (fume)* durante duas horas, por favor.
Don't *eat anything (smoke)* for two hours, please.
d<u>ou</u>nt i:t <u>é</u>ni*th*inh (sm<u>ou</u>k) fór tu: <u>au</u>ârz, pli:z

Quando devo voltar?
When should I come back?
u<u>é</u>n chu:d <u>ai</u> kâm bék

abscesso	abscess	<u>é</u>bsés
anestesia	anaesthesia	énâs*th*<u>i</u>ziâ
– anestesia local	local anaesthesia	l<u>ou</u>kâl énâs*th*<u>i</u>ziâ
aparelho de dente	brace	br<u>ei</u>s
cárie	caries	k<u>é</u>:riz
clínica dentária	dental clinic	d<u>é</u>ntâl kl<u>i</u>nik
colo do dente	neck of a tooth	nék óv â tu:*th*
coroa dentária	crown	kr<u>au</u>n
dentadura	dentures *(pl)*; dental plate	d<u>é</u>ntchârz; d<u>é</u>ntâl pl<u>ei</u>t
dente	tooth	tu:*th*
– dente canino	*eye (canine)* tooth	<u>ai</u> (k<u>ei</u>nain) tu:*th*
– dente do siso	wisdom tooth	u<u>i</u>zdâm tu:*th*
– incisivo	incisor	ins<u>ai</u>zâr
– molar	molar	m<u>ou</u>lâr
dente postiço	false tooth	fóls tu:*th*
dentista	dentist	d<u>é</u>ntist
dor de dente	toothache	tu:*th*eik
extrair	to extract	tu ikstr<u>é</u>kt
gengivas	gums	gâmz
injeção	injection	indj<u>é</u>kchân
maxilar	jaw	djó:
molde de gesso	plaster cast	pl<u>a</u>stâr kast
nervo	nerve	nârv
obturação	filling	f<u>i</u>linh
obturação provisória	temporary filling	t<u>é</u>mpârâri f<u>i</u>linh
obturar	to fill	tu fil
pivô	pivot tooth	p<u>i</u>vât tu:*th*
ponte	bridge	bridj
raiz	root	ru:t
tártaro	tartar	t<u>a</u>rtâr
tratamento da raiz	root treatment	ru:t tr<u>i</u>:tmânt

Estação de águas

água do mar	sea water	si: u̲ótâr
balneário	spa; watering place	spa; u̲ótârinh pl̲eis
banho	bath	ba*th*
banho de água mineral	mineral bath	mi̲nârâl ba*th*
banho de lama	mud bath	mâd ba*th*
banho de vapor	vapour bath	ve̲ipâr ba*th*
casa de convalescença	convalescent home	kónvâl̲éssânt h̲oum
compressa	pack	pék
estação de repouso	health resort	hél*th* rizórt
estadia	stay	st̲ei
fonte de água medicinal	medicinal spring	médi̲ssinâl sprinh
fonte de água mineral	mineral spring	mi̲nârâl sprinh
fonte de água termal	hot spring	*h*ót sprinh
ginástica	gymnastics *(pl)*	djimn̲ḗstiks
inalar	to inhale	tu inh̲eil
lama	mud	mâd
massagear	to massage	tu m̲éssadj
massagem	massage	m̲éssadj
massagista *(homem)*	masseur	méss̲âr
massagista *(mulher)*	masseuse	méss̲âz
minerais	minerals	mi̲nârâlz
ondas curtas	short-wave *(sing)*	chórt ueiv
professor de natação	bath instructor	ba*th* instr̲âktâr
radioterapia	ray therapy	re̲i *th*ḗrâpi
raios ultravioleta	ultra-violet rays	âltrâ vâi̲âlit re̲iz
recinto da fonte	pump room	pâmp ru:m
regime	diet	d̲aiât
sanatório	sanatorium	sénât̲óriâm
sauna	sauna	s̲ó:nâ
taxa de turismo	visitor's tax	vi̲zitârz téks
tratamento	cure; treatment	ki̲ur; tri̲:tmânt
tratamento de repouso	rest cure	rést ki̲ur
ultrassom	ultra-sound	âltrâ s̲aund

CONCERTO, TEATRO, CINEMA

Compra de ingressos

O que representarão esta noite?
What are they playing this evening?
uót ar dhei pleiinh dhis ivninh

Quando começa *a representação (o concerto)*?
When does the *performance (concert)* begin?
uén dâz dhâ pârfórmâns (kónsârt) biguin

Onde se podem comprar ingressos?
Where can one get tickets?
ué:r kén uân guét tikits

Há alguma redução para ...?
Is there any reduction for ...?
iz dhé:r éni ridâkchân fór ...

Ainda há entradas para *hoje (amanhã)* à noite?
Are there still tickets for *tonight (tomorrow night)*?
ar dhé:r stil tikits fór tânait (tâmórou nait)

Uma entrada para a *terceira (décima)* fila, por favor.
A ticket for the *third (tenth)* row, please.
â tikit fór dhâ thârd (ténth) rou, pli:z

Dois lugares na terceira fila do primeiro balcão, por favor.
Two seats in the third row of the dress circle, please.
tu: si:ts in dhâ thârd rou óv dhâ drés sârkâl, pli:z

– no meio.	– na lateral.
– in the middle.	– at the side.
– in dhâ midâl	– ét dhâ said

assento(s)	seat(s)	si:t(s)
balcão	circle	sârkâl
– primeiro balcão	dress circle	drés sârkâl
– segundo balcão	upper circle	âpâr sârkâl
camarote	box	bóks
fila	row	rou
lotado	sold out; house full	sould aut; haus ful
lugar	seat	si:t
plateia	stall; pit	stó:l; pit

Concerto, teatro

abertura	ouverture	o̱uvârtiur
acompanhamento	accompaniment	âḵâmpâniménte
aplauso	applause	âpló̱:z
ária	aria	a̱riâ
ato	act	ékt
ator	actor	éḵtâr
atriz	actress	éḵtris
bailarino	dancer	da̱nsâr
baixo	bass	beis
balé	ballet	bélei
banda	band	bénd
barítono	baritone	béritoun
bilheteria	booking office	bu̱:kinh ó̱fis
binóculo de teatro	opera glasses	ó̱pârâ glassiz
canção	song	só̱n(g)
– canção popular	folk song	fo̱uk só̱n(g)
canto	singing	si̱nhinh
cantor	singer	si̱nhâr
cantora	singer	si̱ngâr
cenário	set; scenery	sét; si̱nâri
começo	beginning; start	bigui̱ninh; start
comédia	comedy	kó̱midi
compositor	composer	kâmpo̱uzâr
concerto	concert	kó̱nsârt
concerto sinfônico	symphony concert	si̱mfâni kó̱nsârt
contralto	contralto	kó̱ntré̱ltou
coro	choir	kua̱ir
cortina	curtain	kâ̱rtân
direção	direction; production	diré̱kchân; prâdâ̱kchân
drama	drama	dra̱mâ
dueto	duet	diué̱t
entrada	ticket	ti̱kit
ficha do vestiário	cloakroom ticket	klo̱ukru:m ti̱kit
fim	end	énd
foyer	foyer	fó̱iei

Concerto, teatro

intervalo	interval	i̱ntârvâl
libreto	libretto	libre̱tou
música	music	mi̱uzik
música de câmara	chamber music	tche̱imbâr mi̱uzik
musical	musical	mi̱uzikâl
nota	note	no̱ut
obra	work	ua̱rk
ópera	opera	o̱pârâ
opereta	operetta	o̱pâre̱tâ
orquestra	orchestra	o̱rkistrâ
palco	stage	ste̱idj
papel	part; role	part; ro̱ul
– papel principal	leading role	li:dinh ro̱ul
peça de teatro	drama; play	dra̱mâ; ple̱i
peça musical	piece of music	pi:s óv mi̱uzik
pianista	pianist	pi̱ânist
piano de cauda	grand piano	grénd pie̱nou
plateia	stall	stó:l
produção	production	prâdâ̱kchân
produtor	producer	prâdiu̱ssâr
programa	programme	pro̱ugrém
programação	programme	pro̱ugrém
recital de canto	song recital	són(g) rissa̱itâl
regente	conductor	kândâ̱ktâr
representação	performance	pârfó̱rmâns
reserva	booking	bu̱:kinh
reserva antecipada	advance booking	âdvans bu̱:kinh
sala de concertos	concert hall	kónsârt hó:l
solista	soloist	so̱ulouist
soprano	soprano	sâpra̱nou
teatro	theatre	thi̱âtâr
tenor	tenor	te̱nâr
texto	text	tékst
tragédia	tragedy	tre̱djidi
vestiário	cloakroom	klo̱ukru:m

Cinema

O que vai passar no cinema esta noite?
What's on the cinema this evening?
uóts ón *dh*â sinâmâ *dh*is ívninh

Quando começa *a venda de ingressos (o filme)*?
When does *booking open (the film begin)*?
uén dâz bu:kinh oupân (*dh*â film biguin)

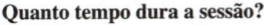

Quanto tempo dura a sessão?
How long does the performance last?
*h*au lón dâz *dh*â pârfórmâns lést

ator de cinema	film actor	film éktâr
cinema	cinema	sinâmâ
cinema ao ar livre	open-air cinema	oupân é:r sinâmâ
curta-metragem	short film	chórt film
desenho animado	cartoon	kartu:n
documentário	documentary	dókiuméntâri
festival de cinema	film festival	film féstivâl
filme	film	film
filme de longa metragem	feature (film)	fí:tchâr (film)
filme em cores	colour film; film in colour	kâlâr film; film in kâlâr
lanterninha *(homem)*	usher *(m)*	âchâr
lanterninha *(mulher)*	usherette *(f)*	âchârét
plateia *(espaço)*	auditorium; house	ó:ditóriâm; *h*aus
público	audience	ó:diâns
roteiro	script	skript
sessão de cinema	film showing	film chouinh
sincronização	synchronization	sinkrânaizeichân
sincronizado	synchronized	sinkrânaizd
tela	screen	skrin
thriller	thriller	*th*rilâr
trailer	trailer	treilâr

PASSATEMPOS

Passatempos

Onde há ...?
Where is there ...?
u<u>é</u>:r iz *dh*é:r ...

um bar	a bar	â bar
uma boate	a nightclub	â n<u>ai</u>tklâb
um campo de minigolfe	a miniature-golf course	â m<u>i</u>nitchâr gólf kó:rs
uma discoteca	a discotheque	â d<u>i</u>skâték
uma escola de equitação	a riding school	â r<u>ai</u>dinh sku:l
uma escola de navegação	a sailing school	â s<u>ei</u>linh sku:l
uma quadra de tênis	a tennis court	â t<u>é</u>nis kó:rt
um rinque de patinação no gelo	an ice rink	én <u>ai</u>s rink
uma sala de bilhar	a billiard-room	â b<u>i</u>liârd ru:m

Eu gostaria de ...
I'd like to ...
<u>ai</u>d l<u>ai</u>k tu ...

assistir ao desfile de moda	watch the fashion show	u<u>ó</u>tch *dh*â f<u>é</u>chân ch<u>ou</u>
jogar minigolfe	play miniature golf	pl<u>ei</u> m<u>i</u>nitchâr gólf
jogar peteca	play badminton	pl<u>ei</u> b<u>é</u>dmintân
jogar pingue-pongue	play table tennis	pl<u>ei</u> t<u>ei</u>bâl t<u>é</u>nis

Vocês têm televisão?
Do you have television?
du i<u>u</u>: hév t<u>é</u>livijân

Posso escutar rádio aqui?
Can I listen to the *wireless (radio)* here?
kén <u>ai</u> l<u>i</u>ssân tu *dh*â u<u>ai</u>rlés (r<u>ei</u>diou) h<u>i</u>âr

Que emissora é esta?
What station is that?
u<u>ó</u>t st<u>ei</u>chân iz *dh*ét

Qual é a programação de hoje?
What's on today?
u<u>ó</u>ts ón tâd<u>ei</u>

Você joga *xadrez (pingue-pongue)*?
Do you play *chess (table tennis)*?
du i<u>u</u>: pl<u>ei</u> tchés (t<u>ei</u>bâl t<u>é</u>nis)

cassino	casino	kâssinou
circo	circus	sârkâs
clube	club	klâb
concurso de beleza	beauty contest	biu:ti kóntést
dado	dice *(sing e pl)*	dais
– jogar dados	to dice; to throw dice	tu dais; tu *th*rou dais
disco	(gramophone) record	(grémâfoun) rékórd
diversão	amusement	âmiuzmânt
– divertir-se	to amuse oneself	tu âmiuz uânsélf
festa popular	public festival	pâblik féstivâl
ficha	chip	tchip
fita	tape	teip
gravador	tape recorder	teip rikórdâr
jogo	game	gueim
– aposta	stake	steik
– apostar	to gamble; to stake	tu guémbâl; tu steik
– banqueiro	banker	bénkâr
– fazer uma jogada	to draw	tu dró:
– jogar	to play	tu plei
– lance	move	muv
– peça	stone; piece	stoun; pi:s
jogo de cartas	game of cards	gueim óv kardz
– copas / ouros	hearts / diamonds	*h*arts / daiâmândz
– cortar	to cut	tu kât
– dar as cartas	to deal	tu di:l
– embaralhar	to shuffle	tu châfâl
– paus / espadas	clubs / spades	klâbz / speidz
– rei / ás	king / ace	kinh / eis
– trunfo	trump	trâmp
– valete / dama	jack / queen	djék / kuin
– vaza / curinga	trick / joker	trik / djoukâr
jogo de damas	draughts *(pl)*	drafts
jogo de salão	*party (round)* game	parti (raund) gueim
jornal	newspaper; paper	niuzpeipâr; peipâr
uma partida	a game	â gueim
passatempo	pastime	pastaim
pingue-pongue	table tennis	teibâl ténis

pista de boliche	bowling alley	boulinh éli
quermesse	fair	fé:r
rádio	radio; wireless	reidiou; uairlés
– ondas curtas	short-wave *(sing)*	chórt ueiv
– ondas longas	long wave *(sing)*	lón(g) ueiv
– ondas médias	medium wave *(sing)*	midiâm ueiv
– ondas ultracurtas	ultra-short wave *(sing)*	âltrâ chórt ueiv
– peça radiofônica	play	plei
revista	magazine	mégâzin
– revista de moda	fashion magazine	féchân mégâzin
– revista ilustrada	illustrated magazine	ilâstreitâd mégâzin
televisão	television	télivijân
– desligar	to switch off	tu suitch óf
– interrupção	breakdown; interruption	breikdaun; intârâpchân
– jogo televisionado	television play	télivijân plei
– ligar	to switch on	tu suitch ón
– locutor	announcer	ânaunsâr
– noticiário	news	niuz
– programa	programme	prougrém
– programação	programme	prougrém
– tela	screen	skrin
toca-discos	record player	rékórd pleiâr
xadrez	chess	tchés
– bispo	bishop	bichâp
– casa	square	skué:r
– cavalo	knight	nait
– peão	pawn	pó:n
– peça	chessman; piece	tchéssmén; pi:s
– rainha	queen	kuin
– rei	king	kinh
– tabuleiro	board	bó:rd
– torre	rook; castle	ru:k; kassâl

Dançar, namorar

Posso lhe fazer companhia?
May I join you?
mei ai djóin iu:

Dançar, namorar

Quer tomar um *café (chá, drinque)*?
Will you (come and) have a *coffee (tea, drink)*?
uíl iu: (kâm énd) hév â kófi (ti:, drink)

Vai fazer alguma coisa esta noite?
Are you doing anything this evening?
ar iu: duinh énithinh dhis ívninh

Vamos dançar?	**Há *uma discoteca (um salão de baile)* por aqui?**
Shall we dance?	Is there a *discotheque (dance hall)* here?
chél ui dans	iz dhé:r â diskáték (dans hó:l) híâr

Posso ter o prazer? (Você me concede a próxima dança?)
May I have the pleasure? (May I have the next dance?)
mei ai hév dhâ pléjâr (mei ai hév dhâ nékst dans)

Você dança muito bem.	**Vamos dançar novamente?**
You dance very well.	Shall we dance again?
iu: dans véri uél	chél ui dans âguén

Aqui podemos conversar tranquilamente.
Here we can talk undisturbed.
híâr ui kén tó:k ândistârbd

Vamos dar uma volta *a pé (de carro)*?
Shall we go for a *walk (drive)*?
chél ui gou fór â uó:k (draiv)

Posso *convidá-lo (convidá-la)* para uma festa?
May I invite you to a party?
mei ai invait iu: tu â parti

Encontrarei você em ...
I'll meet you *at (in)* ...
ail mit iu: ét (in) ...

Esse vestido lhe fica bem.
That dress suits you.
dhét drés siuts iu:

Quando vai me fazer uma visita?
When are you *going to pay me a visit (coming to see me)*?
uén ar iu: gouinh tu pei mi â vízit (kâminh tu si mi)

Dançar, namorar

Quando podemos nos reencontrar?
When can we meet again?
u_én kén u_i mit âgu_én

Posso levá-la para casa?
May I drive you home?
m_ei _ai dr_aiv i_u: h_oum

Onde você mora?
Where do you live?
u_é:r du i_u: liv

Posso acompanhá-la por um trecho?
May I walk part of the way with you?
m_ei _ai u_ó:k part óv *dh*â u_ei u_i*th* i_u:

Muito obrigado(a) pela noite agradável.
Thank you very much for the pleasant evening.
*th*énk i_u: v_éri mâtch fór *dh*â pl_ézânt _ivninh

acompanhar	to accompany;	tu âk_âmpâni;
	to go with	tu g_ou u_i*th*
amar	to love	tu lâv
amor	love	lâv
beijar	to kiss	tu kis
beijo	kiss	kis
convidar	to invite	tu inv_ait
dança	dance	dans
dançar	to dance	tu dans
dar uma volta a pé	to go for a walk	tu g_ou fór â u_ó:k
discoteca	discotheque	d_iskâték
divertir-se	to amuse oneself	tu âmi_uz uâns_élf
encontrar	to meet	tu mit
esperar alguém	to expect somebody	tu iksp_ékt s_âmbódi
festa	party	p_arti
flerte	flirt	flârt
morar	to live	tu liv
reencontrar	to meet again	tu mit âgu_én
salão de baile	dance hall	dans h_ó:l
visitar	to visit	tu v_izit

Na praia

Onde se pode nadar?
Where can one swim?
ué:r kén uân suim

Pode-se nadar aqui?
Can one swim here?
kén uân suim hiâr

Dois ingressos (com cabine), por favor.
Two tickets (with dressing cubicles), please.
tu: tikits (uith dréssinh kiubikâlz), pli:z

Qual é a *profundidade (temperatura)* da água?
How deep (What temperature) is the water?
hau dip (uót témprâtchâr) iz dhâ uótâr

É perigoso para crianças?
Is it dangerous for children?
iz it deindjârâs fór tchildrân

Proibido nadar!
No bathing! (Bathing prohibited!)
nou beithinh (beithinh prâhibitid)

Até que distância se pode nadar?
How far out may one swim?
hau far aut mei uân suim

Há correntezas por aqui?
Are there any currents here?
ardhé:r éni kârânts hiâr

Onde está o professor de natação?
Where's the bath instructor?
ué:rz dhâ bath instrâktâr

***Uma espreguiçadeira (Um guarda-sol)*, por favor.**
A *deckchair (sunshade)*, please.
â déktché:r (sânsheid), pli:z

Quanto custa ...?
What does ... cost?
uót dâz ... kóst

Gostaria de alugar *uma cabine (um barco)*.
I'd like to hire a *cubicle (boat)*.
aid laik tu haiâr â kiubikâl (bout)

Onde *é (são)* ...?
Where *is (are)* ...?
ué:r iz (ar) ...

Gostaria de fazer esqui aquático.
I'd like to go water-skiing.
aid laik tu gou uótâr skiinh

Onde se pode pescar?
Where can one go fishing?
ué:r kén uân gou fichinh

Você se importaria de dar uma olhada nas minhas coisas?
Would you mind keeping an eye on my things?
uu:d iu: maind kipinh én ai ón mai thinhz

água	water	uótâr
areia	sand	sénd
baía	bay	bei
barco	boat	bout
– **barco a motor**	motorboat	moutârbout
– **barco a remo**	rowing boat	rouinh bout
– **bote inflável**	rubber dinghy	râbâr dinhi
– **pedalinho**	pedal boat	pédâl bout
– **veleiro**	sailing boat	seilinh bout
cabine	(dressing) cubicle	(dréssinh) kiubikâl
calção de banho	*bathing (swimming) trunks (pl)*	beidhinh (suiminh) trânks
colchão de ar	air mattress	é:r métris
concha	shell	chél
duna	sand dune	sénd diun
equipamento de mergulho	diving equipment	daivinh ikuipmânt
maiô *(de mulher)*	swimsuit	suimsiut
medusa	jellyfish	djélifich
mergulhar	to dive	tu daiv
nadador	swimmer	suimâr
nadar	to bathe; to swim	tu beidh tu suim
não-nadador	non swimmer	nón suimâr
natação	bathe; swim	beidh; suim
onda	wave	ueiv
praia	beach	bi:tch
praia de areia	sandy beach	séndi bi:tch
roupão de banho	bathrobe	bathroub
salinidade	salinity	sâliniti
temperatura da água	water temperature	uótâr témprâtchâr
temperatura do ar	air temperature	é:r témprâtchâr
tomar banho de sol	to sunbathe	tu sânbeith
touca de natação	*bathing (swim) cap*	beidhinh (suim) kép

Esportes

Que eventos esportivos realizam-se aqui?
What sporting events are there here?
uót spórtinh ivénts ar dhé:r hiâr

Onde é o *estádio (campo de futebol)*?
Where is the *stadium (football ground)*?
ué:r iz dhâ steidiâm (futbó:l graund)

Esportes 187

*Hoje ... joga com ...
Today ... is playing with ...
tâd<u>ei</u> ... iz pl<u>ei</u>inh u<u>i</u> ...

Eu gostaria de assistir *ao jogo (à corrida, à luta)*.
I'd like to watch the *match (race, fight)*.
<u>a</u>id l<u>ai</u>k tu u<u>ó</u>tch *dh*â métch (r<u>ei</u>s, f<u>ai</u>t)

Quando (Onde) será o jogo de futebol?
When (Where) is the football match?
u<u>é</u>n (u<u>é</u>:r) iz *dh*â f<u>u</u>tbó:l métch

Você poderia nos conseguir ingressos?   **Gol!**
Could you get us tickets for it?   Goal!
ku:d i<u>u</u>: g<u>ué</u>t âs t<u>i</u>kits fór it   g<u>ou</u>l

Qual é o placar?   ***É de três a dois para ...**
What's the score?   The score's three to two for ...
u<u>ó</u>ts *dh*â skór   *dh*â skórs *th*ri tu tu: fór ...

Aqui há uma piscina *ao ar livre (coberta)*?
Is there an *open-air (indoor)* swimming pool here?
iz *dh*ér én <u>ou</u>pan é:r (<u>i</u>ndó:r) s<u>ui</u>minh pu:l h<u>i</u>âr

Que esporte você pratica?
What sport do you go in for?
u<u>ó</u>t spórt du i<u>u</u>: g<u>ou</u> in fór

Sou ...	**Jogo ...**	**Adoro ...**
I'm ...	I play ...	I'm keen on ...
<u>ai</u>m ...	<u>ai</u> pl<u>ei</u> ...	<u>ai</u>m kin ón ...

alpinismo.................... rock-climbing; .... rók kl<u>ai</u>minh;
                                 mountaineering .... mauntân<u>i</u>rinh
– alpinista.................. mountaineer.................... mauntân<u>i</u>jâr
andar de trenó .... to toboggan .... tu tâb<u>ó</u>gân
– trenó........................ toboggan .... tâb<u>ó</u>gân
atletismo .... athletics .... *éthl*<u>é</u>tiks
basquete .... basketball .... b<u>a</u>skitbó:l
boliche .... skittles; ninepins............. sk<u>i</u>tâlz; n<u>ai</u>npinz

188 Esportes

caça	hunting; shooting	h*a*ntinh; chutinh
– licença de caça	shooting licence	chu:tinh l*a*issâns
ciclismo	cycling	s*ai*klinh
– andar de bicicleta	to cycle	tu s*ai*kâl
– bicicleta	bicycle	b*ai*ssikâl
– ciclista	cyclist	s*ai*klist
– corrida de bicicleta	cycle race	s*ai*kâl r*ei*s
competição	match; contest	métch; kóntést
– campeonato	championship	tchémpiânchip
– derrota	defeat	difi:t
– empate	draw	dró:
– gol	goal	goul
– início	start	start
– jogar	to play	tu pl*ei*
– jogo	game	gu*ei*m
– partida	match	métch
– ponto	point	póint
– resultado	result	riz*a*lt
– tempo	half-time	*h*af t*ai*m
– treinamento	training	tr*ei*ninh
– vitória	victory; win	viktâri; u*i*n
corrida de galgos	greyhound racing	gr*ei*haund r*ei*ssinh
corrida de veículos motorizados	motor racing	moutâr r*ei*ssinh
– carro de corrida	racing car	r*ei*ssinh kar
– corrida	race	r*ei*s
– piloto de corrida	racing driver	r*ei*ssinh dr*ai*vâr
críquete	cricket	kr*i*kit
equitação	riding	r*ai*dinh
– andar a cavalo	to ride a horse	tu r*ai*d â *h*órs
– cavaleiro	rider	r*ai*dâr
– cavalo	horse	*h*órs
– corrida de cavalos	horse racing	*h*órs r*ei*ssinh
– corrida de trote	trotting race	trótinh r*ei*s
– saltar	to jump	tu djâmp
esgrima	fencing	fénsinh
esporte	sport	spórt
– clube esportivo	sports club	spórts klâb
– esportista *(homem)*	sportsman	spórtsmén

– esportista *(mulher)*	sportswoman	spórts u̲u̲mân
esqui	skiing	ski̲i̲nh
– cera de esqui	ski wax	ski u̲e̲ks
– esqui	ski	ski
– esquiar	to ski	tu ski
– plataforma de salto de esqui	ski jump	ski djâmp
– salto de esqui	ski jump	ski djâmp
– teleférico de esqui	ski lift	ski lift
ginástica	gymnastics *(pl)*	djimne̲stiks
– ginasta	gymnast	djimne̲st
ginástica de aparelhos	gymnastics *(pl)* with apparatus	djimne̲stiks ui̲*th* épâre̲itâs
– argolas	rings	rinhz
– barra fixa	horizontal bar	*h*órizo̲ntâl bar
– barras paralelas	parallel bars	pe̲râlél barz
– trave	beam	bi:m
golfe	golf	gólf
– jogar golfe	to play golf	tu ple̲i gólf
handebol	handball	*h*e̲ndbó:l
hóquei	hockey	*h*óki
jogo de futebol	football match	fu̲tbó:l métch
– bola	ball	bó:l
– escanteio	corner	kórnâr
– falta	free kick	fri kik
– gol	goal	goul
– impedimento	offside	ófsaid
– jogar futebol	to play football	tu ple̲i fu̲tbó:l
– lateral	throw-in	*th*ro̲u in
– pênalti	penalty (kick)	pe̲nâlti (kik)
judô	judo	djudou
luta	wrestling	re̲sslinh
– lutador	wrestler	re̲sslâr
– lutar	to wrestle	tu re̲ssâl
luta de boxe	fight	fa̲it
– boxeador	boxer	bo̲ksâr
– boxear	to box	tu bóks
natação	swimming	sui̲minh
– mergulho	dive	da̲iv
– nadador	swimmer	sui̲mâr

Esportes 189

– trampolim	springboard	sprínhbó:rd
patinação artística	figure skating	fígâr skéitinh
– patinador	skater	skéitâr
– patinar	to skate	tu skéit
– patins	skates	skéits
pesca	fishing	fíchinh
– licença de pesca	fishing licence	fíchinh láissâns
– pescar	to fish	tu fích
– vara de pesca	fishing rod	fíchinh ród
regata	boat race	bout reis
– barco de corrida	racing boat	réissinh bout
remo	rowing	róuinh
– barco a remo	rowing boat	róuinh bout
– remador	oarsman	ó:rzmén
– timoneiro	cox	kóks
tênis	tennis	ténis
– bola de tênis	tennis ball	ténis bó:l
– jogar tênis	to play tennis	tu plei ténis
– jogo de *simples (duplas)*	*singles (doubles)*	síngâlz (dâbâlz)
– pingue-pongue	table-tennis	teibâl ténis
– quadra de tênis	tennis court	ténis kó:rt
time	team	ti:m
– árbitro	referee	réfâri
– atacante	forward	fóruârd
– goleiro	goalkeeper	góulkipâr
– jogador	player	pleiâr
– zagueiro	full-back	ful bék
tiro	shooting	chu:tinh
– alvo	target	târguit
– atirar	to shoot	tu chu:t
– estande de tiro	rifle range	ráifâl réindj
– tiro ao disco	clay-pigeon shooting	klei pídjin chu:tinh
vela *(esporte)*	sailing	séilinh
– vela *(de barco)*	sail	seil
– veleiro	sailing boat	séilinh bout
– velejar	to sail	tu seil
voleibol	volleyball	vólibó:l

APÊNDICE

Anúncios e advertências

ADMISSION FREE	**Entrada gratuita**
ARRIVAL	**Chegada**
BATHING PROHIBITED	**Proibido nadar**
BEWARE OF THE DOG	**Cuidado com o cachorro**
BEWARE OF TRAINS	**Cuidado com o trem**
CAUTION	**Cuidado**
CLOSED	**Fechado**
DANGER (OF DEATH)	**Perigo (de morte)**
DO NOT LEAN OUT	**Não se debruce**
DO NOT OPEN	**Não abra**
DEPARTURE	**Partida**
ENTRANCE	**Entrada**
ESCALATOR	**Escada rolante**
(EMERGENCY) EXIT	**Saída (de emergência)**
FIRE EXTINGUISHER	**Extintor de incêndio**
FIRST FLOOR	**Primeiro andar**
FOR SALE	**Vende-se**
GENTLEMEN	**Cavalheiros**
GROUND FLOOR	**Andar térreo**
KEEP OFF THE GRASS	**Não pise na grama**
LADIES	**Damas**
NO ADMITTANCE	**Entrada proibida**
NO SMOKING	**Proibido fumar**
PLEASE CLOSE THE DOOR	**Favor manter a porta fechada**
PLEASE DO NOT TOUCH	**Favor não tocar**
PRIVATE ROAD	**Rua particular**
PUBLIC NOTICE	**Aviso público**
PULL	**Puxe**
PUSH	**Empurre**
REFRESHMENTS	**Lanches**
STICK NO BILLS	**Proibido colar cartazes**
STOP	**Parada**
TAXI RANK	**Ponto de táxi**
TO LET	**Aluga-se**
TURN	**Vire**
WET PAINT	**Tinta fresca**

Abreviações

AA	Automobile Association [ó:tâmâbil âssoussi̱e̱ichân]	automóvel-clube
AC	alternating current [ółtârneitinh kârânt]	corrente alternada
a.m.	ante meridiem [ȩnti mâri̱diâm]	entre 0 hs e 12 hs
B.A.	Bachelor of Arts [bȩtchâlâr óv arts]	Bacharel
BBC	British Broadcasting Corporation [bri̱tich bró:dkastinh kórpâre̱ichân]	organismo britânico de rádio e televisão
B.R.	British Rail [bri̱tich re̱il]	companhia ferroviária britânica
c/o	care of [kȩ́:r óv]	aos cuidados de
DC	direct current [dire̱kt kârânt]	corrente contínua
e.g.	exempli gratia = for example [fór égzȩ́mpâl]	por exemplo
Esq.	Esquire [ȩskua̱ir]	ilustríssimo senhor
F; Fahr	Fahrenheit [fȩ́rânhait]	fahrenheit
ft	foot [fu:t]	pé *(medida)*
hp	horsepower [hórspauâr]	cavalo-vapor
i.e.	id est = that is [*dh*ȩ́t iz]	isto é
in.	inch [intch]	polegada
£	pound sterling [pa̱und stâ̱rlinh]	libra esterlina
lb.	pound [pa̱und]	libra *(peso)*
m	mile; minute [ma̱il; mi̱nit]	milha; minuto
M.A.	Master of Arts [ma̱stâr óv arts]	mestre *(entre bacharel e doutor)*
M.P.	Member of Parliament [mȩ́mbâr óv pa̱rlâmânt]	parlamentar
m.p.h.	miles per hour [ma̱ilz pâr a̱uâr]	milhas por hora
Mt.	Mount [ma̱unt]	monte
oz(s)	ounce(s) [a̱uns(iz)]	onça(s) *(peso)*
p	penny [pȩ́ni]	pêni
p.m.	post meridiem [po̱ust mâri̱diâm]	entre 12 hs e 24 hs
Rd.	Road [ro̱ud]	rua
Sq.	Square [skuȩ́:r]	praça
St.	Saint; Street [se̱int; strit]	*santo (santa)*; rua
TV	television [tȩ́livijân]	televisão

U.K.	United Kingdom .... [iunaitid kinhdâm]	**Reino Unido**
U.S.A.	United States of Amerika .... [iunaitid steits óv âmérikâ]	**Estados Unidos da América**

Pesos e medidas

1 milímetro	1 millimetre	â milimitâr
1 centímetro	1 centimetre	â séntimitâr
1 decímetro	1 decimetre	â déssimitâr
1 metro	1 metre (= 1,0936 yards)	â mitâr
1 quilômetro	1 kilometre (= 0,621 mile)	â kilâmitâr
1 polegada	1 inch (2,54 cm)	én intch
1 pé	1 foot (30,48 cm)	â fu:t
1 jarda	1 yard (0,914 m)	â iard
1 milha inglesa	1 statute mile (1609,33 m)	â stétiut mail
1 milha marítima	1 nautical mile (18553,24 m) ...	â nó:tikâl mail
1 pé quadrado	1 square foot	â skué:r fu:t
1 metro quadrado	1 square metre	â skué:r mitâr
1 milha quadrada	1 square mile	â skué:r mail
1 pé cúbico	1 cubic foot	â kiubik fu:t
1 litro	1 litre	â litâr
1 quartilho	1 pint (0,568 l; E.U.A. 0,4732 l)	â paint
1 quarta	1 quart (1,136 l; E.U.A. 0,9464 l)	â kuórt
1 galão	1 gallon (4,5459 l; E.U.A. 3,7853 l)	â guélân
1 onça	1 ounce (28,349 g)	én auns
1 libra	1 pound (= 16 ounces; 453,59 g)	â paund
stone	1 stone (= 14 pounds; 6,35 kg)	â stoun
quintal	1 hundredweight (= 112 pounds, 50,802 kg; E.U.A. = 100 pounds, 45,359 kg)	â hândrâdueit
tonelada	1 ton (= 20 hundredweights, 1016,05 kg; E.U.A. = 20 hundredweights, 907,185 kg)	â tân

1 pedaço (de ...)	a piece (of ...)	â pi:s (óv)
1 par (de ...)	a pair (of ...)	â pé:r (óv)
1 dúzia (de ...)	a dozen	â dâzân
1 pacote (de ...)	a packet (of ...)	â pékit (óv)

Cores

amarelo	yellow	iélou
azul	blue	blu:
– azul-claro	*light (pale)* blue	lait (peil) blu:
– azul-escuro	dark blue	dark blu:
– azul-marinho	navy-blue	neivi blu:
bege	beige	beij
branco	white	uait
cinza	grey	grei
– cinza-claro	*light (pale)* grey	lait (peil) grei
– cinza-escuro	dark grey	dark grei
– cinza-prateado	silver grey	silvâr grei
colorido	colourful; (brightly) coloured	kâlârful; (braitli) kâlârd
– unicolor	self-coloured	sélf kâlârd
cor	colour	kâlâr
cor-de-laranja	orange	órindj
cor-de-rosa	pink	pink
dourado	gold	gould
lilás	lilac	lailâk
malva	mauve	mouv
marrom	brown	braun
prateado	silver	silvâr
preto	black	blék
roxo	purple; violet	pârpâl; vaiâlit
verde	green	grin
– verde-claro	*light (pale)* green	lait (peil) grin
– verde-escuro	dark green	dark grin
vermelho	red	réd
– grená	maroon	mâru:n
– vermelho-escuro	dark red	dark réd
– vermelho-vivo	bright red	brait réd

NOÇÕES DE GRAMÁTICA

I. Artigo

1. Em inglês, os artigos são invariáveis quanto ao gênero e ao número.
2. O **artigo definido** é the [dhâ] (pronuncia-se [dhi] antes de vogal ou 'h" mudo): the boy [dhâ bói], "o menino"; the girls [dhâ gârls], "as meninas"; the apple [dhi épâl], "a maçã" (neutro em inglês).
3. O **artigo indefinido** só existe no singular. É a [â] antes de palavras iniciadas por consoante e an [én] antes de palavras iniciadas por vogal ou "h" mudo: a boy [â bói], "um menino; a girl [â gârl], "uma menina"; an apple [én épâl], "uma maçã".

I. Substantivo

1. No inglês, o gênero não é definido pela terminação ou flexão do substantivo.
2. O substantivo é masculino ou feminino conforme designe pessoas ou animais do sexo masculino ou feminino. São neutros os nomes que designam objetos, conceitos, atos ou animais cujo gênero não seja especificado.
3. O plural dos substantivos é formado, de modo geral, pelo acréscimo de -s ao singular: book [buk], "livro" — books [buks], "livros"; ome [h<u>o</u>um], "lar" — homes [h<u>o</u>umz], "lares"; face [feis], "rosto" — aces [f<u>e</u>issis], "rostos".
4. Há alguns casos em que a formação do plural não segue essa regra geral:

substantivos terminados em s, ss, sh, ch, x e z recebem -es no plural: church [tchârtch], "igreja" — churches [tchâ̱rchiz], "igrejas"; box [bócs], "caixa" — boxes [b<u>ó</u>csiz], "caixa".

substantivos terminados em o precedido de consoante recebem -es no plural: potato [pât<u>e</u>itou], "batata" — potatoes [pât<u>e</u>itouz], "batatas.

substantivos terminados em i precedido de consoante formam o plural pela substituição de -y por -ies: city [s<u>i</u>ti], "cidade" — cities [s<u>i</u>tiz].

alguns substantivos terminados em f ou fe formam o plural pela substituição de -f ou -fe por -ves: knife [naif], "faca" — knives [n<u>a</u>ivz], "facas"; leaf [li:f], "folha" — leaves [li:vz], "folhas".

há substantivos cujo plural se forma através de uma mudança vocálica: foot [fut], "pé" — feet [fit], "pés"; man [mén], "homem" — men [men], "homens".

5. Para indicar posse, em inglês, acrescenta-se *'s* ao substantivo: *the boy's book* [*dh*â b*ó*iz buk], "o livro do menino". Se o substantivo estiver no plural e já terminar em *s*, bastará acrescentar o apóstrofo: *the boys' book* [*dh*â b*ó*is buk], "o livro dos meninos". Esta forma, no entanto, é utilizada apenas para pessoas e animais. Observe: *the flower of the garden* [*dh*â fla*u*âr óv *dh*â g*a*rdân], "a flor do jardim".

III. Adjetivo

1. Os **adjetivos** são invariáveis quanto ao gênero e ao número: *a happy boy* [â h*é*pi b*ó*i], "um menino alegre"; *a happy girl* [â h*é*pi gârl], "uma menina alegre"; *happy boys* [h*é*pi b*ó*is], "meninos alegres"; *happy girls* [h*é*pi gârls], "meninas alegres".

2. Os **graus do adjetivo**:
– **Comparativo de igualdade**: utiliza-se a construção *as ... as*: *as short as* [és chórt és], "tão curto quanto".
– **Comparativo de superioridade**: para os adjetivos monossílabos e a maioria dos dissílabos, acrescenta-se a terminação *-er*: *shor* [chórt], "curto" — *shorter* [ch*ó*rtâr], "mais curto". Para os adjetivos de três sílabas ou mais e para os dissílabos iniciados por *a*, utiliza-se o advérbio *more* [mór], "mais": *comfortable* [c*â*mfórtâbâl], "confortável" — *more comfortable* [mór c*â*mfórtâbâl], "mais confortável".
– **Comparativo de inferioridade**: utiliza-se sempre o advérbio *les* [lés], "menos": *happy* [h*é*pi], "alegre" — *less happy* [lés h*é*pi], "menos alegre".
– Quando a comparação se faz entre dois objetos ou pessoas, utiliza-se a conjunção *than* [*dh*én], "que, do que".
– **Superlativo**: para os adjetivos monossílabos e a maioria dos dissílabos, acrescenta-se a terminação *-est*. Pela própria natureza do superlativo, em geral ele é antecedido pelo artigo definido *the* [*dh*â]: *short* [chórt], "curto" — *(the) shortest* [(*dh*â) ch*ó*rtist], "(o) mais curto". Para os adjetivos de três sílabas ou mais e para os dissílabos iniciados por *a*, utiliza-se o advérbio *most* [m*o*ust], "mais": *comfortable* [c*â*mfórtâbâl], "confortável" — *(the) most comfortab* [(*dh*â) m*o*ust c*â*mfórtâbâl], "(o) mais confortável".
– Observe este exemplo: *Bob is tall* [bób iz tó:l], "Bob é alto" — *John is taller than Bob* [djón iz tó:lâr *dh*én bób], "John é mais alto do que Bob" — *John is the tallest* [jón iz *dh*â tó:list], "John é mais alto".
– Há casos em que a grafia do adjetivo sofre modificações ao acrescentarem as terminações *-er* e *-est*. Por exemplo:

positivo	comparativo de sup.	superlativo
big [big], "grande"	*bigger* [biguâr]	*biggest* [biguist]
happy [hépi], "alegre"	*happier* [hépiâr]	*happiest* [hépiest]

– Alguns adjetivos formam o comparativo de superioridade e o superlativo de modo irregular, como por exemplo:

positivo	comparativo de sup.	superlativo
good [gud], "bom"	*better* [bétâr]	*best* [bést]
bad [béd], "mau"	*worse* [uârs]	*worst* [uârst]
many [méni], "muitos"	*more* [mór]	*most* [moust]
little [litâl], "pequeno", "poucos"	*less* [lés]	*least* [li:st]

IV. Advérbios

1. O advérbio, com frequência, é formado através do acréscimo da partícula *-ly* ao adjetivo: *slow* [slou], "lento" — *slowly* [slouli], "lentamente".

2. Os **graus dos advérbios**: a formação do comparativo e do superlativo dos advérbios segue o mesmo padrão dos adjetivos:

- **Comparativo de igualdade**: *as ... as*: *as slowly as* [és slouli és], "tão lentamente quanto".
- **Comparativo de superioridade**: *fast* [fast], "rapidamente" — *faster* [fastâr], "mais rapidamente"; *comfortably* [câmfórtâbli], "confortavelmente" — *more comfortably* [mór câmfórtâbli], "mais confortavelmente".
- **Comparativo de inferioridade**: *happily* [hépili], "alegremente" — *less happilly* [lés hépili], "menos alegremente".
- **Superlativo**: *fast* [fast], "rapidamente" — *(the) fastest* [(dhâ) fastist], "(o) mais rapidamente"; "mais": *comfortably* [câmfórtâbli], "confortavelmente" — *(the) most comfortably* [(dhâ) moust câmfórtâbli], "(o) mais confortavelmente".

Nos advérbios terminados em *-ly*, o *-y* se transforma em *i* ao se acrescentarem as terminações *-er* e *est*: *early* [ârli], "cedo" — *earlier* [ârliâr] — *earliest* [ârliest].

Observe este exemplo: *Bob works hard* [bób uârks hard], "Bob trabalha arduamente" — *John works harder than Bob* [djón uârks hardâr dhén bób], "John trabalha mais arduamente do que Bob" — *John works the hardest* [djón uârks dhâ hardist], "John trabalha o mais arduamente".

Alguns advérbios formam o comparativo de superioridade e o superlativo de modo irregular, como por exemplo:

positivo	comparativo de sup.	superlativo
well [uél], "bem"	*better* [bétâr]	*best* [bést]
badly [bédli], "mal"	*worse* [uârs]	*worst* [uârst]
much [mâtch], "muito"	*more* [mór]	*most* [moust]
little [litâl], "pouco"	*less* [lés]	*least* [li:st]

V. Pronomes

1. Em inglês, o pronome pessoal da terceira pessoa do singular expressa os gêneros masculino, feminino e neutro. No plural, a forma da 3ª pessoa é a mesma para os três gêneros.

2. Os **pronomes pessoais** são:

singular	sujeito	objeto
1ª pessoa	*I* [ai]	*me* [mi]
2ª pessoa	*you* [iu:]	*you* [iu:]
3ª pessoa masc.	*he* [hi]	*him* [him]
fem.	*she* [chi]	*her* [hâr]
neutro	*it* [it]	*it* [it]
plural		
1ª pessoa	*we* [ui]	*us* [âs]
2ª pessoa	*you* [iu:]	*you* [iu:]
3ª pessoa	*they* [dhei]	*them* [dhém]

3. Observe este exemplo: *Bob has a book. He gave it to us* [bób héz â buk. hi gueiv it tu âs], "Bob tem um livro. Ele o deu para nós".

4. Os **pronomes possessivos adjetivos** são associados a um substantivo: *my book* [mai buk], "meu livro". Os **pronomes possessivos substantivos** substituem ou fazem as vezes de um substantivo: *This is my book, that is yours* [dhis iz mai buk, dhat iz ió:rs], "Este é meu livro, aquele é o seu". Os pronomes possessivos mantêm-se invariáveis quanto ao gênero e ao número daquilo que é possuído. São eles:

	Adjetivos	Substantivos
singular		
1ª pessoa	*my* [mai]	*mine* [main]
2ª pessoa	*your* [ió:r]	*yours* [ió:rs]
3ª pessoa masc.	*his* [his]	*his* [his]
fem.	*her* [hâr]	*hers* [hârs]
neutro	*its* [its]	*its* [its]
plural		
1ª pessoa	*our* [auâr]	*ours* [auârs]
2ª pessoa	*your* [ió:r]	*yours* [ió:rs]
3ª pessoa	*their* [dhâr]	*theirs* [dhârs]

5. Os **pronomes demonstrativos** concordam em número com o substantivo a que se referem:

singular
this ("este", "esta")
that ("aquele", "aquela")

plural
these ("estes", "estas")
those ("aqueles", "aquelas")

VI. Verbos

1. Em inglês os **verbos regulares** são aqueles que formam o passado (*past tense*) e o particípio passado (*past participle*) pelo acréscimo de *-ed* à forma do infinitivo: *to call* [tu kó:l] — *called* [kó:ld] — *called*. Os **verbos irregulares** formam o *past tense* e o *past participle* de modo irregular: *to see* [tu si] — *saw* [só] — *seen* [si:n].

2. **Tempos simples**
— O presente de todos os verbos em inglês (exceto *os* auxiliares *to be* e *to have*) tem a forma igual à do infinitivo. Na terceira pessoa do singular acrescenta-se *-s* ou *-es* (quando o infinitivo termina em *o*, *s*, *sh*, *ch*, *x* ou *z*). Quando o infinitivo termina em *y*, na terceira pessoa do singular o *-y* é substituído por *-ies*: *I work — he works; I wish — he wishes; I study — he studies*.
— Forma-se o futuro simples com o auxiliar *will* e mais o infinitivo do verbo. Para a primeira pessoa do singular e do plural pode-se usar *shall*.
— Forma-se o condicional com o auxiliar *would* e mais o infinitivo do verbo. Para a primeira pessoa do singular e do plural pode-se usar *should*.
— Exemplo de conjugação de um verbo regular nos tempos simples:

Infinitivo
to call [tu kó:l], "chamar"

Presente	Passado	Futuro
I call ("eu chamo")	*I called* ("eu chamava")	*I will (shall) call* ("eu chamarei")
you call	*you called*	*you will call*
he } *calls* *she* *it*	*he* } *called* *she* *it*	*he* } *will call* *she* *it*
we call	*we called*	*we will (shall) call*
you call	*you called*	*you will call*
they call	*they called*	*they will call*

Condicional
I would (should) call ("eu chamaria")
you would call
he ⎫
she ⎬ *would call*
it ⎭
we would (should) call
you would call
they would call

Imperativo	Gerúndio	Particípio passado
call! ("chame!")	*calling* ("chamando")	*called* ("*chamado*")

3. Os **verbos auxiliares** *to be* ("ser", "estar") e *to have* ("ter"): conjugação dos tempos simples:

Infinitivo
to be, "ser", "estar"

Presente	Passado	Futuro
I am	*I was*	*I will (shall) be*
you are	*you were*	*you will be*
he ⎫	*he* ⎫	*he* ⎫
she ⎬ *is*	*she* ⎬ *was*	*she* ⎬ *will be*
it ⎭	*it* ⎭	*it* ⎭
we are	*we were*	*we will (shall) be*
you are	*you were*	*you will be*
they are	*they were*	*they will be*

Condicional
I would (should) be
you would be
he ⎫
she ⎬ *would be*
it ⎭
we would (should) be
you would be
they would be

Imperativo	Gerúndio	Particípio passado
be!	*being*	*been*

Infinitivo
to have, "ter"

Presente	Passado	Futuro
I have	I had	I will (shall) have
you have	you had	you will have
he } has she it	he } had she it	he } will have she it
we have	we had	we will (shall) have
you have	you had	you will have
they have	they had	they will have

Condicional
I would (should) have
you would have
he
she } would have
it
we would (should) have
you would have
they would have

Imperativo	Gerúndio	Particípio passado
have!	having	had

4. Tempos compostos

O **perfeito** (*present perfect*) dos verbos em inglês é formado com o presente do auxiliar *to have* e mais o particípio passado. O mais-que-perfeito (*past perfect*) é formado com o passado do auxiliar *to have* e mais o particípio passado:

Perfeito   *I have called* ("eu chamei", "eu tenho chamado")
Mais-que-perfeito   *I had called* ("eu chamara", "eu tinha chamado")

5. Os **tempos contínuos** (*continuous*) são formados com o verbo *to be* e o gerúndio do verbo principal. Eles expressam uma ação que está, esteve ou estará se desenrolando ao longo de um certo tempo:

Presente contínuo: *I am writing* ("eu estou escrevendo")
Passado contínuo: *I was writing* ("eu estava escrevendo")
Futuro contínuo: *I will be writing* ("eu estarei escrevendo")

Nos verbos de movimento, o tempo contínuo expressa uma ação que ocorrerá num futuro próximo: *I am going to London tomorrow*, "Irei para Londres amanhã."

6. A **voz passiva** dos verbos é formada com o auxiliar *to be* e o particípio passado do verbo principal:
Presente: *I am called* ("eu sou chamado")
Passado: *I was called* ("eu era chamado")
Futuro: *I will be called* ("eu serei chamado")

7. O **verbo auxiliar *to do*** ("fazer"): conjugação dos tempos simples:

Infinitivo
to do, "fazer"

Presente	Passado	Futuro
I do	*I did*	*I will (shall) do*
you do	*you did*	*you will do*
he	*he*	*he*
she } *does*	*she* } *did*	*she* } *will do*
it	*it*	*it*
we do	*we did*	*we will (shall) do*
you do	*you did*	*you will do*
they do	*they did*	*they will do*

Condicional
I would (should) do
you would do
he
she } *would do*
it
we would (should) do
you would do
they would do

Imperativo	Gerúndio	Particípio passado
do!	*doing*	*done*

– O verbo auxiliar *to do* é utilizado na construção das formas interrogativa e negativa dos verbos principais:

Forma negativa
Presente:
I do not call (I don't call)
he does not call (he doesn't call)

Passado:
I did not call (I didn't call)
he did not call (he didn't call)

Forma interrogativa
Presente:
do I call?
does he call?

Passado:
did I call?
did he call?

Forma interrogativa negativa
Presente:
do I not call? (don't I call?)
does he not call? (doesn't he call?)

Passado:
did I not call? (didn't I call?)
did he not call? (didn't he call?)

VOCABULÁRIO PORTUGUÊS-INGLÊS
PARA TURISTAS

Os números após a transcrição fonética indicam páginas deste *Guia* em que a palavra ou expressão poderá ser encontrada, empregada numa frase ou incluída num vocabulário específico. As indicações *(sing)* e *(pl)* — singular, plural — aparecerão sempre que no inglês o número da palavra for diferente do português.

A

a bordo on board [ón bó:rd] 71, 73, 74, 75
à noite in the evening [in *dh*ã ívninh] 31
a pé on foot [ón fu:t] 116
a qualquer hora at any time [ét éni taim] 32
à saúde! cheers! [tchirz] 98
à vista cash [kéch] 152
abacate avocado [évâkádou] 101
abacaxi pineapple [painépâl] 109
abadia abbey [ébi] 124
abafado close [klous] 25
abaixo below [bilou] 25
abaixo de zero *(temperatura)* below freezing point [bilou frizinh póint] 25
abdômen abdomen [ébdâmân] 166
aberto open [oupân] 44
abertura overture [ouvârtiur] 177
abóbora-menina vegetable marrow [védjitâbâl mérou] 107
abordagem approach [âproutch] 69
abotoadura cufflink [kâflink] 133
abricó apricot [éiprikót] 108
abridor de garrafa bottle-opener [bótâl oupânâr] 96, 143
abridor de latas tin opener [tin oupânâr] 143
abril April [éiprâl] 33
abrir to open [tu oupân] 18, 64, 79, 87, 159, 165
abscesso abscess [ébsés] 168, 174
absorvente higiênico sanitary towel [sénitâri tauâl] 160
acabar to finish [tu finich] 98
academia academy [âkédâmi] 38
academia de arte academy of art [âkédâmi óv art] 38

acampar to camp [tu kémp] 93
ação share [chér] 152
acelerador accelerator [âksélâreitâr] 51
acelerar to accelerate [tu âksélâreit] 51
acessórios accessories [âksés<u>s</u>âriz] 136
achados e perdidos lost-property office [lóst própârti ófis] 120
acidente accident [éksidânt] 49, 153
ácido bórico boric acid [bórik éssid] 160
acima above [âbâv] 25
acima de zero *(temperatura)* above freezing point [âbâv frizinh póint] 25
acolhida welcome [uélkâm] 12
acomodação accommodation [âkómâdeichân] 80
acompanhamento accompaniment [âkâmpânimént] 177
acompanhar to accompany [tu âkâmpâni]; to go with [tu gou uit*h*] 184; to see [tu si] 17
acontecer to happen [tu hépân] 18
acordar to wake [tu ueik] 85, 88
açougue butcher [butchâr] 128
açougueiro butcher [butchâr] 36
açúcar sugar [chugâr] 96
açucareiro sugar bowl [chugâr boul] 96
adaptador adaptor [âdéptâr] 89
adega cellar [sélâr] 89
adereço jewellery [dju:âlri] 133
adiantado fast [fast] 31
adicional extra [ékstrâ] 92
administração de empresas business administration [biznis âdministrei chân] 38
adorar to be keen on [tu bi kin ón] 187

Vocabulário 205

adstringente bucal mouthwash [m*au*th*uó*ch] 140
adulto grown-up [gr*ou*nâp] 35
advogado barrister [bérist*â*r] 36; solicitor [sâlissitâr] 36, 153
aeromoça stewardess [sti*u*árdés] 69
aeroporto airport [é:rpórt] 69, 83, 116
afresco fresco [fréskou] 124
afrouxar to loosen [tu l*u*:sân] 55
agência de correio post office [p*ou*st ófis] 145, 150
agência de navegação shipping agency [chipinh eidjânsi] 74
agência de viagens travel agency [trévâl eidjânsi] 81
agora now [n*au*] 32, 65
agosto August [ó:gâst] 33
agradável nice [n*ai*s] 32; delightful [dil*ai*tful]; lovely [l*â*vli] 16, 17
agradecer to thank [tu thénk] 12, 17, 21
agressão attack [âték] 153
agrião cress [krés] 106
água water [u*ó*târ] 45, 81, 87, 185, 186, *etc.*
água corrente running water [râninh u*ó*târ] 81
água de colônia eau de cologne [*ou* dâ kâl*ou*n] 140
água de refrigeração cooling water [ku:linh u*ó*târ] 45
água destilada distilled water [distíld u*ó*târ] 45
água do mar sea water [si: u*ó*târ] 175
água mineral mineral water [minârâl u*ó*târ] 112
água oxigenada hydrogen peroxide [h*ai*drâdjân pâróksaid] 160
água potável drinking water [drinkinh u*ó*târ] 93
água quente hot water [h*ó*t u*ó*târ] 81
água tônica tonic [t*ó*nik] 112
aguaceiro cloudburst [kl*au*dbârst]; shower [ch*au*âr] 26
agulha needle [n*i*dâl] 136
ainda still [stil] 15, 44, 126
aipo celery [séIâri] 106
ajuda help [hélp] 21
ajudar to help [tu hélp] 20, 48, 64
ajustar to alter [tu óltâr] 133
albacora halibut [h*é*libât] 103
albergue da juventude youth hostel [i*u*:th hóstâl] 93
alcachofra artichoke [artitchouk] 101, 106

alcaparra caper [k*ei*pâr] 99
alcatra rump steak [r*â*mp st*ei*k] 105
álcool alcohol [élkouhól] 98, 160
aldeia village [vilidj] 120
alecrim rosemary [r*ou*zmâri] 99
alemão German [dj*â*rmân] 38
alergia allergy [él*â*rdji] 168
aletria vermicelli [vârmiss*é*li] 102
alface lettuce [létis] 106
alfaiataria tailor shop [t*ei*lâr chóp] 128
alfaiate tailor [t*ei*lâr] 36
alfândega customs [k*â*stâmz] 79
alfandegueiro customs officer [k*â*stâmz ófissâr] 79
alfinete pin [pin] 136
alfinete de segurança safety pin [s*ei*fti pin] 136
algarismo figure [figâr] 149
algodão cotton [k*ó*tân] 136
algodão em rama cotton wool [k*ó*tân u*u*:l] 160
alguém someone [s*â*muân] 41; anyone [éni*u*ân] 84
algum a few [â fi*u*] 165
alguma coisa anything [éni*thi*nh] 183
alguns a few [â fi*u*] 126
alho garlic [g*â*rlik] 99
aliança wedding ring [uédinh rinh] 133
alicate pliers [pl*ai*ârz]; pincers [pinsârz] 56
almoço lunch [lântch] 89
almôndega meat ball [mi:t bó:l] 105
alpinismo rock-climbing [rók kl*ai*minh]; mountaineering [m*au*ntân*i*rinh] 187
alpinista mountaineer [m*au*ntân*i*âr] 187
altar altar [óltâr] 124
alto high [h*ai*] 139, 171
alugar to hire [tu h*ai*âr] 41, 84, 93, 185; to hire out [tu h*ai*âr *au*t] 89
alugar (imóveis) to let [tu lét] 89
aluguel rent [rént] 89
aluno, aluna pupil [pi*u*pil] 36
alvo target [t*â*rguit] 190
alvorada dawn [dó:n] 26
amanhã tomorrow [tâm*ó*rou] 31, 44, 67
amar to love [tu l*â*v] 184
amarelo yellow [i*é*lou] 194
amarra rope [r*ou*p]; cable [k*ei*bâl] 74
âmbar amber [*é*mbâr] 133
ambulância ambulance [*é*mbiulâns] 48
amêijoa clam [klém] 103
ameixa plum [plâm] 109
ameixa pequena damson [d*é*mzân] 108

ameixa-rainha-cláudia greengage [gringueidj] 108
ameixa-preta prune [prun] 109
amêndoa almond [amând] 108
amendoim peanut [pi:nât] 109
amígdalas tonsils [tónsâlz] 166
amigdalite tonsillitis [tónsilaitis] 168
amigo(a) friend [frénd]
amor love [lâv] 13, 184
amora preta blackberry [blékbâri] 108
amortecedor shock absorber [chók âbzórbâr] 51
ampliação enlargement [inlardjmânt] 131, 132
ampola ampoule [émpiul] 160
analgésico anodyne [énoudain]; painkiller [peinkilâr] 160
anchova anchovy [éntchâvi] 101
âncora anchor [énkâr] 74
andar (de prédio) floor [fló:r] 81, 89, 191; storey [stóri] 89
andar a cavalo to ride a horse [tu raid â hórs] 188
andar de trenó to toboggan [tu tâbógân] 187
andar térreo ground floor [graund fló:r] 191
anel ring [rinh] 133
anemia anaemia [ânimiâ] 168
anestesia anaesthesia [énâsthiziâ] 174
anestesia local local anasthesia [loukâl énâsthiziâ] 174
anestésico anaesthetic [énâsthétik] 172
aneto dill [dil] 99
aniversário birthday [bârthdei] 23
ano year [i:âr] 33, 34
anoraque anorak [énârék] 134
anteontem the day before yesterday [dhâ dei bifór iéstârdei] 31
antes before [bifór] 31, 32, 159; earlier [ârliâr] 32
anticiclone anticyclone [éntissaikloun] 26
antídoto antidote [éntidout] 160
antiquário antique dealer [éntik di:lâr] 128
anular (dedo) ring finger [rinh finh(g)âr]; third finger [thârd finh(g)âr] 166
ao ar livre open air [oupân é:r] 187
aos cuidados de care of [ké:r óv] 192
aparar (cortar) to trim [tu trim] 157
aparelho de barbear safety razor [seifti reizâr] 140

aparelho de dente brace [breis] 174
apartamento flat [flét]; apartment [âpartmânt] 81, 89
apêndice appendix [âpéndiks] 166
apendicite appendicitis [âpéndissaitis] 169
aperitivo amargo bitters [bitârz] 112
apertado sharply adjusted [charpli âdjâstid] 55; narrow [nérou] 127; tight [tait] 133
apertar to tighten [tu taitân] 55; to pinch [tu pintch] 139
apertar os cintos (de segurança) to fasten seat belts [tu fassân si:t bélts] 69
apetite appetite [épâtait] 163
aplauso applause [âpló:z] 177
apoplexia stroke [strouk] 169
aposentado pensioner [pénchânâr] 36
aposta (jogo) stake [steik] 181
apostar to gamble [tu guémbâl]; to stake [tu steik] 181
aprendiz apprentice [âpréntis] 36
aquecedor heater [hi:târ]; radiator [reidieitâr] 89
aquecimento heating [hi:tinh] 51, 54, 66, 87, 89
aquecimento central central heating [séntrâl hitinh] 89
aqui here [hiâr] 14, 62, 79, 83, 117, 154, 173
aqui perto near here [niâr hiâr] 44
ar air [é:r] 26
ar condicionado air-conditioning [é:r kândichâninh] 89
arame wire [uaiâr] 56
arando bilberry [bilbâri]; cranberry [krénbâri] 108
árbitro referee [réfâri] 190
arco arch [artch] 124
área area [é:riâ] 80
área de camping camping site [kémpinh sait] 80, 93
área protegida protected area [prâtéktid é:riâ] 120
areia sand [sénd] 186
arenque herring [hérinh] 103
arenque defumado kipper [kipâr] 97
ária aria [ariâ] 177
armação (de óculos) frame [freim] 138
armarinho (loja) haberdashery [hébârdéchâri] 128
armário cupboard [kâbârd] 89

armazém food shop [fu:d chóp]; general store [djénârâl stór] 93; store [stór] 128
armeiro gunsmith [gânsmi*th*] 128
arqueologia archeology [arkiólâdji] 38
arquiteto architect [arkitékt] 36
arquitetura architecture [arkitéktchâr] 38
arrancar to pull out [tu pul aut] 173
arranha-céu tower-block [tauâr blók]; high-rise [*h*ai raiz] 120
arranjar to get [tu guét] 159
arredondado rounded [raundid] 156
arredores surroundings [sâraundinhz]; environs [invairânz] 120
arroz rice [rais] 103
arroz-doce rice pudding [rais pudinh] 108
arruela washer [uóchâr]; seal [si:l]; gasket [guéskit] 51
arrumadeira chambermaid [tcheimbârmeid] 89
artéria artery [artâri] 166
artesão artisan [artizén]; craftsman [kraftsmén] 36
articulação joint [djóint] 166
artificial artificial [artifichâl] 137
artigos goods [gu:dz] 68, 69
artigos de higiene toilet articles [tóilit artikâlz] 141
artista artist [artist] 36
artrite arthritis [art*hr*aitis] 169
árvore *(de automóvel)* camshaft [kémchaft] 51
ás ace [eis] 181
às vezes sometimes [sâmtaimz] 32
Ascensão Ascension Day [âssénchân dei] 33
asma asthma [ésmâ] 169
aspargo asparagus [âspérâgâs] 102, 106
aspirina aspirin [éspirin] 160
assado *(adj.)* baked [beikt]; roasted [roustâd] 99
assado *(subst.)* roast [roust]; joint [djóint] 105
assento seat [si:t] 51, 64, 176
assento dianteiro front seat [frânt si:t] 51
assento na janela window seat [uindou si:t] 66
assento traseiro back seat [bék si:t] 51
assinar to sign [tu sain] 146

assinatura signature [signâtchâr] 83
assistir to watch [tu uótch] 180, 187
assunto affair [âfê:r] 154
atacadista wholesaler [*h*ouseilâr] 36
atacante forward [fóruârd] 190
atadura bandage [béndidj] 160
ataque attack [âték]; fit [fit] 169
até until [ântjil] 32, 34; as far as [és far és] 40
até logo goodbye [gu:dbai] 17
até onde how far [*h*au far] 185
atender (telefone) to answer [tu ansâr] 77
aterrissagem landing [léndinh] 69
aterrissagem de emergência emergency landing [imârdjânsi léndinh] 69
aterrissar to land [tu lénd] 69
atestado de vacinação vaccination certificate [véksineichân sârtifikât] 77
atestado internacional de vacinação international vaccination certificate [intârnéchânâl véksineichân sârtifikât] 78
atestado médico doctor's certificate [dóktârz sârtifikât] 164
atirar to shoot [tu chu:t] 190
atletismo athletics [é*th*iétiks] 187
ato *(teatro)* act [ékt] 177
ator actor [éktâr] 177
atração turística sights [saits] 117
atracar to dock [tu dók]; to land [tu lénd] 71, 74
atrás rear [riâr] 65
atrasado late [leit] 60, 69
atrasado *(relógio)* slow [slou] 31
atravessar to cross [tu krós] 58
atriz actress [éktris] 177
atualmente at the moment [ét *dh*â moumânt] 32
atum tunny [tâni], tuna [tiunâ] 103
aula universitária lecture [léktchâr] 38
automotriz rail car [reil kar] 59
automóvel-clube automobile club [ó:tâmâbil kláb]; automobile association [ó:tâmâbil âssoussieichân] 42
avaria breakdown [breikdaun] 48, 49; damage [démidj] 49
avelã hazelnut [*h*eizâlnât] 108
avenida avenue [éviniu] 120
avental apron [eiprân] 134
aves comestíveis poultry [poultri]; fowl [faul] 104
avião plane [plein] 67, 69; aircraft [é:rkraft] 69

avião a jato jet [djét]; jet plane [djét plein] 69
avião de carreira airliner [é:rlainâr] 70
aviso notice [noutis] 191
avô grandfather [gréndfadhâr] 35
avó grandmother [gréndmâdhâr] 35
axila armpit [armpit] 166
azedo sour [sauâr] 115
azeite oil [óil] 99
azeitona olive [óliv] 99
azia heartburn [hartbârn] 169
azul blue [blu:] 194
azul-marinho navy-blue [neivi blu:] 194

B

bacalhau cod (fish) [kód (fich)] 103
bacalhau seco dried cod [draid kód] 103
bacia *(quadril)* pelvis [pélvis] 166
baço spleen [splin] 166
bagageiro *(de trem, avião, ônibus)* luggage rack [lâguidj rék] 66
bagagem luggage [lâguidj] 62, 63, 83; baggage [béguidj] 62
bagagem de mão hand luggage [hénd lâguidj] 62, 68
baía bay [bei] 186
bailarino dancer [dansâr] 177
bairro district [djistrikt]; part of the town [part óv dhâ taun] 120
baixo low [lou] 171
baixo *(salto de sapato)* flat [flét]; low [lou] 139
baixo *(voz)* bass [beis] 177
balaustrada railing [reilinh] 74
balcão counter [kauntâr] 150
balcão *(de teatro)* circle [sârkâl] 176
balcão de informações information office [infârmeichân ófis] 59; information desk [infârmeichân désk] 70
balde bucket [bâkit] 89
balé ballet [bélei] 177
balneário spa [spa]; watering place [uótârinh pleis] 175
balsa ferry [féri] 71, 74
banana banana [bánéná] 108
banana split banana split [bánéná split] 114
banca de jornal newsagent [niuzeidjânt] 149
banco *(de dinheiro)* bank [bénk] 151
banda *(de música)* band [bénd] 177
bandeira flag [flég] 74
bandeja tray [trei] 96

bangalô bungalow [bângâlou] 81
banha lard [lard] 100
banheiro bathroom [bathru:m] 89; bath [bath] 81; washroom [uóchru:m] 93; lavatory [lévâtâri] 89, 93; toilet [tóilit] 89
banheiro feminino ladies' room [leidis ru:m] 89
banheiro masculino gents [djénts] 89
banheiro público public convenience [pâblik kónviniâns] 120
banho bath [bath] 175
banho de água mineral mineral bath [minârâl bath] 175
banho de lama mud bath [mûd bath] 175
banho de vapor vapour bath [veipâr bath] 175
banqueiro banker [bénkâr] 181
bar bar [bar] 85, 180
baralho playing cards [pleiinh kardz] 143
barato cheap [tchi:p] 127
barba beard [bi:rd] 157, 158
barbante string [strinh] 56
barbeador elétrico electric razor [iléktrik reizâr] 141
barbeiro barber [barbâr] 36
barcaça barge [bardj] 74
barco boat [bout] 71, 74, 185, 186
barco a motor motorboat [moutârbout] 74, 186, 190
barco a remo rowing boat [rouinh bout] 186
barco de corrida racing boat [reissinh bout] 190
barco de pesca fishing boat [fichinh bout] 74
barítono baritone [béritoun] 177
barômetro barometer [bérómitâr] 26
barra fixa horizontal bar [hórizóntâl bar] 189
barraca tent [tént] 93
barras paralelas parallel bars [pérâlél barz] 189
barriga abdomen [ébdâmân] 166
barriga da perna calf [kaf] 166
barroco Baroque [bérók] 124
basquete basketball [baskitbó:l] 187
batata potato [pâteitou] 102, 106
batata assada baked potato [beikt pâteitou] 106
batata corada sautéed potato [souteid pâteito] 107

batata cozida boiled potato [bóild pâteitou] 106
batata frita chips (pl) [tchips]; French fries [fréntch fraiz]; fried potato [fraid pâteitou] 106
bater (motor) to knock [tu nók] 55
bateria battery [bétri] 51
batizado christening [kríssâninh] 123, 124; baptism [béptizâm] 124
batom lipstick [lípstik] 141
baunilha vanilla [vânjlâ] 100, 114
beber to drink [tu drink] 95, 165
bebida drink [drink] 112
bebida alcoólica alcoholic drink [élkouhólic drink] 112
bebida gasosa pop [póp] 112
bebida não-alcoólica soft drink [sóft drink] 112
beco lane [lein]; alley [éli] 120
bege beige [beij] 194
beijar to kiss [tu kis] 184
beijo kiss [kis] 184
bem well [uél] 12, 163
bem-passado well done [uél dân] 99
bénédictine (licor) Benedictine [bénidiktân] 112
berço cot [kót] 82, 89
beterraba beetroot [bítru:t] 106
bexiga (órgão) bladder [blédâr] 166
biblioteca library [lajbrâri] 120
bibliotecário librarian [laibré:riân] 36
bicarbonato de sódio bicarbonate of soda [baikârbânéit óv soudâ] 160
bicicleta bicycle [baissikâl] 40, 42
bicicleta motorizada moped [moupéd] 40
biela connecting rod [kânéktinh ród] 51
bife à milanesa wienerschnitzel [vi:nârchnitsl] 106
bife enrolado collared beef [kólârd bif] 104
bife tártaro minced raw beef [minst ró:bif] 105
bigode moustache [mâstach] 157
bigudi curler [kârlâr] 141
bijuteria costume jewellery [kóstium dju:âlri] 133
bilhete coletivo party ticket [parti tikit] 61
bilhete de conexão transfer ticket [trénsfâr tikit] 58
bilhete suplementar supplementary ticket [sâpliméntâri tikit] 61, 65

bilheteria ticket office [tikit ófis] 59; booking office [bu:kinh ófis] 177
binóculo binoculars (pl) [binókiulârz] 138
binóculo de teatro opera glasses [ópârâ glassiz] 177
biologia biology [baiólâdji] 38
biquíni bikini [bikini] 134
biscoito biscuit [bjskit] 113
bispo bishop [bjchâp] 182
bloco de desenho drawing block [dró:inh blók]; sketch block [skétch blók] 138
blusa blouse [blauz] 134
blusão jumper [djâmpâr] 134
boa noite good evening [gu:d ivninh] 12; good night [gu:d nait] 17
boa sorte good luck [gu:d lâk] 23
boa tarde good afternoon [gu:d aftârnu:n] 12
boa viagem good journey [gu:d djârni] 17
boate nightclub [naitklâb] 180
boca mouth [mauth] 166
bochecha cheek [tchik] 166
boia float [flout] 51; buoy [bói] 74
boia salva-vidas lifebelt [laifbélt] 74
bola ball [bó:l] 143
bola de tênis tennis ball [ténis bó:l] 190
bolacha biscuit [bjskit] 113
bolachas de chocolate chocolate biscuits [tchókâlit bjskits] 113
boletim de alta certificate of discharge [sârtjfikât óv djstchardj] 172
boletim meteorológico weather report [uédhâr ripórt] 26
boliche skittles [skítâlz]; ninepins [nainpinz] 187
bolinho cozido na chapa scone [skón]; teacake [ti:keik] 113
bolo cake [keik] 113
bolo branco angel cake [eindjel keik] 113
bolo de carne meat pie [mi:t pai] 105
bolo de cereja cherry cake [tchéri keik] 113
bolo de chocolate chocolate cake [tchókâlit keik] 113
bolo decorado gateau [guétou]; pastry [peistri]; fancy cake [fénsi keik] 113
bolo inglês sultana (fruit) cake [sâltanâ (fru:t) keik] 113
bolo-mármore marble cake [marbâl keik] 113

bolsa handbag [héndbég] 153
bom good [gu:d] 12
bom *(tempo)* fine [fain] 25, 26
bom dia good morning [gu:d mórninh] 12
bomba de ar air pump [é:r pâmp] 51, 56
bomba de gasolina petrol pump [pétrâl pâmp] 51
bomba de óleo oil pump [óil pâmp] 51
bomba hidráulica water pump [uótâr pâmp] 51
bombons chocolates [tchókâlits] 113; sweets *(pl)* [suits] 143
bombordo port [pórt] 74
boné cap [kép] 134
boneca doll [dól] 143
bonito nice [nais] 156
bordado fancy work [fénsi uârk] 143
borracha (india) rubber [(índiâ) râbâr] 138
botão button [bâtân] 136, 137
botão de pressão press stud [prés stâd] 136
botas boots [bu:ts] 139
bote inflável rubber dinghy [râbâr dinhi] 186
bote salva-vidas lifeboat [laifbout] 74
boxeador boxer [bóksâr] 189
boxear to box [tu bóks] 189
braço arm [arm] 166
branco white [uait] 194
brevemente soon [su:n] 32
brilhante glossy [glóssi] 132
brilhantina brilliantine [briliântin] 157
brinco earring [iârinh] 133
brinco de pressão ear clip [iâr klip] 133
brinquedo toy [tói] 143
brinquedo de pelúcia soft toy [sóft tói] 143
brisa breeze [briz] 74
broca drill [dril]; gimlet [djimlit] 56
broche brooch [broutch] 133
bronquite bronchitis [brónkaitis] 169
bucha *(de carro)* bearing [bé:rinh] 51
bucha da biela connecting-rod bearing [kânéktinh ród bé:rinh] 51
budista Buddhist [budist] 123
bujão de gás bottled gas [bótâld gués] 93
bule pot [pót] 96
buquê bunch [bântch]; bouquet [bukei] 130

buscar *(coisa)* to collect [tu kâlékt] 41, 83
buscar *(pessoa)* to call for [tu kó:l fór] 15
bússola compass [kâmpâs] 138
butique boutique [butijk] 128
buzina horn [hórn] 51

C

cabeça head [héd] 166
cabeça de vitela calf's head [kafs héd] 104
cabeçote cylinder head [silindâr héd] 51
cabeleireiro hairdresser [hé:rdréssâr] 36, 158
cabeleireiro feminino ladies' hairdresser [leidis hé:rdréssâr] 158
cabeleireiro masculino gentlemen's hairdresser [djéntalmânz he:rdréssâr] 158
cabelo hair [hé:r] 78, 158
cabide (coat) hanger [(kout) hénhâr] 86, 89
cabine cabin [kébin] 74
cabine *(vestiário)* (dressing) cubicle [(dréssinh) kiubikâl] 185
cabine dupla double cabin [dâbâl kébin] 72
cabine externa *(de navio)* outside cabin [autsaid kébin] 72
cabine individual single cabin [singâl kébin] 72
cabine interna inside cabin [insaid kébin] 72
cabine telefônica telephone box [télifoun bóks] 148; call box [kó:l bóks] 147, 148
cabo cable [keibâl] 51
cabo de ignição ignition cable [ignichân keibâl] 51
cabo de reboque towrope [touroup] 49
caça hunting [hântinh]; shooting [chu:tinh] 188
cachecol scarf [skarf] 134
cachimbo pipe [paip] 140
cacho *(de cabelo)* curl [kârl] 158
cachorro dog [dóg] 191
cadarço shoelace [chu:leis] 139
cadeira chair [tché:r] 89
caderneta da caixa econômica savings-bank book [seivinhz bénk bu:k] 146

caderneta de poupança savings book [s̲e̲ivinhz bu:k] 152
café coffee [kófi] 97, 113
café (bar) café [kéfei] 113
café da manhã breakfast [brékfâst] 82, 86, 89
café gelado iced coffee [aist kófi] 113
cafeteira coffee pot [kófi pót] 96
cãibra cramp [krémp] 169
cair to fall [tu fó:l]
cair bem (roupa) to fit [tu fit] 133
cais quay [ki:] 74
caixa box [bóks] 126, 140
caixa de câmbio gearbox [guiârbóks]; transmission [trénzmichân] 51
caixa de correio letterbox [létârbóks]; pillar box [pilâr bóks] 145
caixa de ferramentas tool box [tu:l bóks] 56
caixa econômica savings bank [s̲e̲ivinhz bénk] 152
caixa postal post-office box (P.O.B.) [poust ófis bóks (pi ou bi)] 150
calafrio shiver [chivâr] 164
calça trousers (pl) [trauzârz] 134
calça de esqui ski trousers (pl) [ski trauzârz] 134
calça jeans blue jeans [blu: dji:nz] 134
calçada pavement [peivmént] 120
calçadeira shoehorn [chu:hórn] 139
calçados de ginástica gym shoes [djim chu:z] 139
calçados femininos ladies' shoes [l̲e̲idis chu:z] 139
calçados infantis children's shoes [tchildrânz chu:z] 139
calcanhar heel [hi̲i̲l] 166
calção de banho bathing trunks (pl) [b̲e̲idhinh trânks] 134, 186; swimming trunks (pl) [suiminh trânks] 186
calcinha panties (pl) [péntiz]; knickers (pl) [nikârz]; briefs [bri:fs] 134
cálculo biliar gallstone [gó:lstoun] 169
cálculo renal kidney stone [kidni stoun] 169
caldo broth [brót*h*] 102
caldo de galinha chicken broth [tchikin brót*h*] 102
calibre calibre [kélibâr]; bore [bór] 143
cálice brandy glass [bréndi glas] 96
calmante tranquilizer [trénkuilaizâr] 160
calor warm [uórm] 25; heat [hi:t] 26
calota hubcap [hâbkép] 51

cama bed [béd] 82, 165
cama de campanha camp bed [kémp béd] 93
cama suplementar extra bed [ékstrâ béd] 82
câmara de ar (inner) tube [(inâr) tiub] 46
câmara municipal town hall [taun hó:l]; guildhall [guildhó:l] 116, 120
camarão shrimp [chrimp] 104
camarote (de navio) cabin [kébin] 74
camarote (de teatro) box [bóks] 176
câmbio exchange [ikstch̲e̲indj] 151, 152
câmbio (de carro) gear lever [guiâr livâr] 51
câmbio automático automatic transmission [ó:tâmétik trénsmichân] 51
caminhão lorry [lóri]; truck [trâk] 40
caminho path [pat*h*] 19; way [u̲e̲i], road [roud] 42
camisa shirt [chârt] 134
camisa de dormir (para homens) nightshirt [n̲a̲itchârt] 134
camisa esporte sports shirt [spórts chârt] 134
camiseta de baixo vest [vést] 134
camisola nightdress [n̲a̲it drés] 134
camomila camomile [kémâmail] 160
campainha bell [bél] 90
campeonato championship [tch̲e̲mpiânchip] 188
camping camping [kémpinh] 94
campo de futebol football ground [futbó:l graund] 186
camurça suede [su̲e̲id] 139
canal canal [kânél] 74
Canal da Mancha English Channel [inglich tchénâl] 74
canção song [són(g)] 177
cancelar to cancel [tu kénsâl] 68, 148
câncer cancer [kénsâr] 169
canela cinnamon [sinâmân] 100
caneta esferográfica ballpoint (pen) [bó:lpóint (pén)] 138
canivete pocket knife [pókit n̲a̲if]; penknife [pén n̲a̲if] 143
cano pipe [paip] 87
cano de esgoto drain [dr̲e̲in] 87
canto (música cantada) singing [sinhinh] 177
cantor singer [sinhâr] 177
capa de chuva raincoat [r̲e̲inkout] 134
capa impermeável mackintosh [mékintóch] 134

212 Vocabulário

capão capon [kẹipân] 104
capela chapel [tchẹpâl] 124
capital capital [kẹpitâl] 120
capitão captain [kẹptin] 74
capota roof [ru:f]; top [tóp] 51
capota conversível sliding roof [slạidinh ru:f] 51
caranguejo crab [krẹb] 101, 103
carburador carburettor [kạrbârétâr] 51
cardápio menu [mẹniu] 95
cardigã cardigan [kạrdigân]; knitted jacket [nịtâd djẹkit] 134
carga de caneta esferográfica ball-point refill [bọ:lpoint rịfil] 138
cargueiro freighter [frẹitâr] 75
cárie caries [kẹri:z] 174
carne meat [mi:t] 105
carne de caça game [guẹim] 105
carne de porco pork [pọrk] 105
carne de vaca beef [bif] 104
carne de veado venison [vẹnizân] 106
carne picada minced meat [minst mi:t] 105
caro expensive [ikspẹnsiv] 127
carpa carp [kạrp] 103
carpinteiro carpenter [kạrpântâr] 36
carregador porter [pọrtâr] 63
carregar *(a bateria)* to charge [tu tchạrdj] 54
carro car [kạr] 40, 41, 42, 44, 47, 48
carro de corrida racing car [rẹissinh kạr] 188
carro de passeio passenger car [pẹssindjâr kạr] 51
carroça dray [drẹi] 41
carroceria body [bọdi] 51
carta letter [lẹtâr] 34, 84, 88, 145, 146, 150
carta aérea air-mail letter [ẹ:r mẹil lẹtâr] 145
carta de crédito letter of credit [lẹtâr óv krẹdit] 152
carta de vinhos wine list [uạin list] 95
carta expressa express letter [ikspress lẹtâr] 145
carta nacional inland letter [ịnlând lẹtâr] 145
carta para o exterior letter for abroad [lẹtâr fór âbrọ:d] 145
carta registada registered letter [rẹdjistârd lẹtâr] 145
cartão card [kạrd] 145
cartão de estacionamento parking disc [pạrkinh disk] 42

cartão de felicitação greetings card [grịtinhz kạrd] 145
cartão do cheque cheque card [tchẹk kạrd] 152
cartão nacional inland card [ịnlând kạrd] 145
cartão-postal (picture) postcard [(pịktchâr) pọustkârd] 84, 145, 150
carteira wallet [uọ:lit] 144, 153
carteira de associado do albergue da juventude youth-hostel card [iụ:th hộstâl kạrd] 94
carteira de identidade identity card [aidẹntiti kạrd] 78
carteira de motorista driving licence [drạivinh laissâns] 42
carteira de seguro insurance certificate [inchụrâns sârtịfikât] 78
carteira de sócio membership card [mẹmbârchip kạrd] 94
carteira do camping camping card [kẹmpinh kạrd] 94
carteiro postman [pọustmén] 36
cárter crank case [krẹnk kẹis] 51
cartucho cartridge [kạrtridj] 143
casa house [hạus] 90, 120; home [họum] 15, 17, 184
casa *(de tabuleiro de jogo)* square [skuẹ:r] 182
casa de câmbio exchange office [ikstchẹindj ọfis] 59
casaco jacket [djẹkit] 134
casaco de camurça suede jacket [suẹid djẹkit] 134
casaco de couro leather coat [lẹdhâr kọut] 134
casaco de pele fur coat [fâr kọut] 134
casado married [mẹri:d] 78
casamento marriage [mẹridj] 23; wedding [uẹdinh] 123
cascata waterfall [uọtârfó:l] 120
caspa dandruff [dẹndrâf] 158
cassino casino [kẹssịnou] 181
castanha chestnut [tchẹsnât] 108
castelo castle [kạssâl] 119, 120
castiçal candlestick [kẹndâlstick] 124, 144
catálogo catalogue [kẹtâlọg] 130
catchup tomato ketchup [tâmạtou kẹtchâp] 100
catedral cathedral [kâthịdrâl] 124
categoria category [kẹtâgâri] 90
católico (romano) (Roman) Catholic [(rọumân) kẹthậlik] 123, 124

Vocabulário 213

cavala mackerel [mékârâl] 103
cavaleiro rider [raidâr] 188
cavalheiros gentlemen [djéntâlmen] 191
cavalo horse [hórs] 188
cavalo *(jogo de xadrez)* knight [nait] 182
caverna cave [keiv] 120
caviar caviar(e) [kéviar] 101
caxumba mumps [mâmps] 169
cebola onion [ânian] 100, 102
cebolinha chives *(pl)* [tchaivz] 100
cedo early [ârli] 31
cemitério cemetery [sémâtri]; churchyard [tchârtchiard] 120
cenário set [sét]; scenery [sinâri] 177
cenoura carrot [kérât] 106
centímetro centimetre [séntimitâr] 193
central central [séntrâl] 80
central elétrica power station [pauâr steichân] 80
centro da cidade *city (town) centre* [siti (taun) séntâr] 120
centro metropolitano city centre [siti séntâr] 120
centro velho *(da cidade)* old town [ould taun] 120
cera de esqui ski wax [ski uéks] 189
cerâmica ceramics [sirémiks] 144
cerca de *(por volta de)* about [âbaut] 30
cereais cereal [siriâl] 97
cérebro brain [brein] 166
cereja cherry [tchéri] 108
certa *(hora)* exact [igzékt] 30
certamente certainly [sârtânli] 21
certo right [rait] 22, 31, 40, 79
cerveja beer [biâr] 111
cerveja ale ale [eil] 111
cerveja ale clara pale ale [peil eil] 111
cerveja clara light beer [lait biâr] 111
cerveja em garrafa bottled beer [bótâld biâr] 111
cerveja em lata canned beer [kénd biâr] 112
cerveja lager lager [lagâr] 112
cerveja porter porter [pórtâr] 111
cerveja preta forte stout [staut] 111
cervo stag [stég] 105
cerzir to mend [tu ménd] 137
cesta basket [baskit] 144
cesta de pão bread basket [bréd baskit] 96

céu sky [skai] 26
chá tea [ti:] 97, 114, 160
chamada local local call [loukâl kó:l] 148
chamar to call [tu kó:l] 19, 48, 98; to fetch [tu fétch] 48, 73, 123
chaminé chimney [tchimni] 90
champanhe champagne [chémpein] 111
chantagem blackmail [blékmeil] 153
chapéu hat [hét] 134
chapéu de palha straw hat [stró: hét] 134
charter *(voo)* charter plane [tchartâr plein] 70
charuto cigar [sigar] 140
chassi chassis [chéssi] 51
chave key [ki:] 51, 56, 84, 85, 87, 90, 153
chave da ignição ignition key [ignichân ki:] 51
chave de fenda screwdriver [skru:draivâr] 56
chave inglesa spanner [spénâr]; wrench [réntch] 56
chave-cachimbo box spanner [bóks spénâr]; box wrench [bóks réntch] 56
chefe da estação stationmaster [steichânmastâr] 66
chefe do trem guard [gard] 66
chegada arrival [âraivâl] 59, 66, 70, 191
chegar to arrive [tu âraiv] 34, 60, 66; to get in [tu guét in] 64; to get to [tu guét tu] 19, 60
cheio full [ful] 45
cheque cheque [tchék] 151, 152
cheque de viagem traveller's cheque [trévâlârz tchék] 127, 152
chicória chicory [tchikâri] 106
chinelos slippers [slipârz] 139
chocolate chocolate [tchókâlit] 114
chocolate gelado *(bebida)* iced chocolate [aist tchókâlit] 114
choque shock [chók] 169
chover to rain [tu rein] 25, 26
chover granizo to hail [tu heil] 27
chuva rain [rein] 26, 87
chuveiro shower [chauâr] 81, 90
ciática sciatica [saiétikâ] 169
ciclismo cycling [saiklinh] 188
ciclista cyclist [saiklist] 188
ciclovia cycle track [saikâl trék] 42

cidade town [taun] 40, 85
ciência política political science [pâlitikâl saiâns] 38
cientista scientist [saiântist] 36
cigarrilha small cigar [smó:l sigar] 140
cigarro cigarette [sigârét] 79, 140
cigarro com filtro filter-tipped cigarette [filtâr tipt sigârét] 140
cilindro cylinder [silindâr] 52
cinco five [faiv] 28, 30, 86
cinema cinema [sinâmâ] 179
cinema ao ar livre open-air cinema [oupân é:r sinâmâ] 179
cinta suspender belt [sâspéndâr bélt] 134
cinta-liga suspender belt [sâspéndâr bélt] 134
cinto belt [bélt] 134
cinto de segurança safety belt [seifti bélt] 52; seat belt [si:t bélt] 70
cinza *(cor)* grey [grei] 194
cinza-claro light grey [lait grei] 194
cinza-prateado silver grey [silvâr grei] 194
cinzeiro ashtray [échtrei] 86
cinzel chisel [tchizâl] 56
circo circus [sârkâs] 181
circuito turístico sightseeing; tour [saitsiinh; tu:r] 120
circulação circulation [sârkiuleichân] 166
cirurgião surgeon [sârdjân] 162
clarear to clear [tu kliâr] 26
clarete claret [klérât] 111
claro light [lait]; pale [peil] 111, 194
classe class [klas] 61, 63
classe turística tourist class [tu:rist klas] 74
claustro cloister [klóistâr] 124
clavícula collarbone [kólârboun] 166
clérigo clergyman [klârdjimén] 34, 124
clima climate [klaimit] 27
clínica dentária dental clinic [déntâl klinik] 174
clube club [klâb] 181
clube esportivo sports club [spórts klâb] 188
cobertor blanket [blénkit] 86, 89
cobrador *(de ônibus)* conductor [kândâktâr] 58
coco coconut [koukânât] 108
código de trânsito traffic regulations *(pl)* [tréfik réguiuleichânz] 42
codorna quail [kueil] 104

coelho rabbit [rébit] 105
cogumelo mushroom [mâch ru:m] 100, 106
coisa thing [thinh] 185
cola glue [glu:] 138
colante *(roupa)* tights [taits] 134
colar necklace [néklis] 133, 153
colcha bedspread [bédspré:d] 89; cover [kâvâr] 92
colchão mattress [métris] 90
colchão de ar air mattress [é:r métris] 186
colchete hook and eye [hu:k énd ai] 136
cólera *(doença)* cholera [kólârâ] 77, 169
colete waistcoat [ueistkout] 134
colete salva-vidas life-jacket [laif djékit] 70
colher spoon [spu:n] 96
colher de chá teaspoon [ti:spu:n] 96
cólica colic [kólik] 169
colina hill [hil] 120
colisão collision [kâlijân]; impact [impékt] 49
colo do dente neck of a tooth [nék óv â tu:th] 174
colocar to put [tu put] 82
colorido colourful [kâlârful] 137, 194; (brightly) coloured [(braitli) kâlârd] 194
coluna pillar [pilâr] 124
coluna vertebral spine [spain]; vertebral column [vârtibrâl kólâm] 166
com with [uith] 13, 22, 41, 82, 154
com antecedência in advance [in âdvans]
com frequência often [ófân] 164
com licença excuse me [ikskiuz mi]; may I [mei ai] 20, 64
com que frequência how often [hau ófân] 71
com vista para o mar overlooking the sea [ouvârlu:kinh dhâ si:] 81
combinação *(vestuário)* slip [slip]; petticoat [pétikout] 134
começar to begin [tu biguin] 119, 148, 176]; to open [tu oupân] 179
comédia comedy [kómidi] 177
comer to eat [tu i:t] 95, 163
comerciante shopkeeper [chópkipâr]; merchant [mârtchânt] 36
comerciante de vinhos wine merchant [uain mârtchânt] 128

comida food [fu:d] 80, 95
comida dietética dietary food [da̱iâtâri fu:d] 95
comida enlatada tinned food [tind fu:d] 144
cominho caraway [kérâuei] 100
comissário (de bordo) steward [stiu̱ârd] 73, 74
comissário de bordo (de navio) purser [pârsâr] 73
comissário-chefe chief steward [tchi:f stiu̱ârd]
como how [ha̱u] 12
companhia aérea airline [é:rlain] 70
companhia de navegação shipping company [chipinh kâmpâni] 72
compartimento compartment [compartmént] 66
competição match [métch]; contest [kóntést] 188
compositor composer [kâmpouzâr] 177
compota de frutas stewed fruit [stiu̱:d fru:t] 108
comprar to buy [tu ba̱i] 126; to get [tu guét] 176; to take [tu te̱ik] 65
compreender to understand [tu ândârsténd] 24
compressa pack [pék] 175
compressão compression [kâmpréchân] 52
comprido long [lón(g)] 133
comprimido pill [pil] 160; tablet [téblit] 160, 165
comprimido de carvão (medicinal) charcoal tablet [(médi̱ssinâl) tcharkoul téblit] 160
comprimido de vitamina vitamin pill [vi̱tâmin pil] 160
comprovante de depósito (left-)luggage ticket [(léft) lâguidj ti̱kit] 62, 83
comprovante de expedição dispatch note [dispétch nout] 150
comum standard [sténdârd] 46
comunhão (sagrada) (Holy) Communion [(hóli) komiu̱nion] 124
comunicado de saída notice of departure [nou̱tis óv dipartchâr] 94
comunicar-se com to get in touch with [tu guét in tâtch uith] 48
comutador switch [su̱itch] 52
concerto concert [kónsârt] 123, 124, 177

concerto sinfônico symphony concert [si̱mfâni kónsârt] 177
concha shell [chél] 186
concurso de beleza beauty contest [biu̱:ti kóntést] 181
concussão concussion [kânkâchân] 169
condensador condenser [kândénsâr] 52
condição condition [kândi̱chân] 25
condição da estrada road condition [ro̱ud kândichân] 25, 27
condolência sympathy [si̱mpâthi] 23
conduto de gasolina fuel pipe [fiu̱âl pa̱ip] 52
conexão connection [kónékchân] 59, 60
confeitaria confectionery [kânfékchânâri] 114; sweet shop [su̱it chóp] 128
confeiteiro confectioner [kânfékchânâr]; pastry cook [pe̱istri ku:k] 36
confessar to confess [tu kânfés] 124
confiscar to confiscate [tu kónfiskeit] 154
confissão confession [kânfékchân] 124
conforme according to [âkórdinh tu] 159
conhaque cognac [kóniék]; brandy [bréndi] 112
conhaque de abricó apricot brandy [e̱iprikót bréndi] 112
conhaque de cereja cherry brandy [tchéri bréndi] 112
conhecer to know [tu no̱u] 14
conjuntivite conjunctivitis [kândjânktivaitis] 169
conjunto de calça e paletó (feminino) trouser suit [trauzâr siu̱t] 135
conseguir to get [tu guét] 85, 187
consertar to repair [tu ripé:r] 46, 50, 138, etc.
conserto repair [ripé:r] 52, 142
consomê consommé [kónsómei] 102
construção naval shipbuilding [chip bi̱ldinh] 38
construído built [bilt] 119
consulado consulate [kónsiulât] 77, 153
consultório surgery [sârdjâri] 163
conta bill [bil] 90, 115
conta-corrente bank account [bénk âka̱unt] 152
contagem de glóbulos blood count [blâd ka̱unt] 172

contato contact [kóntékt] 52
contato da ignição ignition lock [ignichán lók] 52
contente glad [gléd] 12
contra against [âguénst] 77
contrabando smuggling [smâglinh] 154
contralto contralto [kóntréltou] 177
controle de passaportes passport control [pâspórt kântroul] 78
contusão bruise [bru:z] 169
convento convent [kónvânt] 124
conversa conversation [kónvârseichân] 149
conversar to talk [tu tó:k] 183
convés deck [dék] 74
convés de passeio promenade deck [prómânad dék] 74
convés de primeira classe saloon deck [sâlu:n dék] 74
convés de proa fore deck [fór dék] 74
convés principal main deck [mein dék] 74
convés superior upper deck [âpâr dék] 74
convidar to invite [tu invait] 183, 184
convite invitation [inviteichân] 16
copas hearts [harts] 166
cópia *(de foto)* print [print] 131, 132
cópia colorida colour print [kâlâr print] 132
copo tumbler [tâmblâr] 90; glass [glas] 90, 96, 111, 113
coqueluche whooping cough [hu:pinh kóf] 169
cor colour [kâlâr] 78, 127, 194
cor-de-rosa pink [pink] 194
coração heart [hart] 166
corda cord [kórd]; rope [roup] 144
corda *(de relógio)* spring [sprinh] 143
cordeiro lamb [lém] 105
coro choir [kuair] 124, 177
coroa dentária crown [kraun] 174
corpo body [bódi] 166
corpo de bombeiros fire brigade [faiâr briguéid] 49
Corpus Christi Corpus Christi [kórpâs kristi] 34
corredor corridor [kóridâr] 90
correia de ventilador fan belt [fén bélt] 52
correio aéreo airmail [é:rmeil] 150
corrente chain [tchein] 52
corrente alternada alternating current [óltârneitinh kârânt] 90

corrente antiderrapante non-skid chain [nón skid tchein] 52
corrente de ar draught [dra:ft] 27
correnteza current [kârânt] 185
correspondência *(postal)* mail [meil] 146
corrida race [reis] 187, 188
corrida de bicicleta cycle race [saikâl reis] 188
corrida de cavalos horse racing [hórs reissinh] 188
corrida de trote trotting race [trótinh reis] 188
corrida de veículos motorizados motor racing [moutâr reissinh] 188
cortar to cut [tu kât] 155, 158, 181
corte a navalha razor cut [reizâr kât] 157
cortina curtain [kârtân] 90, 177
costa coast [koust] 75
costas back *(sing)* [bék] 65, 166
costela rib [rib] 166
costeleta *(carne)* chop [tchóp] 104
costeletas *(de cabelo)* sideburns [saidbârnz] 158
costureira dressmaker [dréssmeikâr] 36, 128
cotação cambial rate of exchange [reit óv ikstcheindj] 152
cotovelo elbow [élbou] 166
couro leather [lédhâr] 139
couve kale [keil] 166
couve lombarda savoy [sâvói] 107
couve-de-bruxelas brussels sprout [brâssâlz spraut] 106
couve-flor cauliflower [có:liflauâr] 106
couve-nabo swede [suid] 107
coxa thigh [thai] 166
cozido boiled [bóild] 99, 104
cozido *(ovo)* hard-boiled [hard bóild] 97
cozido no vapor steamed [sti:md] 99
cozinha kitchen [kitchin] 90
cozinhar to cook [tu ku:k] 94
cozinheiro cook [ku:k] 36
crânio skull [skâl] 166
cravo *(especiaria)* clove [klouv] 100
cravo *(flor)* carnation [karneichân] 130
creditar to pay in [tu pei in] 152
crédito credit [krédit] 152
creme cream [kri:m] 114
creme batido whipped cream [uipt kri:m] 114
creme bronzeador suntan cream [sântén kri:m] 141

creme de barbear shaving cream [cheivinh kri:m] 141
creme facial face cream [feis kri:m] 141
criado-mudo bedside table [bédsaid teibâl] 90
criança child [tchaild] 162
crianças children [tchildrân] 77, 82, 185
crime crime [kraim] 154
criminoso criminal [kriminâl] 154
cripta crypt [kript] 124
crisântemo chrysanthemum [krissénthâmâm] 130
cristão Christian [kristchân] 123, 124
cristianismo Christianity [kristiéniti] 124
Cristo Christ [kraist] 124
croissant croissant [kruâssón] 97
cronômetro stopwatch [stópuótch] 143
croquete rissole [rissoul] 105
cru raw [ró:] 99
crucifixo crucifix [kryssifiks] 124
crustáceo crustacean [krâsteichân] 103
cruz cross [krós] 124
cruzamento cross-roads [krós roudz] 42
cruzeiro *(de navio)* cruise [kru:z] 51
cúbico cubic [kiubik] 193
cubo *(de roda)* hub [hâb] 52
cueca underpants *(pl)* [ândârpénts] 135
cuidado caution [kó:chân] 49, 191; beware [biué:r] 191
cuidado com o trem beware of trains [biué:r óv treinz] 191
cuidar de to look after [tu lu:k aftâr] 48
culpa guilt [guilt] 154
cúpula dome [doum] 124; cupola [kiupâlâ] 124
curativo dressing [dréssinh] 48, 49
curativo adesivo adhesive dressing [âdhissiv dréssinh] 160
curinga joker [djoukâr] 181
curso course [kó:rs] 38
curso por correspondência correspondence course [kórispóndâns kó:rs] 39
curso universitário university training [iunivârsiti treininh] 39
curta-metragem short film [chórt film] 179
curto short [chórt] 133, 157
curto-circuito short-circuit [chórt sârkit] 52
curva bend [bénd] 42

curva de temperatura temperature chart [témprâtchâr tchart] 172
custar to cost [tu kóst] 18, 41, 147

D

dama lady [leidi] 191
dama *(baralho)* queen [kuin] 181
dança dance [dans] 184
dançar to dance [tu dans] 183, 184
danificar to damage [tu démidj] 49
dano superficial superficial damage [siupârfichâl démidj] 49
dar to give [tu guiv] 20, 126, 159, 164
dar *(as cartas de um jogo)* to deal [tu di:l] 181
dar alta to discharge [tu distchardj] 172
dar queixa to complain [tu câmplein] 153
dar uma carona to give a lift [tu guiv â lift] 48
dar uma volta a pé to go for a walk [tu gou fór â uó:k] 183, 184
dar uma volta de carro to go for a drive [tu gou fór â draiv] 183
data date [deit] 78
dê a preferência give way [guiv uei] 57
de hora em hora hourly [auârli]; every hour [évri auâr] 31
de manhã in the morning [in dhâ mó:rninh] 31
de quem whose [huz] 18
de repente suddenly [sâdânli] 55
de vez em quando from time to time [fróm taim tu taim] 32
de vista by sight [bai sait] 14
debruçar-se to lean out [tu li:n aut] 191
decímetro decimeter [déssimitâr] 193
décimo tenth [ténth] 29
declaração alfandegária customs declaration [kâstâmz déklâreichân] 79, 146, 150
declaração de valores declaration of value [déklâreichân óv véliu] 150
declarar to declare [tu dikié:r] 79
declive gradient [greidiânt] 43
decolagem takeoff [teikóf] 70
decolar to take off [tu teik óf] 70
dedal thimble [thimbâl] 136
dedo finger [finh(g)âr] 166
dedo do pé toe [tou] 166
dedo médio middle finger [midâl finh(g)âr] 166

defumado smoked [smoukt] 101
degelar to thaw [tu thó:] 27
degelo thaw [thó:] 27
deixar to leave [tu li:v] 15, 44, 62, 83, 85
deixar em paz to leave alone [tu li:v âloun] 15
deixar livre to keep clear [tu kip kliâr] 57
demais too [tu:] 56, 115
demorar to last [tu lést] 19
dentadura dentures *(pl)* [déntchârz] 173, 174; dental plate [déntâl pleit] 174
dente tooth [tu:*th*] 166, 174
dente canino eye tooth [ai tu:*th*]; canine tooth [keinain tu:*th*] 174
dente de cima top tooth [tóp tu:*th*] 173
dente do siso wisdom tooth [uizdâm tu:*th*] 174
dente postiço false tooth [fóls tu:*th*] 174
dentista dentist [déntist] 173, 174
dentro de *(prazo)* within [uidhin] 32
departamento de investigação criminal Criminal Investigation Department (C.I.D.) [kriminâl invéstigueichân dipártmânt (si ai di)] 154
depilar to shave [tu cheiv] 156
depois after [áftâr] 31, 159
depois de amanhã the day after tomorrow [dhâ dei áftar tâmórou] 31
depósito de bagagem left-luggage deposit [léft láguidj dipózit] 62, 64
depressa quickly [kuiklí] 48
depressão atmosférica depression [dipréchân]; ridge of low pressure [ridj óv lou préchâr] 27
derrota defeat [difí:t] 188
descafeinado decaffeinated [dikéfineitid] 97
descarga flush [flách] 87
descarregar *(bateria)* to run down [tu rân daun] 54
descer *(de veículos)* to get off [tu guét óf] 43, 117
descer *(temperatura)* to fall [tu fó:l] 25
desculpe sorry [sóri] 22
desculpe-me I'm sorry [aim sóri] 22
desde since [sins] 165
desejar to wish [tu uich] 23; to hope [tu houp] 20
desembarcadouro landing place [léndinh pleis]; dock [dók] 75

desembarcar to disembark [tu dizimbárk] 75; to go ashore [tu gou âchór] 71
desenho animado cartoon [kartu:n] 179
desfiadura ladder [lédâr] 137
desfiladeiro pass [pas] 42
desfile de moda fashion show [féchân chou] 180
desinfetante disinfectant [dissinféktânt] 160
desligar to switch off [tu suitch óf] 182
desmaio faint [feint] 169
desocupar to vacate [tu vâkeit]; to move out [tu muv aut] 90
desodorante deodorant [dioudârânt] 141
despachar to send off [tu sénd óf] 146; to register [tu rédjistâr] 62
despacho de bagagem registered-luggage office [rédjistârd lâguidj ófis] 62
despedir-se to say goodbye [tu sei gu:dbai] 17
despertador alarm clock [âlárm klók] 143
despir-se to get undressed [tu guét ândrést] 165
destinação destination [déstineichân] 70, 150
destinatário addressee [édréssi] 150
desviar to turn off [tu târn óf] 43
desvio diversion [daivârchân] 42
detenção custody [kâstâdi] 154
Deus God [gód] 124
devagar slow [slou] 42, 57; slowly [sloulí] 24, 57
devolver to bring back [tu brinh bék] 41
dez ten [tén] 28
dezembro December [disséimbâr] 33
dia day [dei] 31, 32, 82, 159, *etc.*
Dia de Todos os Santos All Saints' Day [ó:l seints dei] 34
diabetes diabetes [daiâbítiz] 169
diabético diabetic [daiâbétik] 164
diafragma *(de máquina fotográfica)* diaphragm [daiâfrém]; stop [stóp] 132
diagnóstico diagnosis [daiâgnoussis] 172
diamante diamond [daiâmând] 133
diapositivo slide [slaid] 132
diariamente daily [deili]; every day [évri dei] 31
diarreia diarrhoea [daiâriâ] 163, 169
dicionário dictionary [dikchânâri] 130
diesel diesel fuel [dí:zâl fjuâl] 45

diferencial differential [difârénchâl] 52
difteria diphtheria [difthiriâ] 169
digestão digestion [didjéstchân] 167
diminuir *(vento)* to drop [tu dróp] 26
dínamo dynamo [dainâmou]; generator [djénâreitâr] 52
dinheiro money [mâni] 84, 146, 151, 152
dioptria diopter [daióptâr] 138
direção direction [dirékchân] 40, 116
direção *(de carro)* steering [stirinh] 52
direita right [rait] 40
direito *(adequadamente)* properly [própârli] 50
direito *(curso)* law [ló:] 38
direto direct [dirékt] 67
dirigir to drive [tu draiv] 43, 50
discar to dial [tu dail] 149
disco (gramophone) record [(grémâfoun) rékórd] 130, 181
disco vertebral vertebral disc [vârtibrâl disk] 167
discoteca discotheque [diskâték] 180, 183
disenteria dysentery [dissântri] 169
disparador *(de máquina fotográfica)* shutter release [châtâr rili:s] 132
disparador automático automatic shutter-release [ó:tâmétik châtâr rili:s] 132
dissipar-se *(neblina)* to lift [tu lift] 26
distância distance [distâns] 116
distensão do tendão pulled tendon [puld téndân] 169
distribuidor distributor [distribiutâr] 52
distúrbio circulatório circulatory disturbance [sârkiulâtâri distârbâns] 169
distúrbio respiratório difficulty in breathing [difikâlti in bri:thinh] 169
divã divan [divén] 90
diversão amusement [âmiuzmânt] 181
divertir-se to have a good time [tu hév â gu:d taim] 20; to amuse oneself [tu âmiuz uânsélf] 181, 184
dizer to tell [tu tél] 20
doce sweet [suit] 108, 114
documentário documentary [dókiuméntâri] 179
documento document [dókiâmânt] 77
doença illness [ilnis]; disease [dizi:z] 169
doença venérea venereal disease [vâniriâl dizi:z] 169
doente ill [il] 12, 162, 165
doer to hurt [tu hârt] 163, 164, 165, 173

dois two [tu:] 28, 86
domicílio place of residence [pleis óv rézidâns] 78
domingo Sunday [sândei] 33
dona de casa housewife [hausuaif] 36
dor pain [pein] 163, 169
dor de barriga bellyache [bélieik] 163, 169
dor de cabeça headache [hédeik] 160, 163, 170
dor de dente toothache [tu:theik] 173
dor de estômago stomach pains [stâmâk peinz] 170
dor de garganta sore throat [sór throut] 163, 170
dor de ouvido earache [iâr eik] 164
dor nas costas backache [békeik] 170
dormir to sleep [tu slip] 12, 164
dormitório dormitory [dórmitâri] 94
dourado gold-plated [gould pleitid]; gilded [guildid] 133; gold [gould] 194
Doutor Doctor [dóktâr] 13
drama drama [dramâ] 177
dueto duet [diuét] 177
duna sand dune [sénd diun] 186
durante during [diurinh] 31
durar to last [tu lést] 179
duro hard [hard] 115
duro *(comida)* tough [tâf] 115
dúzia dozen [dâzân] 194

E

e and [énd] 12, *etc*.
echarpe scarf [skarf] 135
economia *(curso de)* economics [ikânómiks] 38
edifício building [bildinh] 119
eixo axle [éxl] 52
eixo propulsor propeller shaft [prâpélâr chaft] 52
elástico elastic [iléstik] 136
eletricista electrician [iléktrichân] 36
elevador lift [lift] 90
em cima on top [ón tóp] 156, 157; up [âp] 173
em conserva pickled [pikâld] 99
em dinheiro cash [kéch] 152
em frente straight on [streit ón] 40, 116
em jejum on an empty stomach [ón én émpti stâmâk] 159
em ponto sharp [charp] 30; on time [ón taim]

em tempo in (good) time [in (gu:d) taim] 32
embaixada embassy [émbâssi] 120
embaixo down [daun] 173
embaralhar to shuffle [tu châfâl] 181
embreagem clutch [klâtch] 52
emético emetic [imétik] 160
empatar to draw [tu dró:] 181
empate draw [dró:] 188
emprestar to lend [tu lénd] 48, 56
empurrar to push [tu puch] 191
encaminhar to send [tu sénd] 165
encanador plumber [plâmâr] 36
encarregado da bagagem officer in charge of the luggage [ófissâr in tchardj óv dhâ lâguidj]
encompridar to lengthen [lénhthân] 137
encontrar to meet [tu mit] 15, 184
encrespar to back-comb [tu bék koum] 156
encurtar to shorten [tu chórtân] 137
endereço address [âdrés] 48, 146
enfermaria ward [uórd] 172
enfermeira noturna night nurse [nait nârs] 172
enfermeira-chefe matron [meitrân]; sister [sistâr] 172
enfermeiro, enfermeira nurse [nârs] 172
engano (telefônico) wrong number [rón nâmbâr] 148
engarrafamento bottleneck [bótâlnék] 49
engenharia civil civil engineering [sivâl éndjinirinh] 38
engenheiro engineer [éndjiniâr] 36
enguia eel [il] 103
enguiçado out of order [aut óv órdâr] 48, 50
enjoado sick [sik] 69,163; seasick [si:ssik] 75
enjoo air sickness [é:r siknâs] 69, 70; seasickness [si:ssiknâs] 75; sick [sik] 163
ensopado stew [stiu] 106
enterite enteritis [éntâraitis] 170
entorse sprain [sprein] 170
entrada entrance [éntrâns] 66, 90, 191; entry [éntri] 42, 78
entrada gratuita admission free [âdmichân fri] 191
entrada proibida no entry [nou éntri] 57; no admittance [nou âdmitâns] 191

entrar to come in [tu kâm in] 16
entrar (em veículos, no trem) to get in [tu guét in] 43, 66
entre between [bituin] 30
entrecoberta between-decks [bituin déks] 74
entupido blocked [blókt] 87
envelope envelope [énvâloup] 138
envenenamento poisoning [póizâninh] 170
enviar to send [tu sénd] 48, 147
enviar por correio expresso to express [tu iksprés] 146
enxaqueca migraine [migrein] 170
equipamento de mergulho diving equipment [daivinh ikuipmânt] 186
equitação riding [raidinh] 188
erudito scholar [skólâr] 36
erupção rash [réch] 170
ervas aromáticas herbs [hârbz] 100
ervilha pea [pi:] 102, 106
escada staircase [sté:rkeis]; stairs *(pl)* [sté:rz] 90
escada rolante escalator [éskâleitâr] 191
escala stopover [stópouvâr] 67, 70
escanhoar to shave closely [tu cheiv klousli] 157
escanteio corner [kórnâr] 189
escapamento exhaust [igzó:st] 52
escargot edible snail [édibâl sneil] 101
escarlatina scarlet fever [skarlit fivâr] 170
escavação excavation [ékskâveichân] 121
escola school [sku:l] 39
escola de artes aplicadas college of applied arts [kólidj óv âplaid arts] 39
escola de comércio business school [biznis sku:l] 39
escola de equitação riding school [raidinh sku:l] 180
escola de navegação sailing school [seilinh sku:l] 180
escola secundária secondary school [sékândâri sku:l] 39
escola técnica technical college [téknikâl kólidj] 39
escola vocacional vocational school [voukeichânâl sku:l] 39
escorregadio slippery [slipâri] 25, 27; icy [aissi] 27
escorregar to slip [tu slip] 55
escova brush [brâch] 141

Vocabulário 221

escova de cabelo hairbrush [hé:rbrâch] 141
escova de dentes toothbrush [tu:thrâch] 141
escrever to write [tu rait] 24
escritor writer [raitâr] 36
escritório office [ófis] 36
escritório das autoridades alfandegárias customs authorities' office [kâstâmz ó:thórâtiz ófis] 72
escultor sculptor [skâlptâr] 36
escultura em madeira wood-carving [uu:d karvinh] 144
escuro dark [dark] 111, 127, 194
esgrima fencing [fénsinh] 188
esmalte de unha nail varnish [neil varnich] 141
espadas *(naipe)* spades [speidz] 181
espaguete spaghetti [spâguéti] 102
especial special [spéchâl] 46
especial *(gasolina)* premium grade [primiâm greid]; super [siupâr] 45
especialista specialist [spéchâlist] 162
espelho mirror [mirâr] 90
espelho retrovisor rear-view mirror [riâr viu mirâr] 52
esperar to wait [tu ueit] 86, 117, 155; to expect [tu ikspékt] 84, 184
esperar *(ter esperança)* to hope [tu houp] 16
espeto spit [spit] 99
espinafre spinach [spinidj] 107
espingarda de caça sporting rifle [spórtinh raifâl]; sporting gun [spórtinh gân]; shotgun [chótgân] 143
espingarda de pequeno calibre smallbore rifle [smó:l bór raifâl] 143
espinha spine [spain] 167
espiriteira spirit stove [spirit stouv] 144
esponja sponge [spândj] 141
esporte sport [spórt] 187, 188
esportista *(homem)* sportsman *(m)* [spórtsmén] 188
esportista *(mulher)* sportswoman *(f)* [spórts uumân] 189
esposa wife [uaif] 13, 14, 35
espreguiçadeira deckchair [déktché:r] 75, 185
esquerda left [léft] 40, 116
esqui ski [ski] 189
esqui *(esporte)* skiing [skiinh] 189
esqui aquático water-skiing [uótâr

skiinh] 185
esquiar to ski [tu ski] 189
esquina corner [kórnâr] 121
esse, essa [dhis] 19 *etc.*
essencial essential [issénchâl] 50
estação station [steichân] 59, 83
estação de mercadorias goods station [gu:dz steichân] 66
estação emissora de rádio station [steichân] 180
estação principal main station [mein steichân] 59
estacionamento car park [kar park] 42, 57, 83
estacionamento limitado parking limited [parkinh limitid] 57
estacionamento proibido no parking [nou parkinh] 42, 57
estacionar to park [tu park] 43, 44
estadia stay [stei] 175
estado civil marital status [méritâl steitâs] 78
estampado patterned [pétârnd] 137
estância hidromineral *(balneário)* spa [spa]; watering place [uótârinh pleis] 175; water resort [uótâr rizórt] 175
estande de tiro rifle range [raifâl reindj] 190
estar to be [tu bi] 12, *etc.*
estar de volta to be back [tu bi bék] 85
estar enjoado to feel sick [tu fil sik] 69, 163
estátua statue [stétiu:] 124
estatura height [hait] 78
estepe *(pneu)* spare wheel [spé:r uil] 47; 52
estibordo starboard [starbó:rd] 75
estojo de óculos spectacle-case [spéktâkâl keis] 135
estojo de pó-de-arroz powder compact [paudâr kômpékt] 141
estojo de primeiros socorros first-aid kit [fârst eid kit] 160
estola stole [stoul] 135
estômago stomach [stâmâk] 163, 167
estouro *(no motor do carro)* backfire [békfaiâr] 52
estrada road [roud] 19, 27, 40, 42, *etc.*
estrada de ferro railway [reil uei] 66
estrada principal main road [mein roud] 121

estrada secundária side road [said roud] 121
estreitamento de pista road narrow [roud nérou] 57
estreito narrow [nérou] 139
estrela star [star] 27
estudante student [stiudânt] 36
estudar to study [tu stâdi] 38
estufado braised [breizd] stewed [stiu:d] 99
esturjão sturgeon [stârdjân] 103
eu I [ai] 12, *etc.*
evacuação bowel movement [bauâl muvmânt] 167
evangelho Gospel [góspâl] 124
exame examination [igzémineichân] 172
exame de sangue blood test [blâd tést] 165, 172
examinar to examine [tu igzémin] 172
exatamente exactly [igzéktli] 30
excelente excellent [éksâlânt] 98; fine [fain] 67
excesso de bagagem excess luggage [ékses lâguidj]; excess baggage [ékses béguidj] 67
excursão excursion [ikskârchân] 71, 75, 84
êxito success [sâksés] 23
expedido sent off [sént óf] 34
expedir to forward [tu fór uârd] 146
experimentar to try on [tu trai ón] 133
expor to expose [tu ékspouz] 132
exposição exhibition [égzibichân] 119
extensão elétrica extension cord [ikstênchân kórd]; extension flex [ikstênchân fléks] 90
extintor de incêndio fire extinguisher [faiâr ikstingüichâr] 52, 191

F

fábrica factory [féktâri] 121
faca knife [naif] 96, 115
faculdade college [kólidj]; faculty [fékâlti] 39
faculdade de educação física physical training college [fizikâl treininh kólidj] 38
fahrenheit Fahrenheit [férânhait] 192
faisão pheasant [fézânt] 104
faísca spark [spark] 52
faixa de pedestres zebra *(pedestrian)* crossing [zibrâ (pidéstriân) króssinh] 121

faixa elástica elastic bandage [iléstik béndidj] 160
falar to speak [tu spi:k] 15, 24
falhar to miss [tu mis] 55
falta *(futebol)* free kick [fri kik] 189
faltar to be missing [tu bi missinh] 23, 62
faltar *(ser insuficiente)* to lack [tu lék] 55
família family [fémili] 12, 35
farmacêutico (dispensing) chemist [(dispénsinh) kémist] 36
farmácia chemist [kémist] 128, 159
farmácia *(curso)* pharmacy [farmâssi] 38
faróis baixos dipped headlights [dipt hédlaits] 52
farol *(de carro)* headlights *(pl)* [hédlaits]; lights *(pl)* [laits] 52
farol *(navegação)* lighthouse [laithaus] 75
farol alto full beam [fu:l bi:m] 52
farol dianteiro headlight [hédlait] 52
farol traseiro rear light [riâr lait] 52
fatia slice [slais] 97, 101
fatias de carnes frias slices of cold meat [slaissâs óv kould mi:t] 101
fazendeiro farmer [farmâr] 37
fazer to make [tu meik] 23; to do [tu du:] 50, 154, 173, 183
fazer a barba to shave [tu cheiv] 158
fazer as unhas da mão to give a manicure [tu guiv â ménikiur] 156
fazer as unhas do pé to give a pedicure [tu guiv â pédikiur] 156
fazer bem *(relacionado à saúde)* to agree with [tu âgri uith] 163
fazer companhia to join [tu djóin] 182
fazer escala to call at [tu kó:l ét] 71, 75
fazer esqui aquático to water-ski [tu uótâr ski] 185
fazer mise-en-plis to set [tu sét] 158
fazer parte de to belong [tu bilón(g)] 77
fazer uma operação to have an operation [tu hév én ópâreichân] 165
fazer uma reclamação to lodge a complaint [tu lódj â kâmpleint] 23
fazer uma visita to pay a visit [tu pei â vizit] 183
febre temperature [témprâtchâr] 163; fever [fivar] 170
febrífugo antipyretic [entipairétik] 160
fechado closed [klouzd] 191

fechadura lock [lók] 52, 90
fechar to close [tu klouz] 18, 44, 191; to shut [tu chât] 64, 87
feijão (haricot) bean [(hérikou) bi:n] 102, 106
feijão-manteiga butter bean [bâtâr bi:n] 106
feitio shape [cheip] 127
feliz aniversário happy birthday [hépi bârthdei] 23
feliz Natal Merry Christmas [méri krismâs] 23
feriado bancário bank holiday [bénk hólidei] 15
férias holidays [hólideis] 15
ferida wound [uu:nd] 170
ferido hurt [hârt] 48, 49
ferimento injury [indjâri] 49
ferramenta tool [tu:l] 56
ferroviário railwayman [reil uei mén] 37
ferry-boat ferryboat [féribout] 71, 74
festa party [pârti] 75, 183, 184
festa popular public festival [pâblik féstivâl] 181
festival de cinema film festival [film féstivâl] 179
fevereiro February [fébruâri] 33
fibra sintética synthetic fibre [sinthétik faibâr] 136
ficar to stay [tu stei] 77, 93, 154, 165
ficar bem *(roupa)* to suit [tu siut] 183
ficar com *(pegar)* to take [tu teik] 82, 127
ficha chip [tchip] 181
ficha do vestiário cloakroom ticket [kloukru:m tikit] 177
fígado liver [livâr] 105, 167
figo fig [fig] 108
fila row [rou] 176
filé fillet [filit] 104
filha daughter [dó:târ] 13, 14, 35
filho son [sân] 13, 14, 35
filmadora cine camera [sini kémârâ] 132
filmar to film [tu film] 132
filme film [film] 131, 132, 179
filme colorido colour film [kâlâr film] 131, 132
filme de longa-metragem feature (film) [fi:tchâr (film)] 179
filme em cores colour film [kâlâr film]; film in colour [film in kâlâr] 179
filme em rolo roll film [roul film] 132

filme preto-e-branco black-and-white film [blék énd uait film] 131, 132
filme reversível reversal film [rivârsâl film] 132
filme Super-8 colorido super eight colour film [siupâr eit kâlâr film] 131
filtro filter [filtâr] 140
filtro amarelo yellow filter [iélou filtâr] 132
filtro de ar air filter [é:r filtâr] 52
fim de semana weekend [uikénd] 32
fio de cabelo strand [strénd]; wisp [uisp] 158
física physics [fiziks] 39
fita ribbon [ribân] 136; tape [teip] 136, 181
fita métrica tape measure [teip méjâr] 136
fivela buckle [bâkâl] 136
fixador setting lotion [sétinh louchân] 141, 156
fixador de tintura coloured setting lotion [kâlârd sétinh louchân]; tinted setting lotion [tintid sétinh louchân] 141
flanela flannel [flénâl] 136
flash flashbulb [fléchbâlb]; flashcube [fléchkiub] 132
flatulência wind [uind]; flatulence [flétiulâns] 170
flerte flirt [flârt] 184
flor flower [flauâr] 130
floricultura flower shop [flauâr chóp] 128
fluido de freio brake fluid [breik fluid] 45, 52
fogão stove [stouv] 90, 94
foie gras pâté de foie gras [pétei dâ fua gra] 101
folha de louro bay leaf [bei li:f] 100
folheto brochure [brouchâr] 130
fone receiver [rissi:vâr] 149
fonte fountain [fauntin] 121
fonte de água medicinal medicinal spring [médissinâl sprinh] 175
fonte de água mineral mineral spring [minârâl sprinh] 175
fonte de água termal hot spring [hót sprinh] 175
formulário form [fórm] 77
formulário de registro registration form [rédjistreichân fórm] 83
formulário de telegrama telegram form [télâgrém fórm] 147

forro lining [l<u>ai</u>ninh] 136
fosco matt [mét] 132
fósforo match [métch] 140
fosso ditch [ditch]; moat [m<u>ou</u>t] 121
fotografar to take photographs [tu t<u>ei</u>k f<u>ou</u>tâgrafs] 119; to photograph [tu f<u>ou</u>tâgraf] 132
fotografia picture [p<u>i</u>kchâr]; photo [f<u>ou</u>tou]; snap [snép] 132
fotógrafo photographer [fât<u>ó</u>grâfâr] 73, 128
fotômetro exposure meter [éksp<u>ou</u>jâr m<u>i</u>târ] 132
foyer foyer [f<u>ói</u>ei] 177
framboesa raspberry [r<u>a</u>zbâri] 109
francês French [fréntch] 24
frango chicken [tch<u>i</u>kin] 104
frango assado roast chicken [r<u>ou</u>st tch<u>i</u>kin] 104
frango frito fried chicken [fr<u>ai</u>d tch<u>i</u>kin] 104
franja fringe [frindj] 158
frasco bottle [b<u>ó</u>tâl] 79
fratura fracture [fréktchâr] 170
frear to brake [tu br<u>ei</u>k] 43
freio brake [br<u>ei</u>k] 52
freio a disco disc brake [disk br<u>ei</u>k] 52
freio de emergência emergency brake [im<u>â</u>rdjânsi br<u>ei</u>k] 65
freio de mão handbrake [h<u>é</u>ndbreik] 52
freio de pé foot brake [fu:t br<u>ei</u>k] 53
frente front [frânt] 65, 157
frentista attendant [ât<u>é</u>ndânt] 45
frequentemente often [<u>ó</u>fân] 164
fresco fresh [fréch] 115
fricassé fricassee [frik<u>á</u>ssi] 105
frio cold [k<u>ou</u>ld] 25, 66, 81, 89
fronha pillowcase [p<u>i</u>loukeis] 92
fronteira border [b<u>ó</u>rdâr] 78, 79; frontier [frânti<u>â</u>r] 79
fruta fruit [fru:t] 108
frutos do mar seafood [s<u>i</u>:fu:d] 103
fumante smoker [sm<u>ou</u>kâr] 65
fumar to smoke [tu sm<u>ou</u>k] 69, 165
fumo tobacco [tâb<u>é</u>kou] 140
funcionar to work [tu u<u>â</u>rk] 19, 23, 48, 50, 54, 87
funcionário do correio post-office clerk [p<u>ou</u>st <u>ó</u>fis klârk] 37
funcionário público civil servant [sivâl s<u>â</u>rvânt] 37
funil funnel [f<u>â</u>nâl] 56
furgão van [vén] 40
furo *(no pneu)* puncture [p<u>â</u>nktchâr] 47

furúnculo boil [b<u>ói</u>l] 170
fusível fuse [fi<u>u</u>z] 53, 55, 87, 90
futebol football [f<u>u</u>tbó:l] 186, 187, 189
fuzil gun [gân] 143

G

galantina aspic [<u>é</u>spik] 101
galão gallon [gu<u>é</u>lân] 45
galão de reserva spare can [spé:r kén] 53
galeria gallery [gu<u>é</u>lâri] 119
galheteiro cruet [kr<u>u</u>it]; cruet-stand [kr<u>u</u>it sténd] 96
galinha-d'angola guinea fowl [gu<u>i</u>ni f<u>au</u>l] 104
galo silvestre grouse [gr<u>au</u>s] 104
gancho hook [*hu*:k]
ganso goose [gu:s] 104
garagem garage [gu<u>é</u>radj] 44, 83
garçom waiter [u<u>ei</u>târ] 37, 95
garçonete waitress [u<u>ei</u>tris] 37, 95
garfo fork [fórk] 96, 115
garganta throat [*thr*<u>ou</u>t] 167
gargarejo gargle [g<u>a</u>rgâl] 160
garrafa bottle [b<u>ó</u>tâl] 96
garrafa térmica Thermos (flask) [*th*<u>â</u>rmâs (flask)] 144
gasolina petrol [p<u>é</u>trâl] 41, 45
gasolina comum ordinary grade petrol [<u>ó</u>rdinâri gr<u>ei</u>d p<u>é</u>trâl] 45
gaveta drawer [dr<u>ó</u>:âr] 90
gaze *(faixa)* gauze bandage [g<u>ó</u>:z b<u>é</u>ndidj] 160
geada frost [fróst] 27
gear to freeze [tu friz] 27
geladeira refrigerator [rifridjâr<u>ei</u>târ] 90
geleia jam [djém] 97; jelly [dj<u>é</u>li] 100
geleia de laranja marmalade [m<u>a</u>rmâleid] 97
gelo ice [<u>ai</u>s] 27
gengivas gums [gâmz] 174
geografia geography [dji<u>ó</u>grâfi] 39
geologia geology [dji<u>ó</u>lâdji] 39
gim gin [djin] 112
ginasta gymnast [djimnést] 189
ginástica gymnastics *(pl)* [djimn<u>é</u>stiks] 189
ginástica de aparelhos gymnastics *(pl* with apparatus [djimn<u>é</u>stiks ui*th* ép<u>â</u>r<u>ei</u>tâs] 189
ginecologista gynaecologist [gain<u>â</u>k<u>ó</u>lâdjist] 162

gladíolo gladiolus [glédioulâs] 130
glândula gland [glénd] 167
glicerina glycerine [glissârin] 160
glicose glucose [glukous] 161
gol goal [goul] 187, 189
goleiro goalkeeper [goulkipâr] 190
golfe golf [gólf] 189
gordura fat [fét] 100
gordura derretida dripping [dripinh] 100
gorduroso fatty [féti] 99, 115
gostar to like [tu laik] 14, 17, 98, 126, 127; to enjoy [tu indjói] 17
gostar de to enjoy [tu indjói] 98
gota drop [dróp] 161, 165
gótico Gothic [gótʰik] 124
goulash goulash [guléch] 105
grade do radiador radiator grille [reidieitâr gril] 53
grama grass [gras] 191
grama (peso) gram [grém]
grampo de cabelo hairpin [hé:rpin] 141
grande big [big] 127
granizo hail [heil] 27
grato grateful [greitful] 21
grau degree [digri] 25
gravador tape recorder [teip rikórdâr] 144, 181
gravata tie [tai] 135
grave serious [siriâs] 164, 165
gravidez pregnancy [prégnânsi] 167
graxa grease [gri:s] 53
graxa de sapato shoe polish [chu: pólich] 139
grelha grill [gril] 99
grelhado grilled [grild] 99
gripe influenza [influénzâ]; flu [flu] 170
grogue (bebida) grog [gróg] 112
groselha gooseberry [gu:zbâri] 108
groselha preta blackcurrant [blék kârânt] 108
groselha vermelha redcurrant [rédkârânt] 109
grupo group [gru:p] 94; party [parti] 77
guarda-chuva umbrella [âmbrélâ] 144, 153
guarda-florestal forester [fóristâr] 37
guarda-livros bookkeeper [bu:k kipâr] 37
guarda-sol sunshade [sâncheid] 185
guarda-volumes left-luggage office [léft lâguidj ófis] 62, 63; luggage locker [lâguidj lókâr] 62
guardanapo napkin [népkin] 96

guardanapo de papel paper napkin [peipâr népkin] 144
guardar to look after [tu lu:k aftâr] 83
guia courier [ku:riâr] 73; guide [gaid] 118
guia de conversação phrase book [freiz bu:k] 130
guia ferroviário railway guide [reil uei gaid] 59
guia turístico guidebook [gaidbu:k] 130
guisado stewed [stiu:d] 99

H

há pouco tempo a short time ago [â chórt taim âgou] 32
hadoque haddock [hédâk] 97, 103
hambúrguer hamburger [hémbârgâr] 105
handebol handball [héndbó:l] 189
helicóptero helicopter [hélikóptâr] 70
hemorragia haemorrhage [hémâridj]; bleeding [blidinh] 170
hemorragia nasal nosebleed [nouzblid] 170
hemostático hemostatic [hémâstétik] 161
história history [histâri] 39
história da arte history of art [histâri óv art] 39
hodômetro mileage indicator [mailidj indikeitâr]; odometer [ódómitâr] 53
hoje today [tâdei] 31, 67, 187
hoje à noite tonight [tânait] 32
hora hour [auâr] 30, 31, 32, 192
horário timetable [taimteibâl] 59
horário de visita visiting hours [vizitinh auârz] 172
horário do serviço de bordo air-service timetable [é:r sârvis taimteibâl] 70
horas de consulta surgery [sârdjâri]; consulting hours [kânsâltinh auârz] 162, 163
hortaliça vegetable [védjitâbâl] 107
hortelã-pimenta peppermint [pépârmint] 161
hospital hospital [hóspitâl] 162, 172
hotel hotel [houtél] 80, 90, 116, 127
hotel na praia beach hotel [bi:tch houtél] 90

I

iate yacht [iót] 75
icterícia jaundice [djó:ndis] 170

idade age [eidj] 35
ignição ignition [ignichân] 53
igreja church [tchârtch] 119, 123, 124
ilha island [ailând] 75
iluminação light [lait]; lighting [laitinh] 90
ilustrado illustrated [ilâstreitâd] 182
ilustríssimo esquire [éskuair] 192
imediatamente at once [ét uâns]; immediately [imídiátli]; without waiting [uidháut ueitinh]
imobiliária estate agency [isteit eidjânsi] 128
impedimento (futebol) offside [ófsaid] 189
impossível impossible [impóssâbl] 22
impresso printed matter [printid métâr] 145, 150
imunizar to immunize [tu imiunaiz] 164
inalar to inhale [tu inheil] 175
inchaço swelling [suélinh] 170
inchado swollen [suoulân] 164
incisivo (dente) incisor [insaizâr] 174
incluído included [inkludid] 82
incluir to include [tu inklud] 41
incomodar to disturb [tu distârb] 16
incomodar-se to trouble [tu trâbâl] 1(
indicador (dedo) forefinger [fórfinh(g 166
indigestão indigestion [indidjéstchân] 170
infelizmente unfortunately [ânfórtiunâtli] 22
inflamação inflammation [inflâmeichân] 170
inflamação do olho inflammation of the eye [inflâmeichân óv dhi ai] 170
informações information (sing) [infârmeichân] 64, 66, 90
inglês English [inglich] 24, 39
ingresso ticket [tikit] 176, 185, 187
ingresso para a plataforma platform ticket [plétfórm tikit] 61
início start [start] 188
injeção injection [indjékchân] 172, 174
injetor jet [djét]; nozzle [nózâl] 53
injetor de gasolina fuel injector [fiuâl indjéktâr] 53
inocente innocent [inâssânt] 154
inscrever-se to book [tu bu:k] 84
inserir to put in [tu put in] 149
insolação sunstroke [sânstrouk] 170
insônia insomnia [insómniâ] 171

instalar-se to move in [tu muv in] 91
instável changeable [tcheindjâbâl] 25
instituto institute [institiut] 39
instituto de beleza cosmetic salon [kózmétik sélón]; cosmetic shop [kózmétik chóp] 128
instrutor de auto-escola driving instructor [draivinh instrâktâr] 37
intenso (dor) severe [sivîr] 163
internista specialist for internal diseases [spéchâlist fór intârnâl dizi:zâz] 162
intérprete interpreter [intârpritâr] 37
interromper to break [tu breik] 60
interrupção breakdown [breikdaun]; interruption [intârâpchân] 182
interruptor interrupter [intârâptâr] 53; switch [suitch] 91
intervalo interval [intârvâl] 178
intestino intestine [intéstin] 167
intoxicação alimentar food poisoning [fu:d póizâninh] 171
introduzir to put in [tu put in] 149
inverno winter [uintâr] 33
ir to go [tu gou] 15, 17, 19, 40, 42, 60
ir à confissão to go to confession [tu gou tu kânfêchân] 125
ir embora to move on [tu muv ón] 88
irmã sister [sistâr] 35
irmão brother [brâdhâr] 35
isento de taxas duty-free [diuti fri] 68, 79
isolamento insulation [insiuleichân] 53
isqueiro lighter [laitâr] 140
isqueiro a gás gas lighter [gués laitâr] 140
itinerário route [ru:t] 58, 66

J

janeiro January [djéniuâri] 33
janela window [uindou] 47, 64, 87, 91
jantar dinner [dinâr] 91
jantar de despedida farewell dinner [féruél dinâr] 75
jaqueta jacket [djékit] 135
jaqueta de couro leather jacket [lédhâr djékit] 135
jaqueta de pele fur jacket [fâr djékit] 135
jarda yard [iard] 193
jardim garden [gardân] 91, 121
jardim botânico botanical gardens (pl [bâténikâl gardânz] 121

jardineiro gardener [gardânâr] 37
jarra pot [pót]; jug [djág]; decanter [dikéntâr] 96
javali wild boar [uaild bó:r] 106
joalheria jewellery shop [dju:âlri chóp] 128
joelho knee [ni] 167
jogador player [pleiâr] 190
jogar to play [tu plei] 180, 181, 187, 188, 189
jogar dados to dice [tu dais]; to throw dice [tu *th*rou dais] 181
jogo game [gueim] 181, 188; play [plei]
jogo *(partida)* match [métch] 187
jogo de cartas game of cards [gueim óv kardz] 181
jogo de duplas *(de tênis)* doubles [dâbâlz] 190
jogo de simples *(de tênis)* singles [singâlz] 190
jornal paper [peipâr] 85
jornalista journaliste [djârnâlist] 37
jovem *(adj.)* young [iân(g)] 35
jovem *(subst.)* youth [iu:*th*] 94
judeu Jew [dju] 123
juiz judge [djâdj] 37
julgamento judgement [djâdjmânt] 154
julho July [djulai] 33
junho June [djun] 33
junta de cabeçote cylinder-head gasket [silindâr *h*éd guéskit] 53
junto together [tâguéd*h*âr] 115

K

kit de ferramentas tool kit [tu:l kit] 56
kitchenette kitchenette [kitchinét] 91

L

lã wool [uu:l] 136
lã cardada worsted [uustid] 137
lã pura pure wool [piur uu:l] 136
lábio lip [lip] 167
laboratório laboratory [lâbôrâtâri] 163
ladeira (steep) hill [(stip) *h*il] 42
lado side [said] 156
ladrão thief [*th*i:f] 154
lagosta lobster [lóbstâr] 103
lagostim crayfish [kreifich] 101, 103; prawn [pró:n] 101, 103
lama mud [mâd] 175
lâmina de barbear razor blade [reizâr bleid] 141

lâmpada bulb [bâlb] 53, 87; lamp [lémp] 53, 91
lâmpada de leitura reading lamp [ri:dinh lémp] 91
lâmpada de teste test lamp [tést lémp] 56
lâmpada eletrica electric light bulb [iléktrik lait bâlb] 91
lâmpada-piloto pilot light [pailât lait] 53
lampreia lamprey [lémprij] 103
lance *(de jogo)* move [muv] 181
lancha launch [ló:ntch] 74
lanches refreshments [rifréchmânts] 64, 191
lancinante stabbing [stébinh] 163
lanterna torch [tórtch] 144
lanterna *(de carro)* sidelight [saidlait] 52
lanterninha *(homem)* usher *(m)* [âchâr] 179
lanterninha *(mulher)* usherette *(f)* [âchârét] 179
lápis pencil [pénsâl] 138
lápis de cor crayon [kreiân] 138
lápis de sobrancelha eyebrow pencil [aibrau pénsâl] 141
laranja orange [órindj] 109, 112
laranjada orangeade [órindjeid] 112
lardeado larded [lârdâd] 99
lareira fireplace [faiârpleis] 91
largo wide [uaid] 127, 133, 139
laringe larynx [lérinks] 167
lata tin [tin] 126
latão de gasolina petrol can [pétrâl kén] 45
lateral *(futebol)* throw-in [*th*rou in] 189
laticínio dairy [dé:ri] 128
lavador de para-brisa windscreen washer [uindskrin uóchâr] 53
lavagem a seco dry cleaning [drai kli:ninh] 128
lavagem de cabeça shampoo [chémpu:] 155
lavagem intestinal enema [énimâ] 161
lavanderia cleaner [kli:nâr]; laundry [ló:ndri] 128
lavar to wash [tu uóch] 47, 86; to launder [tu ló:ndâr] 137
lavar com xampu to shampoo [tu chémpu:] 157
laxante laxative [léksâtiv] 161
lebre hare [*h*é:r] 105
leite milk [milk] 97

leite condensado condensed milk [kândénst milk] 114
leite evaporado evaporated milk [ivépâreitâd milk] 114
leiteira *(jarra)* milk jug [milk djâg] 96
leiteria milk bar [milk bar] 114
leitura de viagem journey reading [djârni ri:dinh] 130
lembrança souvenir [su:vânir] 79
lembranças regards [rigârdz] 13
leme helm [*hélm*]; rudder [râdâr] 75
lenço *(de nariz)* handkerchief [hénkârtchi:f] 135
lenço de cabeça headscarf [hédskarf] 144
lenço de papel paper handkerchief [peipâr hénkârtchi:f] 135
lençol sheet [chit] 92
lente lens [lénz] 132, 138
lente de aumento magnifying glass [mégnifaiinh glas] 138
lente de contato contact lenses *(pl)* [kóntékt lénziz] 138
lentilha lentil [léntil] 102
leucemia leukaemia [lu:ki:miâ] 171
levar to take [tu teik] 19, 68, 71
levar *(de carro)* to drive [tu draiv] 18.
levar a mal to take amiss [tu teik ân amis] 22
levar um tombo to fall down [tu fó:l daun] 164
leve light [lait] 111
libra *(peso)* pound [paund] 126, 193
libra esterlina pound [paund] 151
libreto libretto [librétou] 178
licença de caça shooting licence [chu:tinh laissâns] 188
licença de pesca fishing licence [fichinh laissâns] 190
licor liqueur [likiur] 112
liga *(de meia)* suspender [sâspéndâr] 136
ligação *(telefônica)* call [kó:l] 148
ligação interurbana long-distance call [lón distâns kó:l]; trunk call [trânk kó:l] 84, 148
ligar to switch on [tu suitch ón] 182
lilás lilac [lailâk] 130
lima *(ferramenta)* file [fail] 56
limão lemon [lémân] 100, 112, 114
limite de velocidade speed limit [spid limit] 42, 57
limonada lemon squash [lémân skuóch] 112

limpador de cachimbo pipe cleaner [paip kli:nâr] 140
limpador de para-brisa windscreen wiper [uindskrin uaipâr] 53, 55
limpar to clean [tu kli:n] 47, 55
limpo *(céu)* clear [kliâr] 26
língua tongue [tân(g)] 106, 165, 167
língua eslava Slavonic language [slâvónik léngüidj] 39
língua românica Romance language [rouméns léngüidj] 39
linguado sole [soul] 104
linguiça de porco pork sausage [pórk só:ssidj] 105
linha line [lain] 148
linha *(de costura)* thread [tré:d] 136
linha de algodão cotton [kótân] 136
linha de cerzir darning cotton [darninh kótân] 136
linha de seda sewing silk [souinh silk] 136
linho linen [linin] 137
linimento liniment [linimânt] 161
lista telefônica telephone directory [télifoun diréktâri] 147
listrado striped [straipt] 137
litro litre [li:târ] 193
livraria bookshop [bu:kchóp] 128
livre free [fri] 44, 95
livreiro bookseller [bu:kséIâr] 37
livro book [bu:k] 130
livro infantil children's book [tchildrânz bu:k] 130
lixa emery paper [émâri peipâr] 56
lixar *(unha)* to file [tu fail]
local place [pleis] 78
loção capilar hair lotion [hé:r louchân] 141
loção de barba shaving lotion [cheivinh louchân] 141
loção pós-barba aftershave (lotion) [aftârcheiv (louchân)] 141
locomotiva engine [éndjin] 65, 66
locutor announcer [ânaunsâr] 182
logo soon [su:n] 16
loja shop [chóp] 121, 128
loja de artigos de couro leather shop [lédhâr chóp] 128
loja de artigos esportivos sports shop [spórts chóp] 128
loja de artigos fotográficos photo shop [foutou chóp] 128
loja de artigos musicais music shop [miuzik chóp] 128

loja de bebidas alcoólicas off-licence [óf laissâns] 129
loja de brinquedos toy shop [tói chóp] 129
loja de departamento department store [dipartmânt stór] 129
loja de discos record shop [rékórd chóp] 129
loja de eletrodomésticos electrical-equipment shop [iléktrikâl ikuipmânt chóp] 129
loja de ferragens ironmonger [aiârnmângâr] 129
loja de lembranças souvenir shop [su:vânir chóp] 129
loja de lingerie lingerie shop [lónjâri chóp] 129
loja de roupas masculinas outfitter [autfitâr] 129
loja de tecidos draper [dreipâr] 129
lombo loin [lóin]; sirloin [sârlóin]; saddle [sédâl] 105
lombo assado roast loin [roust lóin] 106
lona de freio brake lining [breik laininh] 53
longe far [far] 58, 116
lotado sold out [sould aut]; house full [haus ful] 176
louça crockery [krókâri] 94
lua moon [mu:n] 27
lubrificação greasing service [gri:zinh sârvis] 46
lúcio pike [paik] 103
lugar room [ru:m] 44
luta wrestling [réssIinh] 189
luta de boxe fight [fait] 189
lutador wrestler [résslâr] 189
lutar to wrestle [tu résslâl] 189
luvas gloves [glâvz] 135
luxação dislocating [dislâkeitinh] 171
luz light [lait] 87
luz de freio brake light [breik lait] 53

M

maçã apple [épâl] 108
macaco (de carro) jack [djék] 56
maçaneta handle [héndâl] 53, 91
macarrão macaroni [mékârouni] 102
macio soft [sóft] 99
mãe mother [mâdhâr] 35

magro lean [li:n] 99
maio May [mei] 33
maiô (de mulher) swimsuit [suimsiut] 135, 186
maionese mayonnaise [meiâneiz] 100
mais more [mór] 126, 149
mala case [keis] 62, 63, 79
malpassado rare [ré:r] 99
malva (cor) mauve [mouv] 194
mancha stain [stein] 137
mandar (enviar) to send [tu sénd] 127
mandar lembranças to give regards [tu guiv rigardz] 16, 17
mandar vir to order [tu órdâr] 88
mandíbula lower jaw [louâr djó:] 167
manga (de roupa) sleeve [sliv] 134
manhã morning [mórninh] 12, 31, 44
manteiga butter [bâtâr] 97
manual textbook [tékstbu:k] 130
manutenção service [sârvis] 45
maometano Mohammedan [mouhémidân] 123
mapa map [mép] 40, 130
mapa rodoviário road map [roud mép] 30
  quina machine [mâchin] 150
  quina de selos stamp machine stémp mâchin] 150
máquina fotográfica camera [kémârâ] 150
maquinista guard [gard] 66
mar sea [si:] 75
mar agitado rough sea [râf si:] 75
marcar hora to make an appointment [tu meik én âpointmént] 155, 173
marceneiro joiner [djóinâr] 37
marcha (de carro) gear [guiâr] 53
marcha à ré reverse (gear) [rivârs (guiâr)] 53
marchand art dealer [art di:lâr] 129
março March [martch] 33
margarina margarine [mardjârin] 100
margem shore [chór]; bank [bénk] 75
marido husband [hâzbând] 13, 14, 35, 162
marinheiro sailor [seilâr] 75
marisco shellfish [chélfich] 104
marmelo quince [kuins] 109
marrom brown [braun] 194
martelo hammer [hémâr] 56
máscara facial face pack [feis pék] 156
massa (macarrão) pasta [péstâ] 102
massagear to massage [tu méssadj] 175

massagem massage [méssadj] 175
massagem capilar scalp massage [skélp méssadj] 157
massagem facial facial massage [feichâl méssadj] 156
massagista *(homem)* masseur [méssâr] 175
massagista *(mulher)* masseuse [méssâz] 175
mastro mast [mast] 75
matemática mathematics [méthâmétiks] 39
matéria subject [sâbdjikt] 39
maxilar jaw [djó:] 167, 174
maxilar superior upper jaw [âpâr djó:] 167
mecânico (motor) mechanic [(moutâr) mikénik] 37, 48, 49
medicina medicine [médsin] 39
médico doctor [dóktâr] 48, 162
médico de bordo ship's doctor [chips dóktâr] 73, 75
médico-chefe medical superintendent [médikâl siupârinténdânt] 172
medidor de óleo dipstick [dipstik] 53
medula espinhal spinal cord [spai kórd] 167
medusa jellyfish [djélifich] 186
meia stocking [stókinh]; sock [sók] 135
meia elástica elastic stocking [ilèstik stókinh] 161
meia três-quartos knee sock [ni sók] 135
meia-noite midnight [midnait] 31
meia-pensão breakfast and dinner [brékfâst énd dinâr] 82
meio half [*haf*] 30, 61
meio-dia noon [nu:n] 31
mel honey [*hâ*ni] 97
melão melon [mélân] 101, 108
melhor better [bétâr] 164
membrana mucosa mucous membrane [miukâs mémbrein] 167
membro *(do corpo)* limb [lim] 167
menor de idade under age [ândâr eidj]; minor [mainâr] 35
menstruação menstruation [ménstrueichân] 167
mercado market [markit] 121
mercado coberto covered market [kâvârd markit] 121
mercearia grocer [groussâr]; food shop [fu:d chóp] 129

merenda packed lunch [pékt lântch] 85
mergulhar to dive [tu daiv] 186
mergulho dive [daiv] 189
mês month [mân*th*] 32
mesa table [teibâl] 91, 95
mesmo same [seim] 62
mesquita mosque [mósk] 125
metabolismo metabolism [mitébâlizâm] 167
metro metre [mitâr] 193
metrô subway [sâbuei]; underground [ândârgraund]; tube [tiub] 121
mexer to move [tu muv] 164
mexilhão mussel [mâssâl] 103
milha mile [mail] 192, 193
milha inglesa statute mile [stétiut mai] 193
milha marítima nautical mile [nó:tikâ mail] 193
milho verde sweet corn [suit kórn] 107
milímetro millimetre [milimitâr] 193
milk-shake milk-shake [milk cheik] 112
mineiro miner [mainâr] 37
mingau de aveia porridge [pórıdj] 97
minigolfe miniature golf [minitchâr gólf] 180
ministério ministry [ministri] 121
ministro *(de igreja)* minister [ministâr] 125
minuto minute [minit] 16, 85, 86, 116, 117
miolos brains [breinz] 104
míope short-sighted [chórt saitid] 138
mise-en-plis set [sét] 155, 158
missa Mass [més] 123, 125
miúdos de ave giblets [djiblits] 104
moça girl [gârl] 35
mochila rucksack [râksék] 144
moeda coin [kóin] 148, 149
moeda corrente currency [kârânsi] 152
moeda estrangeira foreign currency [fórân kârânsi] 152
mola spring [sprinh] 49, 53
molar molar [moulâr] 174
molde de gesso plaster cast [plástâ kast] 174
moldura de diapositivo slide frame [slaid freim] 132
mole *(dente)* loose [lu:s] 173
molestar to molest [tu mâlést] 154
molhado wet [uét] 155
molhe pier [piâr]; jetty [djéti]; mole [moul] 75

molheira sauce-boat [só:s bout] 96
molho sauce [só:s] 100
molho branco cream sauce [kri:m só:s] 100
molho de baunilha custard [kåstârd] 100
molho de carne gravy [greivi] 100
molho de tomate tomato sauce [tâmatou só:s] 100
molho tártaro tartar sauce [tartâr só:s] 100
molusco shellfish [chélfich] 103
momento moment [moumânt]
montanha mountain [mauntân] 69, 121
montante amount [âmaunt] 152
monumento monument [móniumént] 119, 121; memorial [mimóriâl] 121
morango strawberry [stró:bâri] 109, 114
morar to live [tu liv] 14, 19, 184
morrer to die [tu dai] 119
morrer *(motor)* to stall [tu stó:l] 55
mosaico mosaic [mouzeik] 125
mosquito midge [midj] 86
mostarda mustard [mâstârd] 100
mostardeira mustard-pot [mâstârd pót] 96
mosteiro monastery [mónâstri] 125
mostrador *(de relógio)* face [feis] 143
mostrar to show [tu chou] 20, 40, 82, 117, 126
mostrar *(a língua)* to put out [tu put aut] 165
motel motel [moutél] 80
motocicleta motorbike [moutârbaik] 41
motor engine [éndjin] 53, 70
motor a diesel diesel engine [di:zâl éndjin] 53
motor de arranque starter [startâr] 53
motor de dois tempos two-stroke engine [tu: strouk éndjin] 53
motor traseiro rear engine [riâr éndjin] 53
motorista chauffeur [choufâr] 41; driver [draivâr] 37, 58
muçulmano Moslem [mózlâm] 123
mudança change [tchéndj] 26
mudança de marcha gear change [guiâr tchéndj] 53
mudar *(de casa, de hotel)* to move [tu muv] 91
mudar *(modificar)* to change [tu tchéndj] 26, 68

muito very [véri] 21; much [mâtch] 164
muito bem fine [fain] 12
muito tempo long [lón(g)] 14
munição ammunition [émiunichân] 143
muro wall [uó:l] 121
músculo muscle [mâssâl] 167
museu museum [miuzjâm] 116
música music [miuzik] 178
música de câmara chamber music [tcheimbâr miuzik] 178
musical musical [miuzikâl] 178
músico musician [miuzichân] 37
musse mousse [mu:s] 108

N

na hora on time [ón taim] 65
nacionalidade nationality [néchânéliti] 78
nada nothing [nâthinh] 22
nadador swimmer [suimâr] 186, 189
nadar to bathe [tu beidh] 186, 191; to swim [tu suim] 185, 186
náilon nylon [nailón] 137
namorada girlfriend [gârlfrénd] 14
namorado boyfriend [bóifrénd] 14
não no [nou] 21
não-franqueado unstamped [ânstémpt] 150
não funcionar to be out of order [tu bi aut óv órdâr] 23
não pise na grama keep off the grass [kip óf dhâ gras] 191
não-fumante non-smoker [nón smoukâr] 65
narceja snipe [snaip] 104
narcótico drug [drâg]; narcotic [narkótik] 154
nariz nose [nouz] 167
nascer to be born [tu bi bórn] 35
nascer do sol sunrise [sânraiz] 27
nascimento birth [bârth] 78
Natal Christmas [krissmâs] 34
náusea nausea [nó:ziâ] 171
navalha razor [reizâr] 141
nave *(de igreja)* nave [neiv] 125
navio ship [chip] 72, 75
navio a vapor steamer [sti:mâr] 75
navio de passageiros passenger ship [péssindjâr chip] 75
neblina fog [fóg] 27
nefrite nephritis [nifraitis] 171

negativo negative [négátiv] 131
negócios business [bíznis] 77
nervo nerve [nârv] 167
neta granddaughter [gréndó:târ] 35
neto grandson [gréndsân] 35
neto, neta grandchild [грénd tchaild] 35
neurologista neurologist [niurólâdjist] 162
nevar to snow [tu snou] 25, 27
nevasca snow flurry [snou flâri] 27
neve snow [snou] 27
névoa mist [mist] 27
nevralgia neuralgia [niuréldjâ] 171
nível do óleo oil level [óil lévâl] 46
no meio in the middle [in dhâ midâl] 63
noite evening [ívninh] 16, 31, 183, 184; night [nait] 31, 81, 92, 159
noiva fiancée [fiônsei] 14
noivado engagement [ingueidjmânt] 23
noivo fiancé [fiônsei] 14
nome name [neim] 14, 48, 146
nós we [ui] 12, 14, etc.
nosso our [auar] 83, 162
nota note [nout] 178
nota (de dinheiro) bank note [bénk nout] 152
notário notary [noutâri] 37
noticiário news [niuz] 182
novamente again [âguén] 16
nove nine [nain] 28
novembro November [nouvémbâr] 33
novo new [niu] 111, 146
noz nut [nât]; walnut [uólnât] 108
noz-moscada nutmeg [nâtmég] 100
nublado foggy [fógui] 25; cloudy [klaudi] 27
nuca nape (of the neck) [neip (óv dhâ nék)] 167
número number [nâmbâr] 73, 121, 148, 149
nunca never [névâr] 22
nuvem cloud [klaud] 27

O

objeto article [ártikâl] 79
objetos de valor valuables [véliuâbâlz] 83
obra work [uârk] 178
obras na estrada road works [roud uârks] 42, 57
obrigado thank you [thénk iu:] 12, 21

observatório observatory [âbzârvâtâri] 121
obter to get [tu guét] 18, 19, 20, 84, 126]; to have [tu hév] 20
obturação filling [fílinh] 173, 174
obturador shutter [châtâr] 132
obturar to fill [tu fil] 174
oculista optician [óptichân] 129; oculist [ókiulist] 163
óculos glasses [glássiz]; spectacles [spéktâkâlz] 138
óculos escuros sunglasses [sân glassiz] 138
ocupado engaged [ingueidjd] 65, 148
odontologia dentistry [déntistri] 39
oferecer to offer [tu ófâr] 16; to get [tu guét] 18, 20
oficina garage [guéradj] 50
oficina mecânica garage [guéradj]; repair shop [ripé:r chóp] 48, 49; breakdown service [breikdaun sârvis] 49
ofício religioso service [sârvis] 125
oito eight [eit] 28
óleo oil [óil] 46
óleo bronzeador suntan oil [sântén óil] 141
óleo de câmbio gear oil [guiâr óil] 46
óleo de motor engine oil [éndjin óil] 46
óleo de rícino castor oil [kastâr óil] 161
oleoso greasy [gri:zi] 158
olho eye [ai] 167
ombro shoulder [chouldâr] 167
omelete omelette [ómlit] 107
omoplata shoulder blade [chouldâr bleid] 167
onça (unidade de peso) ounce [auns] 193
onda (do mar) wave [ueiv] 75
ondas curtas short-wave (sing) [chórt ueiv] 175, 182
ondas longas long wave (sing) [lón(g) ueiv] 182
ondas médias medium wave (sing) [mídiâm ueiv] 182
ondas ultracurtas ultra-short wave (sing) [âltrâ chórt ueiv] 182
onde where [ué:r] 14, etc.
ônibus bus [bâs] 41, 58, 116, 117
ônibus (de turismo) coach [koutch] 41
ontem yesterday [iéstârdei] 31
onze eleven [ilévân] 28
ópera (música) opera [ópârâ] 178

ópera *(teatro)* opera house [ópârâ haus] 121
operação operation [ópâreichân] 172
operar to operate [tu ópâreit] 172
operário workman [uârkmén]; workingman [uârkinh mén]; worker [uârkâr] 37
opereta operetta [ópârétâ] 178
ordem de pagamento banker's order [bénkârz órdâr] 152
orelha ear [iâr] 167
órgão organ [órgân] 125
órgãos genitais sex organs [séks órgânz]; genitals [djénitâlz] 167
orquestra orchestra [órkistrâ] 178
orvalho dew [diu] 27
osso bone [boun] 167
ostra oyster [óistâr] 103
ótimo fine [fain] 156, 157
otite média inflammation of the middle ear [inflâmeichân óv dhâ midâl iâr] 171
ouro gold [gould] 133
ouros *(naipe)* diamonds [daiâmândz] 181
outono autumn [ó:tâm] 33
outro another [anâdhâr] 82
outubro October [óktoubâr] 33
ouvido ear [iâr] 167
ovo egg [ég] 97, 107
ovo escalfado poached egg [poutcht ég] 97, 107
ovo quente soft-boiled egg [sóft bóild ég] 97, 107
ovos com bacon bacon and eggs [beikân énd égz] 97, 107
ovos com presunto ham and eggs [hém énd égz] 97, 107
ovos estrelados fried eggs [fraid égz] 97, 107
ovos mexidos scrambled eggs [skrémbâld égz] 97, 107

p

paciente patient [peichânt] 172
pacote packet [pékit] 126, 140, 194
pacote postal parcel [pârsâl] 145, 146, 150
pacote postal registrado com valor declarado registered parcel with declared value [rédjistârd pârsâl uith diklérd véliu] 150
padaria baker [beikâr] 129
padeiro baker [beikâr] 37

padre priest [pri:st] 125
pagamento payment [peimânt] 152
pagamento contra entrega cash on delivery [kéch ón dilivâri]; c.o.d. [si ou di] 150
pagar to pay [tu pei] 65, 147, 152
pagar um depósito to pay a deposit [tu pei â dipózit] 41
pagar um sinal to pay a deposit [tu pei â dipózit] 82
pago paid [peid] 147
pai father [fadhâr] 35
pais parents [pé:rânts] 35
palácio palace [pélis] 119
palato palate [pélât] 167
palavra word [uârd] 24, 147
palco stage [steidj] 178
paletó jacket [djékit] 135
palmilha insole [insoul] 139
pálpebra eyelid [ailid] 167
pâncreas de vitela sweetbread [suitbréd] 106
panela pan [pén]; pot [pót] 91
paninho de rosto face cloth [feis klóth]; face flannel [feis flénâl] 141
pano cloth [klóth] 137
pano de chão floor cloth [fló:r klóth] 86
pão bread [bréd] 97
pão branco white bread [uait bréd] 97
pão de gengibre gingerbread [djindjârbréd] 113
pão preto brown bread [braun bréd] 97
pãozinho roll [roul] 97
pãozinho doce bun [bân] 114
papel paper [peipâr] 132, 138
papel *(em peça de teatro)* part [part]; role [roul] 178
papel carbono carbon paper [kârbân peipâr] 138
papel de carta writing paper [raitinh peipâr] 138
papel de seda tissue paper [tissu: peipâr] 138
papel higiênico toilet paper [tóilit peipâr] 91
papel pardo brown paper [braun peipâr] 138
papel principal *(em peça de teatro)* leading role [li:dinh roul] 178
papelaria stationer [steichânâr] 129
páprica paprika [péprikâ] 100
par pair [pé:r] 126, 139
para trás back [bék] 40
para-brisa windscreen [uindskrin] 47

234 Vocabulário

para-choque bumper [bâmpâr] 53
para-lama mudguard [mâdgard]; wing [uinh] 53
parabéns congratulations [kângrétiulei-chânz] 22
parada stop [stóp] 65, 66, 191
parada obrigatória à frente halt at major road ahead [hólt ét meidjâr roud âhé:d] 57
parafuso screw [skru:]; bolt [boult] 53, 56
paralisia paralysis [pârélissis] 171
parar to stop [tu stóp] 26, 43, 58, 60, 65, 117
parecer to seem [tu sim] 115
parede wall [uó:l] 91
pároco rector [réktâr]; vicar [vikâr] 125
parque park [park] 121
parque nacional national park [néchânâl park] 121
parquímetro parking meter [parkinh mítâr] 43
parteira midwife [mid uaif] 37
particular private [praivit] 191
partida departure [dipartchár] 59, 66, 91, 191
partida *(de jogo)* game [gueim] 181; match [métch] 188
partir to leave [tu li:v] 34, 66, 71, 88; to go [tu gou] 86; to move on [tu muv ón] 44
partir *(navio)* to sail [tu seil] 72, 75
Páscoa Easter [i:stâr] 33
passado *(último)* last [last] 32
passageiro passenger [péssindjâr] 69, 75
passagem passageway [péssidjuei] 121; thoroughfare [thâráfe:r] 43
passagem *(bilhete)* ticket [tikit] 58, 61, 68, 70, 72
passagem *(de navio)* passage [péssidj] 72
passagem a preço reduzido cheap ticket [tchi:p tikit] 61
passagem de ida single [singâl] 61
passagem de ida e volta return (ticket) [ritârn (tikit)] 61, 67; round-trip ticket [raund trip tikit] 72
passagem de nível level crossing [lévâl króssinh] 43
passagem de nível sem barreira crossing no gates [króssinh nou gueits] 57
passaporte passport [paspórt] 77, 78, 83

passar to pass [tu pas] 98
passar *(um tempo)* to spend [tu spénd] 15
passar a ferro to iron [tu aiârn] 91; to press [tu prés] 137
passarela bridge [bridj] 64
passas de Corinto currants [kârânts] 100
passatempo pastime [pastaim] 181
passeio de barco boat trip [bout trip] 121
passeio de carro drive [draiv] 43
pasta briefcase [bri:fkeis] 144, 153
pasta de dente toothpaste [tu:thpeist] 141
pastel doce de maçã apple turnover [épâl târnouvâr] 114
pastelaria *(confeitaria de massas)* pastry [peistri] 114
pastilha de freio brake drum [breik drâm] 53
pastor *(de igreja)* pastor [pastâr] 125
patim skate [skeit] 190
patinação artística figure skating [figâ: skeitinh] 190
patinador skater [skeitâr] 190
patinar to skate [tu skeit] 190
pato duck [dâk] 104
paus *(naipe)* clubs [klâbz] 181
pauzinho de laranjeira orange stick [órindj stik] 141
pavilhão pavilion [pâviliân] 122
pé foot [fu:t] 167, 193
peão *(do jogo de xadrez)* pawn [pó:r] 182
peça *(de jogo)* stone [stoun]; piece [pi:s] 181
peça *(de jogo de xadrez)* chessman [tchésmén]; piece [pi:s] 182
peça de reposição spare [spé:r] 50 spare part [spé:r part] 54
peça de teatro drama [dramâ]; play [plei] 178
peça musical piece of music [pi:s ó miuzik] 178
peça radiofônica play [plei] 182
pedaço piece [pi:s] 86, 113, 126
pedagogia education [édiukeichân] 39
pedal pedal [pédâl] 54
pedal da embreagem clutch pedal [klâtch pédâl] 54
pedal de freio brake pedal [breik pédâ 54

pedal do acelerador accelerator [âksélâreitâr] 54
pedalinho pedal boat [pédâl bout] 186
pedestre pedestrian [pidéstriân] 122
pediatra paediatrician [pi:diâtrichân] 163
pedir um empréstimo to raise a loan [tu reiz â loun] 152
pedra de isqueiro flint [flint] 140
pedreiro bricklayer [brikleiâr] 37
peito breast [brést]; chest [tchést] 168
peito de frango chicken breast [tchikin brést] 104
peito do pé instep [instép] 168
peixaria fishmonger [fichmângâr] 129
peixe fish [fich] 101, 102, 103
peixe de água doce freshwater fish [fréchuótâr fich] 103
peleteria furrier [fâriâr] 129
pena (sentimento) pity [piti] 22
pênalti penalty (kick) [pénâlti (kik)] 189
pensão boarding house [bó:rdinh haus]; private hotel [praivit houtél] 80
pensão completa full board [ful bó:rd] 82
pente comb [koum] 141
penteado hairdo [hé:rdu] 155; hairstyle [hé:rstail] 158
pentear to comb [tu koum] 158
Pentecostes Whitsun [uitsân] 33
penumbra dusk [dâsk] 27
pepininho em conserva pickled gherkin [pikâld gârkin] 100
pepino cucumber [kiukâmbâr] 100
pepino em conserva pickled cucumber [pikâld kiukâmbâr] 100
pequeno small [smó:l] 127
pequeno pacote postal small parcel [smó:l parsâl] 145
pera pear [pé:r] 109
perca perch [pârtch] 103
perda loss [lós] 153
perder to lose [tu luz] 85, 153
perdiz partridge [partridj] 104
perfumaria perfumery [pârfiumâri] 129
perfume perfume [pârfium] 79
perguntar to enquire [tu inkuair] 84
perigo danger [deindjâr] 49, 191
perigo de morte danger of death [deindjâr óv déth] 191
perigoso dangerous [deindjârâs] 185
período period [piriâd] 119
permanente (de cabelo) perm [pârm] 155, 158

perna leg [lég] 105, 168
pernoite overnight stay [ouvârnait stei] 91
pérola pearl [pârl] 133
perto near [niâr] 80
peru turkey [târki] 104
perua (kombi) estate car [isteit kar]; station wagon [steichân uégân] 41
peruca wig [uig] 156
pesado (vinho) heavy [hévi] 111
pesar (subst.) regret [rigrét] 22
pesca fishing [fichinh] 190
pescador fisherman [fichârmén] 37
pescar to fish [tu fich] 185, 190
pêssego peach [pi:tch] 109, 110
pêssego melba peach melba [pi:tch mélbâ] 114
pessoal personal [pârsânâl] 79
pessoas people [pi:pâl] 41, 48, 81, 95
peteca badminton [bédmintân] 180
pia washbasin [uóchbeissân] 91
pia batismal font [fónt] 125
pianista pianist [piânist] 178
piano de cauda grand piano [grénd piénou] 178
picante highly seasoned [haili si:zând]; hot [hót] 115
pilar pillar [pilâr] 125
pilha battery [bétri] 144
piloto pilot [pailât] 70
piloto de corrida racing driver [reissinh draivâr] 188
pílula pill [pil] 159, 161
pimenta pepper [pépâr] 100
pimentão pepper [pépâr] 106
pimenteira pepperpot [pépârpót] 96
pincel de barba shaving brush [cheivinh brâch] 142
pingar to drip [tu drip] 87
pingente pendant [péndânt] 133
pingue-pongue table tennis [teibâl ténis] 180
pintor painter [peintâr] 37
pintura (curso) painting [peintinh] 39
pintura (revestimento) paintwork [peintuârk] 54
pires saucer [só:ssâr] 96
pisca-pisca (carro) car's indicators [kars indikeitârs] 54
piscina swimming pool [suiminh pu:l] 73, 91, 187; swimming bath [suiminh bath]

piscina coberta indoor swimming pool [indó:r suiminh pu:l] 187
pista *(de rua, estrada)* lane [lein] 43
pista de boliche bowling alley [bóulinh éli] 182
pista escorregadia slippery road [slipári roud] 43
pista sinuosa winding road [uaindinh roud] 43
pistão piston [pístân] 54
pistola pistol [pístâl] 143
pivô *(dente)* pivot tooth [pivât tu:*th*] 174
placa de matrícula number plate [nâmbâr pleit] 54
placa de sinalização signpost [sainpoust] 43
placa de trânsito road sign [roud sain] 43, 122
planta da cidade town plan [taun plén]; map of the city (town) [mép óv *dh*â siti (taun)] 130
plataforma platform [plétfórm] 59, 63
plataforma de desembarque landing stage [léndinh steidj] 75
plataforma de salto de esqui ski jump [ski djâmp] 189
plateia stall [stó:l]; pit [pit] 176, 178
plateia *(espaço)* auditorium [ó:ditóriâm]; house [*h*aus] 179
pleurisia pleurisy [plu:rissi] 171
plugue plug [plâg] 91
pneu tyre [taiâr] 46, 47
pneu sem câmara tubeless tyre [tiublis taiâr] 47
pneumonia pneumonia [niumouniâ] 171
pó powder [paudâr] 161
pó-de-arroz face powder [feis paudâr] 142
poder *(verbo)* can [kén] 20, 84, 146, 156, 159; may [mei] 16, 18, 48, 183
polegada inch [intch] 193
polegar thumb [*th*âm] 166
polícia police [pâlis] 48, 49, 122, 154
polícia de trânsito traffic police [tréfik pâlis] 43
polícia portuária harbour police [*h*arbâr pâlis] 72, 75
policial policeman [pâlismén] 122, 154
policial à paisana plain-clothes policeman [plein kloud*h*z pâlismén] 154
poliomielite poliomyelitis [poulioumaiâlaits] 171
polir to polish [tu pólich] 156
político politician [pólitichân] 37

poltrona armchair [armtché:r] 91
pomada ointment [óintmânt] 161
pomada cicatrizante ointment for a cut *(graze)* [óintmânt fór â kât (greiz)] 161
pomada contra queimaduras burn ointment [bârn óintmânt] 161
pomada oftálmica eye ointment [ai óintmânt] 161
pombo pigeon [pidjin] 104
pompom powder puff [paudâr pâf] 142
ponche punch [pântch] 112
pontada stitch [stitch] 171
ponte bridge [bridj] 75, 122, 174
ponteiro *(de relógio)* hand [*h*énd] 143
pontiagudo sharp-pointed [charp póintid] 156
ponto point [póint] 188
ponto de ônibus bus stop [bâs stóp] 58, 116, 117
ponto de táxi taxi rank [téksi rénk] 116, 122, 191
ponto morto neutral (gear) [niutrâl (guiâr)] 53
popa stern [stârn] 75
por per [pâr] 44, 82
por via [vaiâ] 60
pôr to put on [tu put ón] 156
por dentro inside [insaid] 47
por exemplo for example [fór égzémpâl] 192
por favor please [pli:z] 14, etc.
por quê why [uai] 18
por volta de about [âbaut] 31, 32
pôr do sol sunset [sânset] 27
porão cellar [sélâr]; basement [beismânt] 91
porca *(de parafuso)* nut [nât] 53, 56
porção portion [pórchân] 95, 115
porcelana china [tchainâ] 129, 144
porta door [dó:r] 52, 66, 91, 191
porta da frente front door [frânt dó:r] 91
porta-malas boot [bu:t] 54
porta-níqueis purse [pârs] 144,153
porta-ovos egg-cup [ég kâp] 96
portal portal [pórtâl] 125; gateway [gueituei] 122, 125
porte postage [poustidj] 145; charge [tchardj]; fee [fi] 150
porte de resposta return postage [ritârn poustidj] 150
porteiro porter [pórtâr] 91
pórtico vestibule [véstibiul] 125
porto harbour [*h*arbâr] 71, 75, 116; port [pórt] 71

português Portuguese [pórtiuguiz] 24, 118
posta-restante poste restante [poust réstant] 150
posto de gasolina petrol station [pétrâl steichân]; filling station [fílinh steichân] 45
posto médico first-aid post [fârst eid poust] 59, 64
posto policial police station [pâlis steichân] 116, 122, 154
potência power [pauâr] 55
pouco little [lítâl] 98, 157; bit [bit] 155, 156, 157, 164
pouco depois shortly after [chórtli áftâr] 31
praça square [skué:r] 116
praia beach [bi:tch] 80, 85, 186
praia de areia sandy beach [séndi bi:tch] 186
praia particular private beach [praivit bi:tch] 91
prata silver [sílvâr] 133
prateado silver-plated [sílvâr pleitid] 133; silver [sílvâr] 194
praticar (esporte) to go in for [tu gou in fór] 187
pratinho de pão bread plate [bréd pleit] 96
prato dish [dich] 98
prato (louça) plate [pleit] 96
prato de carnes meat dish [mi:t dich] 105
prato fundo soup plate [su:p pleit] 96
prazer pleasure [pléjâr] 22
prece prayer [pré:r] 125
precipitação precipitation [prissipiteichân] 27
precisar must [mâst] 16; to have to [tu hév tu] 165; to need [tu nid] 18, 20, 56, 126, 138, 159
preço price [prais] 80, 91
preço da passagem fare [fé:r] 66
preço de locação hiring charge [hairinh tchardj]; hiring fee [hairinh fi] 94
prédio de apartamentos block of flats [blók óv fléts]; block of apartments [blók óv ápartmânts] 89
preencher to fill in [tu fil in] 77, 83
preferencial right of way [rait óv uei] 49
pregar (botão) to sew on [tu sou ón] 137
prender to arrest [tu ârést] 154

preocupação trouble [trâbâl] 21
preparar to ready [tu rédi] 88
presbíope long-sighted [lón(g) saitid] 138
prescrição prescription [prâskripchân] 159
presente present [prézânt] 79
presilha de cabelo hair-grip [hé:r grip] 142
pressão arterial blood pressure [blâd préchâr] 168
pressão atmosférica atmospheric pressure [étmâsférik préchâr] 27
pressão do pneu tyre pressure [taiâr préchâr] 47
presunto ham [hém] 101, 105
presunto defumado gammon [guémân] 101
preto black [blék] 194
previsão do tempo weather forecast [uédhâr fórkast] 25
prima cousin [kázân] 35
primavera spring [sprinh] 33
primeiro balcão (de teatro) dress circle [drés sârkâl] 176
primeiro imediato first officer [fârst ófissâr] 75; warrant officer [uó-rânt ófissâr]
primeiro nome Christian name [kristchân neim] 78
primo cousin [kázân] 35
prisão prison [prizân] 154
prisão (ato) arrest [ârést] 154
prisão de ventre constipation [kónstipeichân] 163, 171
prisão preventiva preventive detention [privéntiv ditênchân] 154
proa bow [bau] 76
procissão procession [prâsséchân] 125
procurar to look for [tu lu:k fór] 15, 18
produção production [prâdâkchân]
produção (teatral) production [prâdâkchân] 178
produtor producer [prâdiussâr] 178
professor teacher [ti:tchâr] 37
professor de escola secundária secondary-school teacher [sékândâri sku:l ti:tchâr] 37
professor de natação bath instructor [bath instráktâr] 175,185
professor universitário professor [prâféssâr] 13

238 Vocabulário

professora do jardim de infância kindergarten teacher [kindârgartân ti:tchâr] 37
profissão de fé creed [krid] 125
profundidade deep [dip] 185
programa programme [prougrém] 178, 182
programa de excursão programme of excursion [prougrém óv ikskârchân] 76
programação programme [prougrém] 178, 182
proibido prohibited [prâhibitid] 185, 191
proibido colar cartazes stick no bills [stik nou bilz] 191
proibido fumar no smoking [nou smoukinh] 191
proibido retornar no U-turn [nou iu târn] 57
proibido ultrapassar no overtaking [nou ouvârteikinh] 43
proibido virar à direita no right turn [nou rait târn] 57
pronto ready [rédi] 50
pronto-socorro first-aid post [fârst eid poust]; casualty department [kéjiuâlti dipartmânt] 49, 122
pronunciar to pronounce [tu prânauns] 24
prorrogação renewal [riniuâl]; extension [ikstênchân] 78
protestante Protestant [prótistânt] 123, 125
provavelmente probably [próbâbli] 22
provisório temporary [témpârâri] 173, 174
próximo (perto) near [niâr] 40, 147, 159
próximo (seguinte) next [nékst] 32, 183
psicologia psychology [saikólâdji] 39
público public [pâblik] 191
público (plateia) audience [ó:diâns] 179
pulmão lung [lân(g)] 168
pulôver pullover [pulouvâr] 135
púlpito pulpit [pulpit] 125
pulseira bracelet [breisslit] 133
pulseira de relógio watchstrap [uótchstrép] 143
pulso wrist [rist] 168
purê de batatas mashed potatoes [mécht pâteitouz] 106
puxar to pull [tu pul] 191

Q

quadra de tênis tennis court [ténis kó:rt] 180, 190
quadrado square [skué:r] 193
quadro picture [piktchâr] 144
quando when [uén] 18, 30, 41, 83, 165, 176, *etc.*
quanto how much [hau mâtch] 18, 82
quanto tempo how long [hau lón(g)] 18, 40, 154
quantos how many [hau méni] 18
quantos anos (idade) how old [hau ould] 34
quarta (medida de capacidade) quart [kuórt] 193
quarta-feira Wednesday [uénzdei] 33
quartel barracks [béráks] 122
quartilho pint [paint] 193
quarto bedroom [bédru:m] 89; room [ru:m] 81, 82, 83, 84, 89
quarto de aluguel room for hire [ru:m fór hajâr] 80
quarto de brinquedos playroom [pleiru:m] 76
quarto de casal double room [dâbâl ru:m] 81
quarto individual single room [singâl ru:m] 81, 82
quatro four [fó:r] 28, 95
que horas são what's the time [uótz dhà taim] 30
quebrado broken [broukân] 49, 87, 173; out of order [aut óv órdâr] 148
queijo cheese [tchiz] 107
queijo branco fresco cottage cheese [kótidj tchiz] 107
queijo camembert Camembert [kémâmbér] 107
queijo cheddar cheddar cheese [tchédâr tchiz] 107
queijo cheshire Cheshire cheese [tchéchâr tchiz] 107
queijo cremoso cream cheese [kri:m tchiz] 107
queijo fundido cheese spread [tchiz spré:d] 107
queijo gruyère gruyère [gruiér] 107
queijo parmesão Parmesan cheese [parmizén tchiz] 107
queijo stilton Stilton (cheese) [stiltân (tchiz)] 107

queimado burnt out [bârnt aut]; blown [bloun] 87
queimadura burn [bârn] 171
queimadura de sol sunburn [sânbârn] 171
queimar to burn [tu bârn] 26
queixo chin [tchin] 168
quem who [hu] 18
quente hot [hót] 25, 87, 115
quente *(ovo)* soft-boiled [sóft bóild] 97
querer to want [tu uónt] 22
quermesse fair [fé:r] 182
quilograma kilo [kilou] 126
quilômetro kilometre [kilâmitâr] 193
química chemistry [kémistri] 39
quinino quinine [kuinin] 161
quinta-feira Thursday [târzdei] 33
quintal *(medida de peso)* hundredweight [hândrâdueit] 193
quinzena fortnight [fórtnait] 14, 31
quitanda de frutas fruiterer [fru:târâr] 129
quitanda de legumes greengrocer [gringroussâr] 129

R

rabada oxtail soup [ókstei1 su:p] 102
rábano horseradish [hórs rédich] 100
radiador radiator [reidieitâr] 54
rádio radio [reidiou]; wireless [uairlés] 180, 182
radiografar to X-ray [tu éks rei] 172
radiografia X-ray [éks rei] 172
radioterapia ray therapy [rei thérâpi] 175
ragu ragout [régu:] 105
rainha queen [kuin] 182
raio de roda spoke [spouk] 54
raios ultravioleta ultra-violet rays [âltrâ vaiâlit reiz] 175
raiz root [ru:t] 174
rampa de emergência emergency chute [imârdjânsi chut] 70
rapaz boy [bói] 35
rápido fast [fast] 42
rebocador tug (boat) [tâg (bout)] 76
rebocar to take in tow [tu teik in tou] 48
reboque breakdown lorry [breikdaun lóri] 48, 49; trailer [treilâr] 41
recauchutar to retread [tu ritré:d] 46
receber to get [tu guét] 127, 151
receitar prescribe [priskraib] 164
recentemente recently [rissântli] 32

recepção reception [rissépchân] 91
recepcionista receptionist [rissépchânist] 91
recheado stuffed [stâft] 99
recheio stuffing [stâfinh] 99
recheio feito de carne forcemeat [fórsmi:t] 105
recibo receipt [rissi:t] 152
recinto da fonte pump room [pâmp ru:m] 175
recipiente de óleo oilcan [óilkén] 46
recital de canto song recital [són(g) rissaitâl] 178
reclamação complaint [kâmpleint] 23, 92
recomendar to recommend [tu rékâménd] 80
rede *(de deitar)* hammock [hémâk] 144
rede de cabelo hairnet [hé:rnét] 142
redução reduction [ridâkchân] 66, 82, 176
reduza a velocidade reduce speed now [ridius spid nau] 57
reencontrar to meet again [tu mit âguén] 16, 184
refeição meal [mi:l] 159
refogado stewed [stiu:d] 99
regata boat race [bout reis] 190
regente *(de orquestra)* conductor [kândâktâr] 178
região district [distrikt]; region [ridjân]; area [é:riâ] 122
regime diet [daiât] 165
registrar to enter [tu éntâr] 77; to register [tu rédjistâr] 150
registrar-se to register [tu rédjistâr] 83
registro registration [rédjistreichân] 92, 94
regulamento regulation [réguiuleichân] 78
rei king [kinh] 182
relâmpago lightning [laitninh] 27
religião religion [rilidján] 125
religioso religious [rilidjâs] 125
relógio clock [klók] 142, 143
relógio *(de pulso ou de bolso)* watch [uótch] 142, 143
relógio de pulso wrist watch [rist uótch] 143
relojoeiro watchmaker [uótchmeikâr] 37
remador oarsman [ó:rzmén] 190
remédio remedy [rémâdi]; medicine [médsin] 159, 161

remendar to patch [tu pétch] 46
remessa *(de dinheiro)* remittance [rimitâns] 152
remetente sender [séndâr] 150
remeter to send [tu send] 88
remo *(esporte)* rowing [rouinh] 190
removedor de esmalte nail-varnish remover [neil varnich rimuvâr] 142
repartição pública government office [gávârnmént ófis] 122
repelente de insetos insect repellent [insékt ripélânt] 161
repolho cabbage [kébidj] 106
repolho roxo red cabbage [réd kébidj] 107
representação *(de teatro)* performance [pârfórmâns] 176, 178
representante representative [réprizéntâtiv] 37
representar *(uma peça de teatro)* to play [tu plei] 176
reserva reservation [rézârveichân] 61; booking [bu:kinh] 68, 70, 178
reserva antecipada advance reservation [ádvans rézârveichân] 94; advance booking [ádvans bu:kinh] 178
reserva de assento seat reservation [si:t rézârveichân] 61
reserva de lugares booking [bu:kinh] 178
reservar to book [tu bu:k] 61, 81; to reserve [tu rizârv] 95
resfriado cold [kould]; chill [tchil] 171
resfriar-se to catch cold [tu kétch kould] 163
respiração breathing [bri:thinh]; respiration [résphâreichân] 168
respirar to breathe [tu bri:th] 165
restaurante restaurant [réstârónt] 92, 95
restaurante de grelhados grill room [gril ru:m] 92
resultado result [rizâlt] 188
retirada de bagagem left-luggage withdrawal [léft lâguidj uidhdró:âl] 62
retirar to collect [tu kâlékt] 62, 146; to draw [tu dró:] 146
retocar to touch up [tu tâtch âp] 131
reumatismo rheumatism [ru:mâtizâm] 171
revelação *(de fotos)* development [divélâpmânt] 132

revelar *(fotos)* to develop [tu divélâp] 131, 132
revista magazine [mégázin] 182
revista alfandegária customs examination [kâstâmz igzémineichân] 79
revista de moda fashion magazine [féchân mégázin] 182
rifle rifle [raifâl] 143
rigoroso strict [strikt] 165
rim kidney [kidni] 168
rímel mascara [méskará] 142
rinque de patinação no gelo ice rink [ais rink] 180
rio river [rivâr] 69
risca *(de cabelo)* parting [partinh] 157
rocambole roll [roul] 113
roda wheel [uil] 47, 54
roda dianteira front wheel [frânt uil] 47
roda livre freewheel [friuil] 54
roda traseira back wheel [bék uil] 47
rodovalho turbot [târbât] 103
rodovia motorway [moutâr uei] 43
rolamento de esfera ball bearing [bó:l bé:rinh] 54
rolo roll [roul] 126
rolo de filme cartridge [kartridj] 131
romance novel [nóvâl] 130
romance policial detective story [ditéktiv stóri]; thriller [thrilâr] 130
românico Romanesque [roumânésk] 125
rosa rose [rouz] 130
rosário rosary [rouzâri] 125
rosca rusk [râsk] 97
rosca *(de parafuso)* thread [thré:d] 54
rosto face [feis] 168
rota route [ru:t] 70; course [kó:rs] 76
rotatória roundabout [raundâbaut] 43
roteiro *(de teatro, cinema)* script [skript] 179
rótula kneecap [nikép] 168
roubar to steal [tu sti:l] 153
roubo theft [théft] 153
roupa clothes [kloudhz] 137
roupa de baixo underwear [ândâr ué:r] 135
roupa de baixo *(de mulher)* lingerie [lónjâri] 135
roupa de cama bed linen [béd linin] 92
roupa lavada washing [uóchinh]; laundry [ló:ndri] 54
roupão dressing gown [dréssinh gaun] 135

roupão de banho bathrobe [ba*th* r<u>ou</u>b] 135, 186
roxo purple [pârpâl]; violet [v<u>ai</u>âlit] 194
rua sreet [strit] 116
rua de mão única one-way street [uân u<u>ei</u> strit] 42, 57
rua particular private road [pr<u>ai</u>vit r<u>ou</u>d] 191
rua sem saída cul-de-sac [kâl dâ sék] 120
ruge rouge [ru:j] 142
ruibarbo rhubarb [r<u>u</u>barb] 109
ruim bad [béd] 25
ruína ruin [ru<u>in</u>] 122
rum rum [râm] 112

S

sábado Saturday [s<u>é</u>târdei] 33, 155
sabão soap [s<u>ou</u>p] 86, 142
sabão de barba shaving soap [ch<u>ei</u>vinh s<u>ou</u>p] 142
sabão em pó washing powder [u<u>ó</u>chinh pa<u>u</u>dâr] 142
saca-rolhas corkscrew [kórkskru:] 96, 144
saco bag [bég] 126
saco de dormir sleeping bag [slipinh bég] 94
saco de viagem travelling bag [trévâlinh bég] 62
saco plástico plastic bag [pléstik bég] 144
sacola de praia beach bag [bi:tch bég] 144
sacristão verger [vârdjâr]; sacristan [sékristân] 125
sacristia vestry [véstri]; sacristy [sékristi] 125
saguão do hotel hotel vestibule [*h*outél véstibiul] 92
saia skirt [skârt] 135
saída exit [égzit] 43, 64, 70, 191
saída (do país) departure (from the country) [dipa<u>r</u>tchâr (fróm d*h*â kântri] 78
saída de emergência emergency exit [imârdjânsi égzit] 70, 191
sais de banho bath salts [ba:*th* sólts] 142
sal salt [sólt] 100
sala room [ru:m] 92
sala de alfândega customs office [kâstâmz éfis] 79

sala de bilhar billiard-room [biliârd ru:m] 180
sala de cirurgia operating theatre [épâreitinh :*th*iâtâr] 172
sala de concertos concert hall [kénsârt hó:l] 178
sala de espera waiting-room [ueitinh ru:m] 59, 70, 163
sala de estar lounge [la<u>u</u>ndj] 73, 85; sitting-room [sitinh ru:m] 89
sala de jantar dining room [daininh ru:m] 73, 85
sala de leitura reading room [ri:dinh ru:m] 73
sala de recreação recreation room [rékrie<u>i</u>châ<u>n</u> ru:m] 94
sala do comissário de bordo purser's office [pârsârz éfis] 73
sala do guia courier's office [k<u>u</u>:riârz éfis] 73
salada salad [sélâd] 108
salada de frutas fruit salad [fru:t sélâd] 108
salão de baile dance hall [dans hó:l] 184; ballroom [bó:l ru:m] 73
salão de beleza beauty salon [biu:ti sélô<u>n</u>] 158
salão de cabeleireiro hairdresser [*h*é:rdréssâr] 73
saleiro salt cellar [sólt sélâr] 96
salgado salted [sélt<u>â</u>d] 99; salty [sélti] 115
salgado demais oversalted [e<u>u</u>vâr sóltâd] 115
salinidade salinity [sâliniti] 186
salmão salmon [sémâ<u>n</u>] 103
salmão defumado smoked salmon [sme<u>u</u>kt sémâ<u>n</u>] 101
salmourado salted [sélt<u>â</u>d] 99
salsa parsley [pa<u>r</u>sli] 100
salsicha e bacon sausage and bacon [sé:ssidj énd beikâ<u>n</u>] 97
saltar to jump [tu djâmp] 188
salto (de sapato) heel [*h*il] 139
salto de esqui ski jump [ski djâmp] 189
sanatório sanatorium [sénâtôriâm] 175
sandálias sandals [sénd<u>â</u>lz] 139
sandálias de praia beach shoes [bi:tch chu:z] 139
sangue blood [blád] 168
santo saint [seint] 192
sapataria shoe shop [chu: chóp] 129
sapateiro shoemaker [ch<u>u</u>:meikâr] 37, 129

sapatos shoes [chu:s] 139
sapatos de salto baixo low-heeled shoes [lou hild chu:s] 139
sarampo measles [mi:zâlz] 171
sarcófago sarcophagus [sarkófâgâs] 125
sardinha sardine [sardin] 101
sauna sauna [só:nâ] 175
scooter motor-scooter [moutâr sku:târ] 41
sebo *(livraria)* second-hand bookshop [sékând hénd bu:kchóp] 129
secador de cabelo hairdrier [hé:rdraiâr] 158
secar to dry [tu drai]
seco dried [draid] 99; dry [drai] 111, 157, 158
secretária secretary [sékrâtâri] 37
século century [séntchâri] 119
seda silk [silk] 137
segmento do pistão piston ring [pistân rinh] 54
seguir to follow [tu fólou] 154
segunda-feira Monday [mândei] 33
segundo second [sékând] 32
segundo balcão *(de teatro)* upper circle [âpâr sârkâl] 176
segurado insured [inchurd] 49
seguro insurance [inchurâns] 41, 49
seguro total comprehensive insurance [kómprihénsiv inchurâns] 41
seio frontal frontal cavity [frântâl kévâti]; frontal sinus [frântâl sainâs] 168
seio maxilar maxillary sinus [méksilâri sainâs] 168
seis six [siks] 28
seita denomination [dinóminejchân]; Church [tchârtch] 125
selar *(cartas)* to stamp [tu stémp] 150
self-service self-service [sélf sârvis] 129
selo stamp [stémp] 84, 145, 150
sem without [uidhaut] 113, 140
semáforo traffic lights *(pl)* [tréfik laits] 43, 122
semana week [uik] 31, 32, 81, 82, 92, 93
Senhor Mr. [mistâr]; Sir [sâr]; Gentleman [djéntâlmén] 13
Senhora Mrs. [missiz]; Madam [médâm] 13
Senhorita Miss [mis] 13
sentar-se to sit down [tu sit daun] 16

sentir to feel [tu fil] 12, 163, 164
sentir muito to be sorry [tu bi sóri] 22
sentir-se to feel [tu fil] 163
separado separate [sépârât] 115
septicemia blood poisoning [blâd pói:zâninh] 171
ser to be [tu bi] 35
sermão preaching [pri:tchinh] 123; sermon [sârmân] 125
serralheiro locksmith [lóksmi:th] 38
serviço job [djób] 173
serviço service [sârvis] 82
serviço provisório temporary job [témpârâri djób] 173
serviço religioso service [sârvis] 125
servir to serve [tu sârv] 95
sessão de cinema film showing [film chouinh] 179
sete seven [sévân] 28
setembro September [séptémbâr] 33
sexta-feira Friday [fraidei] 33
Sexta-Feira Santa Good Friday [gu:d fraidei] 33
shopping center shopping centre [chópinh séntâr] 122
short shorts *(pl)* [chórts] 135
sidra cider [saidâr] 111, 112
significar to mean [tu mi:n] 18
sim yes [iés] 21, 98
simpatia sympathy [simpâthi]
sinagoga synagogue [sinâgôg] 122
sinal *(entrada)* deposit [dipózit] 92
sinal de ocupado engaged tone [ingueidjd toun] 149
sinal luminoso flashing signal [fléchinh signâl] 51
sinal particular distinguishing mark [distingüishinh mark] 78
sincronização synchronization [sinkrânaizejchân] 179
sincronizado synchronized [sinkrânaizd] 179
sino bell [bél] 125
sistema de ignição ignition system [ignjchân sistâm] 54
só *(advérbio)* just [djâst] 86, 98, 155, 157
sobrancelha eyebrow [aibrau] 156
sobremesa dessert [dizârt]
sobrenome surname [sârneim] 78
sobrenome de solteira maiden name [meidân neim] 78

sobretaxa excess fare [éksés fé:r] 65
sobretudo *(casaco)* coat [kout] 135
sobrinha niece [ni:s] 35
sobrinho nephew [néfiu] 35
sociologia sociology [soussiólâdji] 39
soda soda [soudâ] 112
soda-limonada fizzy lemonade [fizi lémâneid] 112
sol sun [sân] 26, 27
sola sole [soul] 139, 168
sola de couro leather sole [lédhâr soul] 139
solar *(verbo)* to sole [tu soul] 139
solário sundeck [sândék] 74
soldar to solder [tu sóldâr] 54
soletrar to spell [tu spél] 24
solha flounder [flaundâr]; plaice [pleis] 103
solidariedade sympathy [simpâthi] 23
solista soloist [soulouist] 178
soltar to disengage [tu dissingueidj] 55
soltar o acelerador to release the accelerator [tu rili:s dhi âksélâreitâr] 51
solteiro single [singâl] 78
sombra *(maquiagem)* eye-shadow [ai chédou] 142
somente only [ounli] 79
sonífero sleeping pill [slipinh pil] 161
sopa soup [su:p] 102
sopa de tomate tomato soup [tâmatou su:p] 102
sopa grossa thick soup [thik su:p] 102
sopa juliana julienne [djulién] 102
sopa verde de cabeça de vitela mock turtle soup [mók târtâl su:p] 102
soprano soprano [sâpranou] 178
sorvete ice cream [ais kri:m]; ice [ais] 114
sorvete de chocolate chocolate ice [tchókâlit ais] 114
sorvete misto mixed ice [mikst ais] 114
sorveteria ice cream bar [ais kri:m bar]; ice cream parlour [ais kri:m parlâr] 114
sozinho alone [âloun] 15
spray de cabelo hair spray [hé:r sprei] 142
suave mild [maild] 142
suave *(vinho)* sweet [suit] 111
subir to rise [tu raiz] 25; to climb [tu klaim] 70
substância anticongelante antifreeze (agent) [éntifriz (eidjânt)] 54
subúrbio suburb [sâbârb] 122

suco juice [djus] 97, 101, 112
suco de frutas fruit juice [fru:t djus] 97, 112
suco de laranja orange juice [órindj djus] 112
suco de tomate tomato juice [tâmatou djus] 97, 101
suculento juicy [djussi] 99
sudorífero diaphoretic [daiâfárétik] 161
suéter sweater [suétâr] 135
suficiente enough [inâf] 46, 98, 126
sujeito a tarifa suplementar supplementary fare payable [sâpliméntâri fé:r peiâbâl] 59
sundae sundae [sândei] 114
superaquecer to overheat [tu ouvârhi:t] 55
supermercado supermarket [siupârmarkit] 129
supervisor da estação station superintendent [steichân siupârinténdânt] 64
supositório suppository [sâpózitâri] 161
supuração suppuration [sâpiureichân] 171
suspensório braces *(pl)* [breissâs] 136
suspiro *(doce)* meringue [mârénh] 114
sutiã brassiere [bréssiâr]; bra [bra] 135

T

tabacaria tobacconist's [tâbékânists] 129
tabuleiro *(de jogo)* board [bó:rd] 182
tailleur dress and jacket [drés énd djékit]; two-piece [tu: pi:s]; suit [siut]; costume [kóstium] 135
tainha mullet [mâlit] 103
talco talcum powder [télkâm paudâr] 142, 161
talharim noodles *(pl)* [nu:dâls] 102
talher cutlery [kâtlâri] 96
talvez perhaps [pârhéps] 22
tamanho *(de medida de roupa)* size [saiz] 139
tâmara date [deit] 108
também too [tu:] 21, 151; as well [éz uél] 47
tampão tampon [témpón] 142
tangerina tangerine [téndjârin] 109
tanque de gasolina petrol tank [pétrâl ténk] 45
tanque de reserva reserve tank [rizârv ténk] 45
tapete carpet [karpit] 92

tapete de cama bedside rug [bédsaid råg] 92
tarde *(hora avançada)* late [leit] 17, 31
tarde *(período do dia)* afternoon [aftârnu:n] 31
tarifa de alta-estação seasonal surcharge [si:zânâl sârtchardj] 82
tarifa reduzida cheap rate [tchi:p reit] 148
tártaro tartar [tartâr] 174
tartaruga turtle [târtâl] 102, 104
taxa fee [fi] 94
taxa bancária bank charge [bénk tchardj] 152
taxa de câmbio rate of exchange [reit óv ikstcheindj] 152
taxa de cancelamento cancellation fee [kénsâleichân fi] 68
taxa de embarque airport tax [é:rpórt téks] 70
taxa de exportação export duty [éksport diuti] 79
taxa de importação import duty [import diuti] 79
taxa de turismo visitor's tax [vizitârz téks] 175
taxa portuária harbour due [harbâr diu] 76
táxi taxi [téksi] 63, 88, 116, 117, 122
teatro theatre [thiâtâr] 122
tecido material [mâtiriâl] 137
técnico technician [téknichân] 38
tela *(de cinema, televisão)* screen [skrin] 179, 182
teleférico de esqui ski lift [ski lift] 189
telefonar to make a phone call [tu meik â foun kó:l] 84; to phone [tu foun] 77; to ring [tu rinh] 17
telefone telephone [télifoun] 92; phone [foun] 48
telegrama telegram [téligrém] 147
telegrama com resposta paga reply-paid telegram [riplai peid téligrém] 147
telegrama de felicitação greetings telegram [grítinhz téligrém] 147
telegrama noturno overnight telegram [ouvêrnait téligrém] 147
telegrama urgente priority telegram [praióriti téligrém] 147
televisão television [télivijân] 180, 182
temperado seasoned [si:zând] 99
temperatura temperature [témprâtchâr] 27, 172

temperatura da água water temperature [uótâr témprâtchâr] 186
temperatura do ar air temperature [é:r témprâtchâr] 186
tempero seasoning [si:zâninh]; spice [spais] 100
tempestade storm [stórm] 27
tempestade de neve snowstorm [snoustórm]; blizzard [blizârd] 27
tempestuoso stormy [stórmi] 25
templo temple [témpâl] 122
tempo *(clima)* weather [uédhâr] 25, 26, 27, 70
tempo *(jogo)* half-time [haf taim] 188
tempo de voo flying time [flaiinh taim] 70
têmpora temple [témpâl] 168
temporada season [si:zân] 92
temporal thunderstorm [thândârstórm] 26, 70
temporariamente temporarily [témpârârili] 32
tenca tench [téntch] 103
tendão tendon [téndân]; sinew [siniu] 168
tênis (esporte) tennis [ténis] 190
tenor tenor [ténâr] 178
tenro tender [téndâr] 99
tentativa attempt [âtémpt] 153
ter to have [tu hév] 126, 127, 163, etc.
ter muito prazer em to be very glad to [tu bi véri gléd tu]; to be delighted to [tu bi dilaitid tu] 12
terça-feira Tuesday [tiuzdei] 33
terceiro third [thârd] 176
terminal terminus [târminâs]; terminal [târminâl] 58, 122
termômetro thermometer [thârmómitâr] 25, 27, 144
termômetro clínico clinical thermometer [klinikâl thârmómitârl] 161
termostato thermostat [thârmâstét] 54
terno suit [siut] 135
terraço terrace [térâs] 81
tesoura scissors *(pl)* [sizârz] 136, 142
tesoura de unha nail scissors *(pl)* [neil sizârz] 142
testa forehead [fórid] 168
testemunha witness [uitnés] 49
tétano tetanus [tétânâs] 171
teto ceiling [si:linh] 92
texto text [tékst] 178
thriller thriller [thrilâr] 130, 179

tia aunt [ant] 35
tíbia tibia [tíbiâ]; shin [chin] 168
tifo typhoid [taifóid] 171
tigela bowl [boul] 96
time team [ti:m] 190
timoneiro helmsman [hélmsmén] 76
tímpano eardrum [íârdrâm] 168
tingir to tint [tu tint]; to dye [tu dai] 155, 158
tinta fresca wet paint [uét peint] 191
tintura tincture [tínktchâr] 161
tintura de iodo tincture of iodine [tínktchâr óv aiâdin] 161
tinturaria dyer [daiâr] 129
tio uncle [ânkâl] 35
tipo kind [kaind] 18
tira-manchas stain remover [stein rimuvâr] 144
tirar to remove [tu rimuv] 137
tirar do gancho (telefone) to lift [tu lift] 149
tiro (esporte) shooting [chu:tinh] 190
tiro ao disco clay-pigeon shooting [klei pidjin chu:tinh] 190
título bancário security [sikiuriti] 152
toalha towel [tauâl] 86
toalha de mesa tablecloth [teibâlklóth] 92, 96
toca-discos record player [rékórd pleiâr] 182
tocar to touch [tu tâtch] 191
todo every [évri] 32
toicinho bacon [beikân] 100
tomada wall plug [uó:l plâg] 87; (wall) socket [(uó:l) sókit] 87, 92; power point [pauâr póint] 93
tomar to take [tu teik] 165
tomar banho de sol to sunbathe [tu sânbeith] 186
tomar café da manhã to have breakfast [tu hév brékfâst] 85
tomate tomato [tâmatou] 107
tonelada ton [tân] 193
tônico tonic [tónik] 161
tônico capilar hair tonic [hé:r tónik] 142
toranja grapefruit [greipfru:t] 108, 112
tórax thorax [thóréks] 168
torcer (o pé, o tornozelo) to sprain [tu sprein] 164
torneira tap [tép] 87, 92
tornozelo ankle [énkâl] 164, 168
torrada toast [toust] 97

torre tower [tauâr] 122
torre (do jogo de xadrez) rook [ru:k]; castle [kassâl] 182
torta de ameixa plum flan [plâm flén] 113
torta de frutas fruit flan [fru:t flén] 113
torta de maçã apple tart [épâl tart] 113
touca de banho bathing cap [beidhinh kép] 135
touca de natação bathing cap [beidhinh kép]; swim cap [suim kép] 186
trabalhar to work [tu uârk] 15, 36
tradução translation [trénsleichân] 130
traduzir to translate [tu trénsleit] 24
tráfego traffic [tréfik] 43
tráfego em pista única single file traffic [singâl fail tréfik] 57
tragédia tragedy [trédjidi] 178
trailer caravan [kérâvén] 41, 94
trailer (de filme) trailer [treilâr] 179
training (roupa) tracksuit [tréksiut] 135
trampolim springboard [sprinhbó:rd] 190
tranquilo quiet [kuaiât] 81; undisturbed [ândistârbd] 183
transferência transfer [trénsfâr] 152
transfusão de sangue blood transfusion [blâd trénsfiujân] 172
trânsito impedido no thoroughfare [nou thârâfé:r] 57
trapo cloth [klóth] 56
tratamento cure [kiur]; treatment [tri:tmânt] 175
tratamento da raiz (do dente) root treatment [ru:t tri:tmânt] 174
tratamento de repouso rest cure [rést kiur] 175
travessa (de cabelo) hair slide [hé:r slaid] 142
travessa (de comida) (serving) dish [(sârvinh) dich] 96
travesseiro pillow [pilou] 86, 90
travessia crossing [krôssinh] 71, 76
trazer to bring [tu brinh] 20, 73, 86, 98; to fetch [tu fétch] 20; to get [tu guét] 162
treinamento training [treininh] 188
trela (dog's) lead [(dógz) li:d] 144
trem train [trein] 60, etc.
trem de aterrissagem undercarriage [ândârkéridj] 70
trem de passageiro passenger train [péssindjâr trein] 59, 60

trem de subúrbio suburban train [sâbârbân trein] 59
trem expresso express (train) [iksprés (trein)] 59
trem expresso suburbano suburban express train [sâbârbân iksprés trein] 122
trem rápido fast train [fast trein] 59
trenó toboggan [tâbógân] 187
três three [*th*ri] 28, 159, 187
triângulo de segurança warning triangle [uórninh traiéngâl] 54
tribunal court [kó:rt] 154
tribunal de justiça law court [ló: kó:rt] 122
trilha para pedestres footpath [fu:tpa*th*] 122
trimestre quarter [kuórtâr]; trimester [traiméstâr] 33
tripa tripe [traip] 106
tripé tripod [traipód] 132
tripulação crew [kru:] 70, 76
trismo lock jaw [lók djó:] 171
troca changing [tcheindjinh] 47
troca de óleo oil change [óil tcheindj] 46
trocado *(dinheiro)* small change [smó:l tcheindj] 151
trocador de moeda coin changer [kóin tcheindjâr] 150
trocar to change [tu tcheindj] 46, 58, 60, 64, 84, 117, 127, 151; to exchange [tu ikstcheindj] 93
trovão thunder [*th*ândâr] 27
trunfo *(jogo de cartas)* trump [trâmp] 181
truta trout [traut] 103
tuberculose tuberculosis [tiubârkiuloussis] 171
tubo tube [tiub] 126
tudo everything [évri*th*inh] 82, 88; all [ó:l]
tulipa tulip [tiulip] 130
tumor tumour [tiumâr] 171
túmulo grave [greiv]; tomb [tum] 122
túnel tunnel [tânâl] 43

U

uísque whisky [uiski] 112
úlcera ulcer [âlsâr] 171
úlcera péptica peptic ulcer [péptik âlsâr] 171

último last [last] 32
ultrassom ultra-sound [âltrâ saund] 175
ultrapassar to overtake [tu ouvârteik] 43
um, uma one [uân] 28, 86
um quarto de hora a quarter of an hour [â kuértâr óv én auâr] 86
unha fingernail [finh(g)ârneil]; nail [neil] 168
unicolor self-coloured [sélf kâlârd] 137
universidade university [iunivârsiti] 38, 39
urina urine [iurin] 168
urologista urologist [iuróládjist] 163
usar to use [tu iuz] 48
uso use [ius] 79
uso externo *(medicamento)* for external use [fór ikstârnâl ius] 159
uso interno *(medicamento)* for internal use [fór intârnâl ius] 159
uva grape [greip] 108
uva-passa raisin [reizân] 100

V

vacinado vaccinated [véksineitâd] 77
vagão carriage [kéridj] 66
vagão direto through carriage [*th*ru: kéridj] 59, 63
vagão-bagageiro luggage van [lâguidj vén] 63, 66
vagão-leito couchette car [ku:chét kar] 59, 63; sleeping car [slipinh kar] 59, 65; sleeper [slipâr] 59, 60, 63
vagão-restaurante dining car [daininh kar]; 59, 60, 63; restaurant car [réstârónt kar] 59, 65
vagem French bean [fréntch bi:n] 106; runner bean [rânâr bi:n] 107
vago vacant [veikânt] 81
vale valley [véli] 122
vale postal money order [mâni érdâr]; postal order [peustâl érdâr] 146
valeriana valerian [vâliriân] 161
valete *(baralho)* jack [djék] 181
válido valid [vélid] 78
válvula valve [vélv] 54
vara de pesca fishing rod [fichinh ród] 190
varanda balcony [bélkâni] 81
varíola smallpox [smé:lpóks] 77, 171
vaselina vaseline [véssilin] 161
vaso pot [pót] 130; vase [veiz] 144

vaza trick [trik] 181
vazar to leak [tu li:k] 54, 56, 87
vegetariano vegetarian [védjité:riân] 95
veia vein [vęin] 168
veículo vehicle [vįikâl] 41
vela candle [kéndâl] 144
vela *(de barco)* sail [sęil] 190
vela *(esporte)* sailing [sęilinh] 190
vela de ignição sparking plug [spąrkinh plâg] 45, 54
veleiro sailing boat [sęilinh bout] 74, 190
velejar to sail [tu sęil] 190
velocidade máxima permitida maximum speed [méksimâm spid] 43
velocímetro speedometer [spidómitâr] 54
veludo velvet [vélvit] 137
vende-se for sale [fór sęil] 191; to sell [tu sél]
vendedor shop assistant [chóp âssistânt] 38
ventilação ventilation [véntilęichân] 92
ventilador fan [fén] 54, 92; ventilator [véntileitâr] 70
vento wind [uind] 26, 27
vento leste east wind [i:st uind] 27
vento norte north wind [nórth uind] 27
vento oeste west wind [uést uind] 27
vento sul south wind [sauth uind] 27
ventoso windy [uindi] 25, 27
ver to see [tu si] 12, 81, 119
verão summer [sâmâr] 33
verde green [grin] 194
verdureiro greengrocer [gringroussâr] 129
verificar to check [tu tchék] 45, 46, 50, 55
vermelho red [réd] 194
vermelho-vivo bright red [bręit réd] 194
vermute vermouth [vârmâth] 111
vertigem dizziness [dizinâs] 171
vesícula biliar gall bladder [gó:l blédâr] 168
vestiário cloakroom [klǫukru:m] 178
vestido dress [drés] 135, 137, 183
vestido de verão summer dress [sâmâr drés] 135
veterinária veterinary science [vétârinâri sąiâns] 39
veterinário vet [vét]; veterinary surgeon [vétârinâri sârdjân] 38

vez time [tąim] 159
via lane [lęin] 43
via férrea track [trék] 59
viagem journey [djârni] 12, 17, 43, 60, 61
viagem *(de navio ou de avião)* voyage [vǫiidj] 76
viagem de negócios business trip [bįznis trip] 78
viajar to travel [tu trévâl] 65
viatura policial police car [pąlis kar] 154
vidraça window-pane [ųindou pęin] 92
vidraceiro glazier [glęiziâr] 38
vidro glass [glas] 143
vigia *(de estacionamento)* park attendant [park âtęndânt] 44
vigiado guarded [gardid] 92
vinagre vinegar [vinigâr] 100
vinho wine [uain] 98, 111
vinho branco white wine [uait uain] 111
vinho branco do Reno hock [hók] 111
vinho de boa safra vintage wine [vintidj uain] 111
vinho de Borgonha Burgundy [bârgândi] 111
vinho de mesa table wine [tęibâl uain] 111
vinho do Reno Rhenish wine [rénich uain] 111
vinho maturado mature wine [mâtiur uain] 111
vinho moscatel muscatel wine [mâskâtél uain] 111
vinho moselle Moselle wine [mouzél uain] 111
vinho quente mulled wine [mâld uain] 111
vinho tinto red wine [réd uain] 111
vinho verde sour wine [sąur uain] 111
violeta violet [vąiâlit] 130
vir to come [tu kâm] 14, 17, 162
virabrequim crankshaft [krénkchaft] 54
virar to turn [tu târn] 43, 191
visita *(turística)* tour [tu:r] 119
visitar to visit [tu vizit] 77, 118, 119, 184
visor viewfinder [vįufaindâr] 132
visto visa [vįzâ] 77
visto de entrada entry visa [éntri vizâ] 78
visto de saída exit visa [égzit vizâ] 78
vitela veal [vi:l] 106
vitória victory [vįktâri]; win [ųin] 188

vitrine shop window [chóp u̱i̱ndou] 128
viúva widow [u̱i̱dou] 78
viúvo widower [u̱i̱douâr] 78
viver to live [tu liv] 119
voar to fly [tu fla̱i̱] 70
você, vocês you [iu:] 12, 14
vodca vodka [vódkâ] 112
vol-au-vent vol-au-vent [vólouvón] 101
volante steering wheel [sti̱rinh u̱i̱l] 54
voleibol volleyball [vólibó:l] 190
voltagem voltage [vo̱ultidj] 73, 85
voltar to come back [tu kâm bék] 165, 174
volume volume [vólium] 130
vomitar to be sick [tu bi sik] 163
vômito vomiting [vómitinh] 171
voo flight [fla̱i̱t] 67, 68, 70
voo de conexão connecting flight [kóné̱ktinh fla̱i̱t] 67
voo de volta return flight [ritâ̱rn fla̱i̱t] 70

W

wafer wafer [ue̱ifâr] 114

X

xadrez *(jogo)* chess [tchés] 180, 182
xadrez *(tecido)* checked [tchékt] 137
xampu shampoo [chémpu̱:] 142
xampu de cabelo hair shampoo [*hé*:r chémpu̱:] 142
xícara cup [kâp] 96

Z

zagueiro full-back [ful bék] 190
zero zero [zi̱rou] 28; O [o̱u] 28
zíper zip (fastener) [zip (fa̱ssânâr)] 136
zona rural countryside [kâ̱ntrissaid] 122
zoologia zoology [zouo̱ládji] 39
zoológico zoo [zu:] 119, 122

EXPRESSÕES BÁSICAS

> "Hello!" [hélou] *é o cumprimento mais frequente entre conhecidos.*

Bom dia!	**Boa tarde!**	**Boa noite!**
Good morning!	Good afternoon!	Good evening!
gu:d mórninh	gu:d aftârnu:n	gu:d ívninh

Até logo!	**Boa noite!** *(ao se despedir)*	**Como vai?**
Goodbye!	Good night!	How are you?
gu:dbái	gu:d náit	hau ar iu:

Por favor!	**Obrigado!**	**Sim.**	**Sim, por favor.**
Please!	Thank you!	Yes	Yes, please.
pli:z	*th*énk iu:	iés	iés, pli:z

Não.	**Nada.**	**Não, obrigado.**	**Basta!**
No.	Nothing.	No, thank you.	That's enough!
nou	nâ*th*inh	nou, *th*énk iu:	*dh*éts inâf

Desculpe!	**(Muito) bem!**	**Certo!**
I beg your pardon!	Fine!	Right!
ai bég ió:r pardân	fain	rait

Quando?	**Quem?**	**Por quanto tempo?**	**Onde?**	**Para onde?**
When?	Who?	For how long?	Where?	Where to?
uén	hu	fór hau lón(g)	ué:r	ué:r tu

Aqui.	**Lá.**	**À direita.**	**À esquerda.**	**Em frente.**
Here.	There.	*On (To)* the right.	*On (To)* the left.	Straight on.
hiâr	*dh*é:r	ón (tu) *dh*â rait	ón (tu) *dh*â léft	streit ón

O senhor tem ...?	**Preciso de ...**	**Eu gostaria de ...**
Have you got ...?	I need ...	I would like ...
hév iu: gót ...	ai nid ...	ai uu:d laik ...

Quando ... está aberto?	**Quanto custa isto?**	**Como se chama ...?**
When is ... open?	What does it cost?	What is called ...?
uén iz ... oupân	uót dâz it kóst	uót iz kó:ld ...

Onde *está (estão)* ...?	**Onde é o banheiro?**
Where *is (are)* ...?	Where is the *washroom (lavatory)*?
ué:r iz (ar) ...	ué:r iz *dh*â uóchru:m (lévâtâri)

Onde está minha bagagem?
Where's my luggage?
ué:rz mai lâguidj

***Quando (Onde)* nos encontraremos?**
When (Where) shall we meet?
uén (ué:r) chél ui mit

Onde posso alugar ...?
Where can I *hire* (casa: *rent*) ...?
ué:r kén ai haiâr (rént) ...

Poderia me emprestar ...?
Could you lend me ...?
ku:d iu: lénd mi ...

Poderia consertar isto para mim?
Could you repair this for me?
ku:d iu: ripé:r *dh*is fór mi

Por favor, poderia me *dar (mostrar)* ...?
Could you *give (show)* me ..., please?
ku:d iu: guiv (chou) mi ..., pli:z

***Um bilhete (Dois bilhetes)*, por favor!**
A ticket (Two tickets), please!
â tikit (tu: tikits), pli:z

Que horas são?
What's the time?
uótz *dh*â taim

Ontem.	**Hoje.**	**Amanhã.**	**Em uma semana.**
Yesterday.	Today.	Tomorrow.	In a *week (week's time)*.
iéstârdei	tâdei	tâmórou	in â uik (uiks taim)

Em *uma hora (dez minutos)*.
In *an hour's time (ten minutes)*.
in én auârz taim (tén minits)

Na semana que vem.
Next week.
nékst uik

Há *duas horas (cinco minutos)* ago.
Two hours (five minutes) ago.
tu: auârz (faiv minits) âgou

Na semana passada.
Last week.
last uik

Não *quero (posso)*.
I *don't want (can't)*.
ai dount uónt (ként)

... está quebrado.
... is out of order.
... iz aut óv órdâr

Entre!	**Só um minuto, por favor!**	**Deixe-me em paz!**
Come in!	Just a minute, please!	Leave me alone!
kâm in	djâst â minit, pli:z	li:v mi âloun

Garçom!	**Garçonete!**	**A conta, por favor!**
Waiter!	Waitress!	The bill, please!
ueitâr	ueitris	*dh*â bil, pli:z

Socorro!
Help!
hélp

Traga depressa *um médico (uma ambulância)*!
Fetch *a doctor (an ambulance)* quickly!
fétch â dóktâr (én émbiulâns) kuikli